GHANA
GA WEG

TAIYE SELASI

GHANA GA WEG

Roman

Vertaald door Auke Leistra

Uitgeverij Atlas Contact
Amsterdam/Antwerpen

De vertaler ontving voor deze vertaling een werkbeurs van het Nederlands Letterenfonds

© 2013 Nederlandse vertaling Auke Leistra
Oorspronkelijke titel *Ghana Must Go*
Oorspronkelijke uitgave Viking (Penguin), Londen
Omslagontwerp Roald Triebels
Foto auteur Nancy Crampton
Typografie binnenwerk Wim ten Brinke
Drukkerij Bariet, Steenwijk

ISBN 978 90 254 3588 2
D/2013/0108/570
NUR 302

www.atlascontact.nl

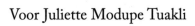

Voor Juliette Modupe Tuakli

Zonnebloem noch roos
bloeit hier, maar in patronen
van zand gedijt steen.

ROBERT HAYDEN,
'Approximations' ('Benaderingen')

een woord vergat te onthouden
wat te vergeten
en flapte nu en dan
de waarheid eruit

RENÉE C. NEBLETT,
'Snapshots'

STAMBOOM

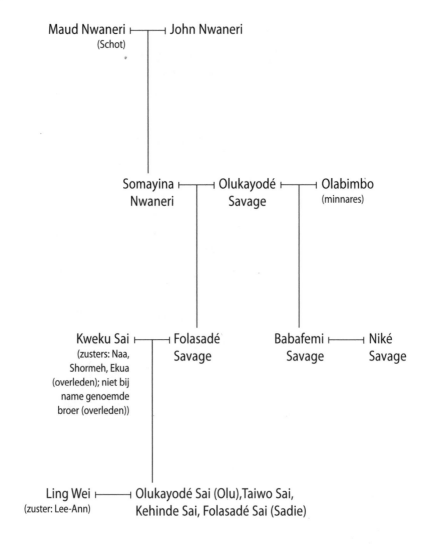

Maud Nwaneri ⊢———⊣ John Nwaneri
(Schot)

Somayina ⊢———⊣ Olukayodé ⊢———⊣ Olabimbo
Nwaneri   Savage   (minnares)

Kweku Sai ⊢———⊣ Folasadé   Babafemi ⊢———⊣ Niké
(zusters: Naa,   Savage   Savage   Savage
Shormeh, Ekua
(overleden); niet bij
name genoemde
broer (overleden))

Ling Wei ⊢———⊣ Olukayodé Sai (Olu),Taiwo Sai,
(zuster: Lee-Ann)   Kehinde Sai, Folasadé Sai (Sadie)

DEEL I

WEG

I

Kweku sterft met blote voeten op een zondag voor zonsopgang, zijn slippers staan nog bij de deur naar de slaapkamer, als honden. Op dit moment staat hij op de drempel tussen de zonnekamer en de tuin te twijfelen of hij terug zal gaan om ze te halen. Hij doet het niet. Zijn tweede vrouw, Ama, ligt nog te slapen, haar lippen losjes van elkaar, haar voorhoofd licht gerimpeld, haar wang verhit op zoek naar een koel stukje kussen, en hij wil haar niet wakker maken.

Hij zou het niet eens kunnen.

Ze slaapt als een taro-knol. Een ding zonder besef van wat dan ook. Ze slaapt als zijn moeder, alsof de stekker eruit is. Hun huis zou kunnen worden leeggeroofd – door Nigerianen op teenslippers die in roestige Russische legertanks tot pal voor de voordeur reden, iedere vorm van tact schuwend, zoals ze tegenwoordig gewoon zijn op Victoria Island (dat is hem althans verteld door zijn vrienden, ruwe oliebaronnen en cowboys die zich hebben teruggetrokken in Greater Lagos, dat merkwaardige slag Afrikanen, rijk en onbevreesd) – en zij zou lieflijk doorsnurken, een soort muzikaal arrangement, gelardeerd met dromen van suikerbonen en Tsjaikovski.

Ze slaapt als een kind.

Toch heeft hij de gedachte met zich meegedragen, van slaapkamer naar zonnekamer, met een weloverwogen vertoon van zorgzaamheid. Een opvoering voor eigen gebruik. Dat doet hij en heeft hij altijd al gedaan sinds hij uit het dorp is vertrokken: kleine openluchtvoorstellingen voor een publiek van één. Of van twee:

hij en zijn cameraman, de stille en onzichtbare cameraman die de-
cennia geleden in het donker voor het ochtendgloren met hem is
weggeglipt bij de oceaan, en die hem sindsdien altijd en overal gevolgd is. Onverstoorbaar zijn leven filmend. Of: het leven van de
Man Die Hij Graag Wil Zijn En Die Hij Bij Zijn Vertrek Hoopte Te Worden.

In deze scène, een slaapkamerscène: De Attente Echtgenoot.

Die de lakens heel voorzichtig van zich af schuift en geruisloos
uit bed glipt, die zijn voeten een voor een op de grond zet en zijn
uiterste best doet om zijn onwekbare vrouw vooral niet te wekken,
niet te snel op te staan om de matras niet te laten terugveren, heel
zachtjes door de kamer te lopen en de deur zonder geluid dicht te
trekken. En op dezelfde manier door de hal, en door de deur naar
de patio, waar ze hem duidelijk niet kan horen, maar nog steeds op
zijn tenen. Over het korte, verwarmde pad van mastervleugel naar
woonvleugel, waar hij een ogenblik blijft staan om zijn huis te be-
wonderen.

Het is een geniaal geheel, deze gelijkvloerse woning, verre van
baanbrekend, maar functioneel, en elegant gepland: een eenvoudige patio met in elke hoek een ingang naar respectievelijk woon-,
eet-, master- en logeervleugel. Hij had het in het derde jaar van
zijn arts-assistentschap, in de kantine van het ziekenhuis, op een
servetje geschetst. Hij was toen eenendertig. Op zijn achtenveer-
tigste had hij het perceel gekocht van een Napolitaanse patiënt,
een rijke speculant met maffiabanden en diabetes type 2 die naar
Accra was verhuisd omdat het hem deed denken aan het Napels
van de jaren vijftig, zei hij (weelde contra behoeftigheid, frisse zee-
lucht contra rioolstank, stinkend arm contra nog stinkender rijk
aan het strand). Op zijn negenenveertigste had hij een timmerman
gevonden die bereid was het te bouwen, de enige Ghanees die er
geen bezwaar tegen had een huis met een gat erin te bouwen. De

timmerman was zeventig, en had grauwe staar en een wasbordje. Hij had foutloos en in zijn eentje gewerkt en de klus in twee jaar geklaard.

Op zijn eenenvijftigste had hij er zijn intrek genomen, maar het te stil gevonden.

Op zijn drieënvijftigste had hij een tweede vrouw genomen. Elegant gepland.

Nu blijft hij boven in het vierkant staan, tussen twee deuropeningen, waar de blauwdruk zichtbaar is, waar hij het ontwerp kan zíén, en bekijkt hij het aandachtig, zoals de schilder het schilderij moet bekijken, of de moeder de pasgeborene: verward en vol ontzag, dat wat aan geest dan wel lichaam is ontsproten nu een eigen leven leidt. Licht verbijsterd. Hoe is dat hier gekomen, van ín hem naar vóór hem? (Hij weet het natuurlijk wel: door het juiste gebruik van het juiste gereedschap; dat geldt voor de schilder, de moeder en ook voor de amateurarchitect – maar het blijft een wonder om te zien.)

Zijn huis.

Zijn mooie, functionele, elegante huis, dat als één geheel bij hem was opgekomen, met grondbeginsel en al, als een bevruchte eicel die op onverklaarbare wijze uit de duisternis was komen aansnellen, in het bezit van een complete genetische code. Een complete, eigen logica. De vier kwadranten: een knipoog naar symmetrie, naar zijn opleidingsperiode, naar ruitjespapier, naar het kompas, eeuwige reis/eeuwige terugkeer, et cetera, et cetera, een grijze patio, niet groen, gepolijste rots, platen van leisteen, bewerkt beton, een soort weerlegging van de tropen, van zijn thuis: een nieuw verbeeld thuisland, alle lijnen helder en recht, niks groens, zachts of weelderigs. In één ogenblik. In één oogopslag. Hier en nu. Tientallen jaren later aan een straat in Old Adabraka, een voorstad in verval, met koloniale herenhuizen, wit pleisterwerk, zwerfhonden. Het is het mooiste wat hij ooit heeft gecreëerd – op

Taiwo na, denkt hij opeens, een gedachte die als een schok door hem heen gaat. Waarop Taiwo zelf – zwarte wildgroei aan wimpers, gebeiteld gesteente als jukbeenderen, ogen als edelstenen, lippen hetzelfde roze als de binnenkant van een trompetschelp, onmogelijk mooi, een onmogelijk meisje – min of meer voor hem verschijnt en zijn optreden als Attente Echtgenoot onderbreekt, om vervolgens in rook op te gaan. Het mooiste wat hij ooit alléén heeft gecreëerd, corrigeert hij zijn eigen observatie.

Dan loopt hij verder, over het pad, de deur door naar de woonvleugel, door de eetkamer naar de zonnekamer, en naar de drempel.
Waar hij blijft staan.

2

Later die morgen, als het is gaan sneeuwen, en de man klaar is met sterven, en een hond de dood heeft geroken, zal Olu zonder zich speciaal te haasten het ziekenhuis uit lopen, zijn BlackBerry ophangen, zijn koffie neerzetten, gaan huilen. Hij zal op geen enkele manier kunnen weten hoe de dag is aangebroken in Ghana; hij zal mijlen en oceanen en tijdzones ver weg zijn (en andere soorten afstand die moeilijker te overbruggen zijn, zoals hartzeer en boosheid en verkalkt verdriet en vragen die te lang niet gesteld en niet beantwoord zijn en generaties van vader-zoonstilte en schaamte), en net sojamelk door zijn koffie hebben geroerd in een ziekenhuiskantine, met wazige ogen en een slaaptekort, hier en niet daar. Maar hij zal het zich voorstellen – zijn vader, daar, dood in een tuin, gezonde man, zevenenvijftig, in uitstekende conditie, kleine ronde biceps die tegen de huid van zijn armen aan drukken, kleine ronde buik die tegen de fijne stof van zijn hemd aan drukt, zijn Fruit of the Loom-hemd, hagelwit op donkerbruin, gedragen op die belachelijke MC Hammer-broek waar hij zo'n hekel aan heeft en die Kweku zo mooi vindt – en wat hij ook probeert (hij is arts, hij weet wel beter, hij heeft er een hekel aan als zijn patiënten vragen 'en als u het nou eens bij het verkeerde eind hebt?'), hij zal de gedachte niet van zich af kunnen zetten.

Dat de artsen het bij het verkeerde eind hadden.

Dat zulke dingen niet 'soms gebeuren'.

Dat daar iets *gebeurd* is.

Geen arts die zo ervaren is, zeg maar gerust zo exceptioneel begaafd – en je kunt zeggen wat je wilt, de man was goed in zijn werk, zelfs lasteraars geven het toe, 'een kunstenaar met het mes', chirurg zonder weerga, Ghanese Carson, enzovoort –, had alle voortekenen van zo'n traag opkomende hartaanval over het hoofd kunnen zien. Primaire trombose in de kransslagaders. Eitje. Kwestie van snel optreden. En hij zal toch ook tijd hebben gehad, minstens een halfuur naar wat mama allemaal zegt, minstens, dertig minuten om in actie te komen, om 'het geleerde in praktijk te brengen', zoals dr. Soto, Olu's favoriete specialist, zijn chicano beschermheilige, het uitdrukt: om de symptomen na te lopen, een diagnose te stellen, op te staan, naar binnen te gaan, de vrouw wakker te maken, en als de vrouw niet kon rijden – waar je gerust van uit kan gaan, ze is analfabeet – zichzelf met de auto in veiligheid te brengen. Om slippers aan te trekken, god nog aan toe.

In plaats daarvan deed hij niets. Zette geen symptomen op een rijtje, stelde geen diagnose. Stapte over een drempel en viel vervolgens in het gras waar zijn vader, Kweku Sai, Hoop van de Ga, verloren wonderkind, zonder aanwijsbare reden – of althans om redenen waarvan Olu onkundig moet blijven, waar hij slechts een slag naar kan slaan en die hij, gedoemd tot onwetendheid als hij is, zijn vader onmogelijk kan vergeven – gewoon in zijn pyjama zonder iets te doen bleef liggen tot de zon opkwam, meedogenloos, geen zonsopkomst maar een zonsopstand, dood aan het fletse grijs met een goudvlammend zwaard, terwijl binnen de vrouw haar ogen opsloeg en slippers bij de deur zag staan, wat ze vreemd vond, zodat ze hem ging zoeken en hem dood aantrof.

Een exceptioneel chirurg.

Met een verre van exceptioneel hartinfarct.

Met gemiddeld veertig minuten tussen begin en overlijden, ook al is het waar dat zulke dingen 'soms gebeuren', dat wil zeggen dat een gezond menselijk hart 'soms' verkrampt, of het nou wil of niet, zomaar ineens, als een hamstring waar opeens kramp in schiet, met die veertig minuten is er nog altijd de kwestie van tijd. Van al die tussentijd. Tussen de eerste steek en de laatste adem. Juist die momenten waar Olu al zijn leven lang door gefascineerd, door geobsedeerd is, in zijn jeugd als atleet, in zijn volwassen jaren als arts.

De momenten die een uitkomst bepalen.

De stille momenten.

De stilte tussen trekker en actie, als de uitdaging van het ogenblik het enige is waar de geest zich op focust en de hele wereld vertraagt als om te kijken wat er gaat gebeuren. Stukjes tijd waarin je in actie komt of juist niet. Waarna het Te Laat is. Niet het einde – niet die paar vertwijfelde, kakofonische seconden die voorafgaan aan de laatste zoemtoon of de lange monotone piep – maar de stilte, het stilvallen daarvóór. Er is altijd dat moment van stilvallen, weet Olu, zonder uitzondering. In de seconden nadat het pistool is afgegaan en de sprinter gebukt blijft staan of te snel overeind schiet, en het slachtoffer van een beschieting een kogel in zijn huid voelt boren en een hand naar zijn wond brengt of juist niet, seconden waarin de wereld stilstaat. Of de sprinter zal winnen en of de patiënt het zal halen heeft uiteindelijk minder te maken met hoe hij over de lijn gaat dan met wat hij deed in die stille momenten daarvoor, en Kweku deed niets, en Olu weet niet waarom.

Hoe kon zijn vader zich niet realiseren wat er aan de hand was en hoe kon hij, als hij het zich realiseerde, daar blijven liggen? Nee. Er moest iets gebeurd zijn wat hem had afgemat, gedesoriënteerd, een sterke emotie, een mentale kortsluiting, Olu weet niet wat. Wat hij wel weet is dit: actieve man van nog geen zestig, voor zover bekend geen ziektes, grootgebracht op een dieet van zoetwatervissen, elke dag acht kilometer hardlopend en elke nacht het bed delend met een geile dorpsgekkin – en je kunt zeggen wat je wilt, de nieuwe vrouw is geen verpleegkundige: het is zinloos te gaan zwartepieten, maar er had hoop kunnen zijn, als er een juiste borstcompressie was uitgevoerd/als ze alleen maar wakker was geworden – zo'n man overlijdt niet in een tuin aan een hartstilstand.

Iets moest hem ervan hebben weerhouden om in actie te komen.

3

Dauwdruppels op gras.

Dauwdruppels op grassprieten als diamanten die met handenvol door een elfje zijn uitgestrooid, een kaboutergod die toevallig langskwam en die licht en soepel door de tuin van Kweku Sai is gelopen vlak voor Kweku zelf naar buiten kwam. Nu glinstert de hele tuin, knipogend en giechelend als schoolmeisjes die zichzelf blozend het zwijgen opleggen als hun geliefden eraan komen: glinsterende mangoboom, monarch, vruchtbaar wezen in het centrum met haar dikke, heldergroene bladeren en haar heldergele eieren; glinsterende fontein, nu vol barsten en onkruid met witte bloesem, maar met het standbeeld nog overeind, de 'moeder van een tweeling', *iya-ibeji*, ooit een geschenk voor zijn ex-vrouw Folasadé, nu verlaten in de fontein met haar uit steen gebeitelde tweeling; glinsterende bloemen die Folasadé zo uit het hoofd kon benoemen, Engelse namen, Latijnse namen, tal van tinten roze; een gloeiende lucht in het zachte grijs van het zuiden zonder zonlicht, glinsterende wolken aan de rand.

Glinsterende tuin.

Glinsterend nat.

Kweku blijft op de drempel staan en staart ernaar, ademloos, met zijn schouder tegen de schuifdeur die half openstaat. Hij denkt bij zichzelf, met een steek in zijn hart, dat de wereld te mooi is soms, dat hij domweg geen gewicht heeft, en onmogelijk te aanvaarden is: de dauw op het gras en het licht op de dauw en de tint van dat licht, niet voor een arts als hij, die weet dat zulke dingen de nacht zelden overleven; dat ze wel ín, maar niet lang vóór de wereld zijn zoals hij haar gekend heeft: wreed, zinloos, slopend; dat ze ofwel gebroken worden of losbreken, en een leegte achterlaten. Dat neonatologie het bij het rechte eind had.

Het geven van namen wordt op de intensive care van neonatologie niet aangemoedigd, zoals hij ontdekte toen hij in zijn derde jaar zijn coschappen liep bij kindergeneeskunde, in die hartverscheurende winter van 1975, toen zijn moeder net was overleden en zijn oudste zoon net was geboren. Als een gedoemde pasgeborene het einde van het weekend niet haalde, werd het ouders ontraden het kindje een naam te geven en krabbelden ze 'Baby' met de achternaam op het labeltje aan de couveuse ('A, B, C Achternaam' in het geval van meerlingen). Veel van zijn studiegenoten vonden dat grof, en raar – alsof je je prematuur gewonnen gaf. Dat waren voornamelijk Amerikanen, met hun witte tanden en koeienmelk, voor wie kindersterfte iets onvoorstelbaars was. Of liever gezegd: iets

wat ze zich alleen in cijfers konden voorstellen, als statistisch gegeven, dat wil zeggen x procent van de neonaten onder de twee
weken overlijdt. Voorstelbaar in het meervoud, onaanvaardbaar in
het enkelvoud. Die ene grijsblauwe baby.

Wijlen Baby Achternaam.

Voor de Afrikanen daarentegen (en voor de Indiërs en Caribiërs
en die ene ontsnapte Let voor wie het in Baltimore prettig toeven
was) was een dode neonaat niet alleen voorstelbaar maar ook niks
bijzonders – des te beter wanneer het onvermijdelijk en derhalve
verklaarbaar was. Zo was het leven. Voor hen was het geen-naam-
geven logisch, bewonderenswaardig zelfs, een manier om afstand
te scheppen van dat leven en daarmee van de dood. Precies het
soort dingen waar ze altijd mee bezig waren in Amerika en waar
ze zich in plaatsen als Riga en Accra nooit druk over maakten. De
sterilisatie van menselijke emoties. De reducering van leed tot
voorbedrukte-rouwkaart-verdriet. Alsof een ijverige operatiezus-
ter alle lelijkheid van de vele gezichten van het verdriet waste.

Gezichten die Kweku Sai kende.

Voor hem, die verdriet aan elk van zijn gezichten herkende en
kon benoemen, was de logica bekend uit een warmere, derde wereld, waar de jongen die zijn moeder, nog onder het bloed van de
bevalling (vruchteloze barensweeën), bij het ochtendgloren naar
de zee volgt – waar hij haar het lijkje als een minder fortuinlijke
Mozes in een palmblad ziet wikkelen en daarna in het schuim ziet
leggen, waarna ze erbij wegloopt zonder dat hij haar er verder ooit
nog over zal horen –, leert dat 'verlies' een idee is. Niet meer dan
een gedachte. Die je al of niet vormt. In woorden giet. Je kunt niet
verliezen, noch ooit zeggen dat je verloren hebt, wat je in gedachten het leven ontzegt.

Ook toen al, op zijn vierentwintigste, zelf pas vader en nog altijd een kind, een pas verweesd kind, wist Kweku dat.

Nu staart hij naar de glinsterende tuin, gebiologeerd door schoonheid, en weet hij wat hij zoveel winters geleden ook al wist: dat als je geconfronteerd wordt met iets wat fragiel en volmaakt is in een wereld die lelijk en verpletterend en wreed is, de correcte handelwijze is: geef het geen naam. Doe alsof het niet bestaat.

Maar het werkt niet.

Hij voelt een tweede steek, hem toegebracht door het bestaan van volmaaktheid, het koppige bestaan van volmaaktheid in het kwetsbaarste van alle dingen, zijn weigering – logisch-bewonderenswaardige weigering – zich met dat bestaan in te laten in zijn hart, in zijn hoofd, ten spijt. Een tweede steek, hem toegebracht door een troosteloze logica, de vloek van helder inzicht, ongeacht aan welke draad hij trekt in hetzelfde ellendige kluwen: (a) de futiliteit van het zien, gegeven de dodelijkheid van schoonheid, vooral de fragiele schoonheid in een land als dit, waar een moeder, nog onder het bloed, haar pasgeborene moet begraven, zich moet wassen en weer naar huis moet om yam tot puree te stampen; (b) de vasthóúdendheid van schoonheid, in fragiliteit nog wel!, in een dauwdruppel bij het ochtendgloren, een ding waar een eind aan zal komen, en in enkele ogenblikken, in een tuin, in Ghana, welig Ghana, zacht Ghana, groen Ghana, waar fragiele dingen doodgaan.

Hij ziet het zo duidelijk dat hij zijn ogen dichtdoet. Zijn hoofd begint te bonzen. Hij doet zijn ogen open. Hij probeert het, maar kan zich niet verroeren. Hij ligt daar vastgeplakt, overweldigd.

De laatste keer dat hij dat voelde was met Sadie.

4

Opnieuw winter, 1989.

De verloszaal in het Brigham.

Fola rechtop in de kussens, nog onder het bloed van de beval-ling, zich vastklampend aan zijn arm.

De tweeling, negen jaar oud, diep in slaap in de hal in die lelij-ke blauwe stoelen met hun vulling van geel schuimrubber, liggend zoals ze altijd lagen, in elkaar verstrengeld als een vreemde houten logicapuzzel uit Japan: het hoofd van Taiwo op de schouder van Kehinde en de wang van Kehinde op het hoofd van Taiwo, een meisje en een jongen met dezelfde amberkleurige ogen die fon-kelden in verder zachtaardige jonge gezichtjes.

Olu partjes appel etend, zo gezond al met zijn veertien jaar, *Things Fall Apart* aan het lezen, het enige zichtbare teken van zijn toenemende pijn de mechanisch op en neer gaande beweging van zijn bovenbeen.

En de pasgeborene, nog naamloos, vechtend voor haar leven in de couveuse. En aan de verliezende hand.

Baby Sai.

In de penetrante geur van de verloszaal.

'Wat is er met Idowu? Waar nemen ze haar mee naartoe?'

Ze hield zijn blote arm krampachtig vast. Hij was nog in zijn operatiepak, de armen nog onbedekt. Hij had net een wond staan hechten toen haar weeën begonnen (te vroeg). Een vriend die in het Brigham werkte had hem via de intercom laten omroepen en hij was vanuit het Beth Israel door de sneeuw hiernaartoe gerend, terwijl de dwarrelende vlokken zijn zicht vertroebelden en de woorden, twee woorden, zijn denken vertroebelden. Te vroeg.

'Het was te vroeg.'

'NEE.'

Geen menselijk geluid. Dierlijk. Een gegrom dat zich rommelend een weg baant vanuit de net geleegde buik. Een strijdkreet. Maar wie was de vijand? Hij. De verloskundige. De tijd. De buik zelf. 'Folasadé,' prevelde hij.

'Kweku, nee,' gromde Fola, met opeengeklemde tanden, haar nagels in zijn kippenvel. Tot er bloed uit kwam. 'Kweku, nee.' Nu begon ze te huilen.

'Alsjeblieft,' fluisterde hij. Verslagen. 'Niet huilen.'

Ze schudde haar hoofd, en bleef huilen en zijn arm doorboren (en andere doorboorbare delen van hem die ze geen van beiden opmerkten). 'Kweku, nee.' Alsof ze zijn naam voor zichzelf nu van Kweku, gewoon Kweku, veranderde in Kweku-Nee.

Hij drukte zijn lippen zachtjes op de kruin van haar hoofd. Haar kroon, haar haar, door vers zweet tot de helft teruggebracht. Een wolk van spiraaltjes, waarvan elk zich solidair aan de volgende hechtte, in een geur van Indiase hennep. 'We hebben drie gezonde kinderen,' zei hij zacht tegen haar. 'We zijn gezegend.'

'Kweku-Nee, Kweku-Nee, Kweku-Néé.'

De laatste klonk snerpend en kwam dicht bij woede, beschuldiging. Hij had Fola nog nooit zo buiten zichzelf gezien. Haar twee andere zwangerschappen waren perfect verlopen, medisch gezien, met bevallingen als uit het boekje, soepel alsof het instructiefilmpjes betrof: de eerste in Baltimore toen ze nog kinderen waren, de tweede hier in Boston, een keizersnee, de tweeling. En nu dit, tien jaar later, in elk opzicht een ongeluk, de derde (hoewel het in zekere zin allemaal ongelukjes waren). Bij deze was ze vrijwel vanaf het begin al anders geweest. Ze wilde per se meteen het geslacht weten. Vervolgens stond ze erop dat hij het aan niemand zou vertellen, zelfs niet aan de kinderen, (a) niet dat ze in verwachting was en (b) niet wat het ging worden. Het werd allebei duidelijk op die zomeravond dat ze aan kwam zetten met vier emmers pastelroze verf. Ze koos zonder hem de naam voor 'het kind dat na de tweeling komt'. Dat verbaasde hem niet zozeer. Nadat ze iya-ibeji was geworden, moeder van een tweeling, was ze haar Yoruba-afkomst gaan koesteren. Hij vond het geen mooie naam, de klank beviel hem niet, Idowu, en de betekenis, iets met strijd en pijn, beviel hem nog minder. Maar hij was opgelucht dat ze geen dramatischer keuze had gemaakt, niet iets als Yemanja, want ze had zich er wel naar gedragen. Ze had zelfs altaren opgericht.

En nu dit. Tien weken te vroeg. Niks aan te doen.

'Je moet íéts doen.'

Hij keek naar de verpleegster.

Eentje die nogal wat dronk, zo te zien aan haar pens en haar knalrode hoofd. Iers, aan haar uitspraak van de 'a' te horen, met een vleugje South Boston. Maar geen spoor van de dweepzucht die daar vaak mee gepaard ging, en mooie ogen, grijzig blauw, glinsterend. Ze kreeg het voor elkaar om tegelijkertijd haar wenkbrauwen te fronsen en te glimlachen. Meelevend. Terwijl Fola zijn arm openhaalde. 'Waar hebben ze haar naartoe gebracht?' vroeg hij, al wist hij het antwoord al.

De verpleegster fronste-en-glimlachte. 'Naar neonatologie, de ic.'

Hij ging naar de wachtkamer.

Olu keek op.

Hij ging naast zijn zoon zitten, legde een hand op zijn knie. Olu legde Achebe weg en keek naar zijn knie alsof hij zich nu pas realiseerde dat hij zat te wiebelen.

'Pas jij op je broertje en zusje. Ik ben zo terug.'

'Waar ga je heen?'

'Bij de baby kijken.'

'Mag ik mee?'

Kweku keek naar de tweeling.

Een vreemde houten puzzel uit Japan. Ze sliepen als zijn moeder. Olu keek ook naar hen. En toen, smekend, naar Kweku.

'Nou, kom maar.'

Ze liepen zwijgend door de ziekenhuisgang. Zijn cameraman liep achterwaarts voor hen uit. In deze scène: Gerespecteerd Arts loopt met grote passen door de gang om zijn onredbare dochter te redden. Een western. Hij wou dat hij een wapen had. Een revolver, zes kamers, zilverkleurig. Twee. Iets met meer glans dan een graad in de medicijnen van Hopkins. En een duidelijker opponent. Of een iets minder geduchte opponent dan de grondbeginselen van de verloskunde. De alleszins reële verwachtingen.

Dan, Olu. 'Wat is 't?'

Einde scène.

'Niks.' Kweku grinnikte. 'Alleen moe, verder niks.' Hij gaf zijn zoon een klopje op het hoofd. Of preciezer uitgedrukt: over zijn voorhoofd, want het hoofd van zijn zoon was niet meer waar het in zijn herinnering was. Hij keek iets beter naar Olu, verbaasd over zijn lengte (en over andere dingen die hij wel eerder had gezien maar die hem nooit waren opgevallen: de omvangrijke brede rugspier, de hoekige kaaklijn, de Yoruba-neus, de neus van Fola, breed en recht, de strakke huid met dezelfde tint als zijn eigen huid en glad als de billetjes van een baby, zelfs nu nog, in zijn puberteit). Hij was niet knap als Kehinde – die eruitzag als een meisje: een onmogelijk, en onmogelijk mooi meisje – maar leek in de loop van één weekend te zijn uitgegroeid tot een echt heel knappe jongeman. Hij gaf Olu een kneepje in zijn schouder, om hem gerust te stellen. 'Ik voel me prima, hoor.'

Olu fronste en verstrakte. 'De baby, bedoel ik. Wat is het? Wat voor geslacht?'

'O. Zo.' Kweku glimlachte. 'Het was een meisje', en toen: 'Het is een meisje' – maar te laat. Olu had de verleden tijd gehoord en keek hem boos aan, op zijn qui-vive.

'Wat mankeert haar?' vroeg hij met afgeknepen stem.

'De vloek van haar geslacht. Ongeduldigheid.' Kweku knipoogde. 'Ze kon niet wachten.'

'Kunnen ze het redden?'

'Dat zit er niet in.'

'En u?'

Kweku moest hardop lachen, een plotseling geluid in de stilte. Hij gaf Olu weer een klopje op zijn hoofd, deze keer op zijn haar. De inschatting die zijn oudste zoon maakte van zijn kennis en kunde als arts verbaasde dan wel verrukte hem elke keer weer. Of verzoende hem elke keer weer. Zijn ándere zoon kon zich er niet druk over maken wat hij uitspookte, ongeacht het feit dat ze er als gezin van leefden. Hij vatte dat niet persoonlijk op. Althans dat dacht hij. Althans hij liet het niet merken als zijn cameraman in de buurt was. Hij was een Intelligente Ouder, te rationeel om een lievelingskind te hebben. Een Mannenman, die boven kleingeestige onzekerheden stond. En een Gerespecteerd Arts, een van de beste in zijn vakgebied, godverdomme!, of Kehinde dat nou interessant vond of niet. Bovendien. Die jongen wás niet te imponeren. Altijd en eeuwig onverschillig. Zijn leraren zeiden jaar in jaar uit allemaal hetzelfde. Buitengewoon begaafd, voorbeeldig in zijn gedrag, maar lijkt niets om school te geven. Wat konden ze daaraan doen?

Kehinde geeft nergens om, hield Kweku hun voor. Behalve om Taiwo. (Altijd behalve om Taiwo.)

'Nee,' zei hij tegen Olu. Zijn lach bleef als glimlach hangen. De blik van Olu bleef op de zijkant van zijn gezicht hangen. En viel toen weg. Ze liepen zwijgend verder. Opeens keek Olu op.

'Dat kunt u wel.'

Al die jaren later, als Kweku aan dat moment terugdenkt, ziet hij nog het gezicht van zijn veertienjarige voor zich, toen Olu – in een oogwenk – weer kind leek te worden, vol kindervertrouwen. De jongen had een gedaanteverandering ondergaan, zijn hele gezicht was wijd open, in zijn blik was geen spoor van twijfel te zien. Kweku sloeg zijn ogen neer. Olu's inschatting van zijn kennis en kunde als arts was hartverscheurend (en het was de tweede keer dat zijn hart brak. De eerste keer had hij niet gevoeld). Hij schudde zwakjes het hoofd en keek naar zijn handen. Zijn vingers nog bevroren van zijn sprint door de sneeuw. Hij wankelde op een randje, al wist hij niet welk, een vreemde kracht die zich ophoopte in hem en tegen hem. 'Ze heeft er het hart niet voor...' begon hij, maar toen zei hij niets meer. Ze waren bij de glazen deur van de intensive care aangekomen.

Kweku tuurde naar binnen.

Daar lag het.

Helemaal links.

Iets meer dan drie pond, nauwelijks ademend, nauwelijks levend.

Met al die pleisters en buisjes die eruit staken was het net E.T. die weer naar huis ging.

Olu stond met zijn handen tegen het raam. 'Welke is het?' vroeg hij, en hij bracht zijn handen boven zijn ogen en tuurde ook naar binnen. Kweku lachte zachtjes. Olu zei niet 'ze'. Alleen 'het', 'welke', 'de baby'. Chirurg in de dop. Hij wees naar de couveuse, het label waar de naam op geschreven was. 'Die,' zei hij. 'Baby Sai.'

Het was het simpelste wat je maar bedenken kon, een kleine vergissing ('Sai'), uitgesproken terwijl hij op het glas tikte, maar hij had al op het randje staan wankelen toen het gebeurde, toen hij, wijzend naar de couveuse, zijn eigen naam uitsprak. En die twee zo bij elkaar gevoegd, als een brandbaar mengsel – de klank van zijn naam, uitgesproken in de ruimte, en de aanblik van de pasgeborene die vocht voor elke ademtocht –, maakte dat 'Baby Sai' op een of andere manier opeens van hem was. Zijn kind.

Zijn dochter.

En ze was volmaakt.

En ze was zo kléín.

En ze was op sterven na dood. En hij voelde het, voelde haar sterven, diep in zijn borst, de kracht die daar aanzwol, rauwe paniek die zijn longen overweldigde en zijn borst vulde met een zware tinteling, bijtend en scherp. Hij hoorde zichzelf fluisteren: 'Daar ligt ze', of zoiets, al werd zijn strottenhoofd bijna dichtgeknepen en herkende hij zijn eigen stem niet eens.

Olu ook niet, die keek op, geschrokken.

'Papa,' fluisterde hij. Verslagen. 'Niet huilen.'

Maar Kweku kon er niks aan doen. Hij was zich er nauwelijks van bewust. De tranen kwamen zo snel en vielen zo geruisloos. Zijn dochter. Dat kostbare ding daar, met nageltjes aan haar teentjes als dauwdruppels, tien kleine vingertjes hoopvol ineengekruld, vastberaden knuistjes, en die huid, dun als een bloemblaadje, als een bloem waar Fola zo de naam van zou weten. Fola's lieveling, nu al. En zij. Wachtend, hoopvol, nog overeind in de kussens, zwetend, bebloed. Ook de zijne.

Je moet iets doen.

Hij moest iets doen. Met zijn arm droogde hij vlug zijn tranen. Het zout prikte in zijn wondjes. Hij kneep Olu in zijn schouder. Om zichzelf gerust te stellen.

'Nou, kom maar.'

De volgende zesennegentig uur bleef hij: in de personeelsvertrekken, waar hij zich over vermoeide stagiairs ontfermde die daar ook sliepen, collega's raadpleegde, behandelingen doorlichtte, obsessief las en nauwelijks sliep, tot zijn opponent was verslagen. Tot de pasgeborene een naam kreeg. En dan niet Idowu, die geitenvleestaaie naam die Fola zo mooi vond voor het lankmoedige kind dat na de tweeling kwam. Hij koos Sadé toen ze het kind mee naar huis namen, op grond van de overweging dat twee Fola's te verwarrend zou zijn. Zijn eerste keus was Ekua, naar zijn zuster, 'geboren op woensdag', maar Fola had jaren geleden de autoriteit op het punt van naamgeving naar zich toe getrokken (eerste voornaam: Nigeriaans, middelste voornaam: Ghanees, derde voornaam: Savage, achternaam: Sai). Toen Sadé naar de middelbare school ging, maakte ze er Sadie van, op grond van de overweging dat haar klasgenootjes haar naam toch al zo uitspraken. Maar een verpleegster maakte er om te beginnen Folasadé van, onbedoeld, die laatste nacht in het Brigham.

Ook weer een ongelukje.

Hij was alleen met het kindje op de couveuseafdeling, na middernacht, nog altijd in het operatiepak dat hij dagen eerder in het Beth Israel bij een blindedarmoperatie had gedragen, zich er volledig van bewust dat een ouder die over de gang liep en door het raam naar binnen keek hem best voor een dakloze zou kunnen houden, en dat eigenlijk misschien ook wel zou moeten. Bloeddoorlopen ogen, klitten in het haar, de half verdwaasde blik van een verwoestende obsessie: hij zag eruit als een gek, een gek in ziekenhuisuniform, die zich uit de naad heeft gewerkt, die zich het leplazarus heeft gewerkt in een poging om tegen alle verwachtingen in een leven te redden. (Hij kon niet weten dat hij ooit inderdaad die gek zou zijn.) Het was donker op de afdeling, alleen in de couveuses brandde licht. Hij zat op een stoel en wiegde het meisje op zijn schoot. Het meisje lag op dat moment al een uur te slapen maar hij bleef haar wiegen, te moe om op te staan. De stoel was te klein, het was zo'n plastic schommelstoeltje dat ziekenhuizen op kinderafdelingen hebben staan, kennelijk voor de patiëntjes zelf.

De Iers uitziende verpleegster met de buik en het rode hoofd verscheen met haar klembord in de deuropening en bleef daar staan. 'U weer.' Ze leunde tegen de deur, fronsend en glimlachend tegelijk.

'Ik weer, ja.'

'Nee, nee. Blijft u alstublieft zitten.'

Ze kwam binnen zonder de tl-lampen aan het plafond aan te knippen, hun beiden het plotselinge geweld van zoveel licht vriendelijk besparend. Ze deed snel de ronde en krabbelde notities op haar klembord. Toen ze bij het schommelstoeltje kwam keek ze neer en moest ze lachen.

De hand van het kindje, met die vijf oneindig kleine bruine vingertjes, omklemde de duim van Kweku alsof haar leven ervan afhing.

'Ik zweer het, u bent hier nog vaker dan ik,' zei ze. South Boston. Dat accent. 'U moet wel heel veel van haar houden.'

Kweku lachte zachtjes, om de baby niet wakker te maken. 'Ja,' beaamde hij eenvoudig. 'Ja.'

Dat dubbele ja-woord bracht hem terug naar Baltimore, naar zijn bruiloft, naar Fola, jong, schitterend in haar positiejurk in die kapel met dat lage plafond, rode vloerbedekking, houten lambrisering, hun huwelijksnacht, gemberbier, plastic champagneglazen. Waarop twee andere woorden bijna als belletjes naar het oppervlak van zijn gedachten kwamen drijven. En barstten. Te vroeg. Waren ze te vroeg getrouwd? Te vroeg ouders geworden? Zo ja, wat zou dat kunnen betekenen? Dat het geen 'ware liefde' was?

De verpleegster, nog in Boston, deed het lampje in de couveuse uit. Kweku, nog in Baltimore, deed zijn ogen dicht en wiegde naar voren en naar achteren. 'Ik houd écht heel veel van haar.' De verpleegster hoorde het niet. Ze keek op het labeltje aan de couveuse. Baby Sai. Geen voornaam.

'Hoe heet ze?' vroeg ze met haar pen in de aanslag.

'Folasadé,' mompelde Kweku, te uitgeput om na te denken.
'Mooie naam. Hoe schrijf je dat?'
Zonder zijn ogen te openen. 'F-o-l-a-s-a-d-e.'

Het kwam pas bij hem op wat de verpleegster nou precies gevraagd had toen er bij het ontslag verwarring ontstond. 'Geen Idowu Sai.' Een andere verpleegster nu, die geïrriteerd met haar
kauwgom smakte. Ze legde de map met een klap op de balie en
wees. Acrylnagel. Kweku pakte de map en keek wat daar stond.
'Voornaam: Folasade. Achternaam: Sai.' De verpleegster keek
zelfvoldaan, blies een kauwgombel en liet die klappen.
'Fo-la-see-die Sai. Is dat uw kind? Fo-la-see-die?'

5

De laatste keer dat hij dat voelde was met 'See-die': dat gevoel van
openbaring, die verwarrende ontdekking dat hij er al die tijd naast
had gezeten, dat iets waar hij talloze malen naar gekeken had en
dat hij altijd weinig opvallend, ja verwaarloosbaar had gevonden,
eigenlijk prachtig was, en al die tijd al prachtig was geweest. Hoe
had hij dat over het hoofd kunnen zien? Het amper geboren kind,
de amper ademende neonaat, vuistjes hoopvol gebald, niet bizar,
niet vreemd, zoals pasgeboren kinderen er in zijn ogen ooit uitzagen (zelfs Olu, Taiwo, Kehinde), maar schitterend, het waard om
voor te vechten. Met de bijkomende consternatie: een plotselinge
benauwdheid in zijn borst, links, waar hij de dood voelt, en andere aanzwellende krachten, niet zozeer: blind-maar-nu-kan-ik-
zien, engelenkoren, halleluja, maar meer: wat-stelt-het-uiteinde-
lijk-allemaal-voor, een scherpe, een felle frustratie.

Of wat hij althans houdt voor frustratie.

Hij heeft een keer gelezen dat frustratie zelfmedelijden is onder een andere naam.

Nou ja, als het beestje maar een naam heeft.

De laatste keer dat hij dat voelde was met Sadie: frustratie/zelfmedelijden, dat de wereld zowel te mooi is als mooier dan hij weet, dan hij heeft opgemerkt, dat hij het gemist heeft, en dat hij misschien wel meer mist, maar dat hij dat misschien wel nooit zal weten en dat het misschien wel te laat is; dat het te laat kán zijn, dat er überhaupt zoiets bestaat, Te Laat, dat de tijd opraakt en dat het uiteindelijk misschien niet eens uitmaakt wat hij heeft opgemerkt, want hoe kan dat iets uitmaken als het toch allemaal verdwijnt?

Of een soort gedachtespiraal in die richting die uiteindelijk overgaat in dat laatste verweer: hoe kan hij op de vingers worden getikt voor alles wat hij gemist heeft als het allemaal in nietszeggendheid gehuld ging, als alles toch doodgaat? Hij bepleit zijn eigen onschuld ('Ik wíst niet wat mooi was; als ik het gezien had, als ik het geweten had, zou ik ervoor gevochten hebben, voor alles!'), hoewel grotendeels onduidelijk blijft tot wie hij zich richt met zijn pleidooi, zowel in de zonnekamer als in de couveusekamer. En iets anders. Iets nieuws nu. Rechtschapenheid noch blindheid noch blinde verontwaardiging noch medelijden.

Aanvaarding.

Van de dood.

Want op een of andere vreemde manier, als de spiraal tot rust komt bij 'als alles toch doodgaat', weet hij dat hij op het punt staat om dood te gaan.

Hij weet – terwijl hij daar zo staat in zijn hemdje en MC Hammerbroek, met een schouder tegen de schuifdeur die half openstaat, steeds verder wegglijdend in zijn rêverie, van de ene herinnering naar de andere met alles (spijt, wroeging, wrok, herwaardering) wat daar aan gevoelens achteraf bij komt kijken – dat hij op het punt staat om dood te gaan.

Hij weet het.

Maar merkt het niet op.

Het is een weten, geen bewuste kennis. Iets wat niet opvalt te midden van zijn andere gedachten. Niet eens een 'gedachte'. Een geluid dat door water op hem afkomt, zonder enige haast. Een gedaante die in de verte gevormd wordt uit negatieve ruimte. Een luchtbel die net opstijgt naar het bewustzijn, maar nog tien, vijftien minuten te gaan heeft, die achterloopt op schema, alle feiten worden weer rechtgezet, bedienden brengen de hut voor aankomst in gereedheid. Een vrouw. De stem van een vrouw. De liefde van een vrouw. Liefde voor haar en van haar, een vrouw, twee vrouwen. De moeder en minnares, waar het begint en op een einde loopt, zoals hij altijd gedacht heeft dat het zou gaan. (Straks meer hierover.)

Op dit moment staat hij op de drempel, gebiologeerd door de tuin.

Hoe heeft hij dit nou niet kunnen zien?!

6

In bijna zes jaar kijken – elke morgen vanuit deze zonnekamer met zijn ramen van vloer tot plafond en architectonisch glazen dak, tussen twee teugjes koffie en Milo (de mokka van de armen) zijn *Graphic* rechtleggend, afgeleid, afkeurend mompelend bij het uitzicht, bedenkend dat hij op dat zwembad en dat grind had moeten aandringen, dat het 'liefdegras' water moest hebben, dat dat het probleem is met groen, dat hij hoopt dat die verdraaide Lamptey, de timmerman, nou tevreden is – heeft hij hem niet één keer gezien.

Zijn tuin.

Dat kon hij ook niet.

Hij wilde geen tuin. Hij had niet duidelijker kunnen zijn. Niets weligs, zachts of groens; louter heldere lijnen, et cetera. (Wat hij eigenlijk niet wilde was wat hij met tuinen associeerde, zoals Fola of de Engelsen, niet op zijn grond, niet in zijn gezicht.) Hij wilde kiezelstenen, witte kiezelstenen, wit van muur tot muur, als verse sneeuw, een rechthoekig zwembad. Met een zon die schitterend wordt weerkaatst door het wit en het water, terwijl de hitte op afstand wordt gehouden door een betonnen overstek. Dat is wat hij geschetst had in de kantine van het Beth Israel, nippend van goedkope, lauwe koffie, in een onwelriekende geur van desinfecterende middelen en de dood. Een chloorblauwe bak op een strand van gebleekt wit. Steriel, hoekig, elementair.

Een ordelijk beeld.

Met het leven dat daarbij hoorde: elke morgen uit bed komen, met de krant en croissants hier in zijn kleine zonnekamer gaan zitten, verse, dure koffie nippend die wordt geschonken door een butler genaamd Kofi die hij (zonder aanwijsbare reden) met een Brits accent toespreekt: 'Dat was alles.' Al zijn kinderen gerieflijk in bed in de slaapvleugel (nu de logeervleugel). Een kok die een ontbijt klaarmaakt in de eetvleugel. En Fola. Verreweg het mooiste van het hele plaatje in haar Bic-blauwe bikini, de laatste van haar ochtendbaantjes trekkend, haar afrokapsel getooid met sierdruppeltjes water, druipend uit het zwembad oprijzend als Aphrodite uit de golven (ietwat onwaarschijnlijk; ze hield er niet van dat haar haar nat werd), en zwaaiend.

Poppetjes op een servet.

Zij: glimlachend, druipend, zwaaiend.

Hij: glimlachend, koffiedrinkend, terugzwaaiend.

In plaats daarvan is hij hier al die jaren elke ochtend neergestreken met zijn krant en ontbijt (armeluismokka, vier vette driehoekjes geroosterd cacaobrood), aan alle kanten omringd door ramen van vloer tot plafond en de droom van een timmerman annex mysticus.

Die verdomde kerel.

Lamptey.

De timmerman. Nu de tuinman. Nog altijd een mysterie. Die het huis in twee jaar tijd gebouwd heeft, onberispelijk en alleen werkend, onderwijl hasj rokend en bij de lunch blunts draaiend, zangerig biddend om vergeving voor de pijn die hij het hout had gedaan; die naar zijn werk kwam in swamikledij (saffraangeel, blootsvoets, riem met gereedschap om de heupen) en er niet zozeer uitzag als een wijze maar meer als een oudere stripper met zijn hamer en beitel en blote, gebeeldhouwde bovenbenen: een oude ziel in het lichaam van een jongere man, met babyogen in zijn oudemannengezicht, ergens in de zeventig, met staar en een wasbordje; die de zonnekamer saboteerde en Kweku zijn uitzicht ontzegde. Maar die het visioen in elk geval begreep: eenvoudig en gelijkvloers. De enige timmerman in Accra die het wilde bouwen.

Alle andere dure architect-aannemers hadden zo hun eigen ideeën (en allemaal hetzelfde idee) over hoe een huis eruit zou moeten zien; namelijk zo groot en protserig als financieel mogelijk was, zonder enige referentie aan welke Afrikaanse architectuurvorm dan ook. Kweku probeerde het zo beleefd mogelijk uit te leggen in het ene krankzinnig koele kantoor na het andere: (a) dat zijn huis, zoals hij het voor zich zag, er niet 'misplaatst' uit zou zien, zoals de aannemers suggereerden ('We zijn hier niet in Amerika'); (b) dat moedige modernistische architectuur in Accra altijd een warm onthaal had gekregen, kijk maar naar het futuristische genie van Black Star Square; (c) dat een huis rond een binnenplaats in feite een klassiek Ghanees ontwerp was, dat juist uitdrukkelijk was aangepast aan de Ghanese leefomgeving, wat je van hun opzichtige huizen niet kon zeggen. Dat waren pakhuizen – geen woonhuizen – voor de opslag van zo veel mogelijk aankopen: smakeloze schilderijen, fluwelen banken, kunstbloemen, kilo's kitsch, Perzische tapijten, draperieën van velours, kroonluchters, kleedjes van berenhuiden, allemaal zonder enig verband, zonder enige samenhang met de tropen. En goedkoop. Hoe imposant ze hun huizen ook maakten, met hun hallen van drie verdiepingen hoog, hun zuilen en waterpartijen, ze bleven altijd iets goedkoops houden.

Waarop de aannemers hem zo beleefd mogelijk te verstaan gaven dat het hem vrij stond hun kantoor te verlaten en nooit meer terug te komen. Na de zevende ontmoeting met een soortgelijk verloop en een soortgelijke afloop stak Kweku zijn kleine blauwdruk (het toen dertien jaar oude servetje) in het zakje op zijn hart en liep zonder haast te maken het kantoor uit, de trap af, de deur uit en de straat op.

In de stralende, fonkelende zon.

De vochtigheid heette hem weer welkom, met open armen. Hij bleef enige ogenblikken staan en liet zich de omarming welgevallen. Toen nam hij een taxi naar Jamestown – de oudste wijk van Accra en verreweg de smerigste, een stinkende sloppenwijk aan zee, met krotten van karton en golfplaten, in de schaduw van het voormalige presidentiële paleis – waar hij, de stank trotserend (opgedroogd zweet, rottende vis), in Ga dat zijn beste tijd had gehad naar een timmerman informeerde.

'Een timmerman?' zei iemand, en siste het door naar iemand anders.

'Een timmerman...' prevelde iemand anders, en wees naar verderop in het steegje.

'Timmerman?' Degene naar wie gewezen was moest hard lachen en riep vervolgens: 'De timmerman!'

Een oude vrouw kwam tevoorschijn.

'De oude man,' zei ze, zuigend op de tanden die ze nog overhad. Het ene zachte ja na het andere rolde uit haar mond en golfde door de sloppenwijk. 'Ja. De oude man die bij de oceaan slaapt.' 'Ja. De oude man die in de boom slaapt.' De vrouw zoog weer op haar tanden, ze had niet het geduld om er meer over te zeggen. 'De oude man,' zei ze. 'Haal de kleine jongen.'

Een meisje kwam tevoorschijn.

Ze had achter de vrouw gestaan, die van een dermate aanzienlijke breedte was dat ze het meisje geheel aan het oog had onttrokken, knobbelvlechtjes en knieën en al. Nu zette het meisje het gehoorzaam op een lopen voor Kweku de voor de hand liggende vragen kon stellen of een 'oude man' het antwoord was, waarom hij in een boom sliep en wat een 'kleine jongen' ermee te maken had. Maar hij ging ervan uit dat hij er wel achter zou komen. Hij leunde tegen de taxi, veegde het zweet van zijn gezicht en kruiste zijn voeten. Het was te heet om in een auto zonder airco te wachten. De chauffeur zat tevreden vers gerookte vis te eten, de trots van Jamestown, schetterende radio afgestemd op Joy FM Radio: Reggie Rockstone, 'Death for Life', een monsterhit in Accra.

Nog geen minuut later kwam het meisje weer terugrennen. Ze hield wat eruitzag als haar broertje bij zijn akelig dunne polsje vast. Het jongetje glimlachte stralend, met die onbedwingbare opgewektheid die Kweku alleen kende van kinderen die in armoede bij de evenaar opgroeiden: een aangeboren neiging om te lachen om de wereld zoals ze die aantroffen, om dingen te zoeken waar ze om konden lachen, en te weten waar ze die vinden konden. Overal en nergens geestdriftig over, onblusbaar. En onverklaarbaar onder de omstandigheden.

Omstandigheden waar ze zelfs plezier om hadden.

Hij had het in het dorp gezien, bij zijn broertjes en zusjes, althans bij één: zijn jongste zusje, dat op haar elfde was overleden aan behandelbare tbc. Als jongeman had hij het ten onrechte aangezien voor onnozelheid, de zorgeloosheid van de allerjongsten, een soort blindheid voor van alles en nog wat. Om zo opgewekt te zijn, zo vaak, in dat dorp, in de jaren vijftig, moest je wel blind of onnozel zijn, had hij gedacht, maar hij had ernaast gezeten. Zijn zusje had evenveel begrepen als hij, was hij gaan inzien op de avond dat ze stierf, nadat de enige dorpsarts (tevens maker van doodskisten) voor het eten alles gedaan had wat hij kon. Zijn moeder was met een jong wit geitje (een eerlijke ruil: het ene jong voor het andere) naar de fetisjpriester gegaan en had de vier oudere kinderen op hun gebruikelijke kluitje buiten de hut achtergelaten, en de twee jongsten binnen. Ekua, zijn zusje, lag hoestend en blaffend op haar zij op een raffiamatje, een kluwen van ledematen die naar alle kanten uitstaken, als takjes uit een brandstapel. En ze had gelachen. 'Wat doe je?'

Hij was bij haar neergeknield en had haar hals aangeraakt. Hij vroeg zich af hoe al dat bloed er opeens de bruil aan kon geven, binnen enkele ogenblikken, zoals voorspeld: hoe die warme bloedstroom opeens gewoon kon stilvallen. Het leek hem onwaarschijnlijk, onmogelijk zelfs. Een wrede grap, een leugen. 'Je gaat niet dood,' had hij gezegd. Hij had haar pols gevoeld, met zijn vingers, een kloppende pijn in zijn borst, in zijn longen. Ekua was zijn maatje, niet meer dan dertien maanden jonger dan hij, net als hij op woensdag geboren, en even ongedurig als hij. Met een glinstering in haar ogen en een spleetje tussen haar tanden (zoals hij vijf jaar later ook tussen de tanden van Fola zou aantreffen). 'Jij gaat niet dood.' Vol overtuiging nu, vol geloof in het spectaculaire mysterie van het rondpompen van het bloed, en niet in de fatalistische gebeden van de dorpelingen buiten, niet in het slachten van geitjes of de voorspellingen van kwakzalvers. Hij had haar gezicht aangeraakt en gefluisterd: 'Jij gaat níét dood.'

'Jawel,' had ze teruggefluisterd, glimlachend en met een glinstering in haar ogen.

En ze was inderdaad doodgegaan, met een glimlach op haar uitgeteerde gezicht, met haar hand in de hand van haar broer, zijn hand aan haar hals, een lach in haar grote ogen die steeds groter en kouder werden terwijl hij ernaar staarde, en begreep dat ze ermee gezíén had. Lachend om de dood. (Later in Amerika zou hij ze weer zien, het meest op de eerste hulp, waar kinderen van elf doodgaan: de kalme blik in de ogen van een kind dat berooid heeft geleefd en berooid aan zijn einde komt, en het weet, het zowel aanvaardt als weerstaat. Niet met kennis van zaken, de vorm van weerstand die zijn voorkeur genoot. Niet onwetend, waar hij zijn zus tot dat moment ook voor gehouden had. Maar met precies dezelfde achteloosheid die de wereld haar ook betoond had, en hem, en alle straatarme kinderen. Met dezelfde onverschilligheid.) Haar ogen lachten nog. En negeerden alles: tuberculose, armoede, kwakzalvers, een vroege dood. En keken terug naar een wereld die haar als irrelevant beschouwde, met een blik waaruit bleek dat zij de wereld ook als irrelevant beschouwde. Ze had alles gezien wat hij ook gezien had – de vernederingen die hun armoede met zich meebracht; de schijnbare onbelangrijkheid van hun bestaan in en voor de wereld; de gekmakende kleinheid van een leven dat niet verder kwam dan een strand dat ze in een halve dag konden belopen – zonder zichzelf als onwaardig, onbelangrijk of klein te zien.

Zo'n soort opgewektheid.

Zijn hart brak.

Het was de derde keer dat dat gebeurde, zuiverder dan de eerdere twee keren, hoewel Kweku dat onmogelijk kon hebben geweten. Het meisje kwam eraan en hield haar broertje bij zijn pols vast, en het broertje glimlachte met zijn ogen, en met een spleetje tussen zijn tanden. Het was niet helemaal duidelijk waarom ze hem vasthield alsof hij er elk moment vandoor kon gaan, terwijl hij zo gewillig leek, zo blij om met haar mee te komen. Maar zo. Kweku zag hen en dacht aan zijn zusje, haar grote lachende ogen. En voelde een knoop in zijn maag. Maar geen verdriet, net zomin als het slachtoffer van een derdegraadsverbranding, een heel kleine, iets voelt van de infectie eronder. Dezelfde reden: ernstig zenuwletsel. Verlies van zintuiglijke gewaarwording. Een bloedkorst als een dikke asfaltlaag op dat deel van zijn verleden.

Hij zag het allemaal voor zich, de beelden – dorpsarts, oudere broers en zussen, lachend kind, ondergaande zon – werden geluidloos afgedraaid voor zijn geestesoog, maar het waren net scènes uit een film met een lang geleden overleden kindsterretje, opgenomen in korrelig zwart-wit nog voor de geboorte van zijn cameraman. Ze wekten geen emotie op. Althans geen emotie die hij kon thuisbrengen. Alleen een plotseling piepen en hijgen dat hij aan de hitte weet. Niet aan pijn. Hij had geen 'pijnlijke' herinneringen aan zijn kindertijd, hij dacht er zelfs zelden aan, al was hij nu, op zijn negenenveertigste, weer terug in Afrika. Hij cirkelde in steeds kleinere kringetjes rond – steeds dichter naar het centrum, naar het startpunt, dezelfde punten. Jamestown was een uur van huis. Maar hij voelde het niet zo. Voor zijn gevoel ging hij nog steeds 'vooruit', steeds 'verder', was zijn hele leven een rechte lijn die zich uitstrekte vanaf de start.

Die keren dat er ooit een toevallige herinnering bij hem bovenkwam, als tuimelkruid achter hem aan joeg en door de wind in zijn rug en langs hem heen werd geblazen, voelde hij alleen afstand, onoverbrugbare, troostrijke afstand, en daaraan gepaard kalmte. Een kalm besef van de werking van verlies, van wat er met wie gebeurde, in welke hoeveelheden. Nooit pijn. Hij telde het niet allemaal bij elkaar op – verlies van een zusje, later van zijn moeder, afwezige vader, gesel van het kolonialisme, opgegroeid in armoe enzovoort – om zich vervolgens te beklagen dat hij een treurig leven had gehad, een oneerlijk leven, om zijn vuisten te ballen naar de hemel en te vragen waarom. Nooit woede. Hij keek er in alle eenvoud naar, waar hij vandaan kwam, wat hij had doorgemaakt, wie hij was, om dan te concluderen dat het allemaal vergeten kon worden. Hij had er geen behóéfte aan om het zich te herinneren, om erbij stil te staan – alsof de details zo opmerkelijk waren, alsof iemand zou vergeten dat zulke dingen gebeurden zodra hij het vergat. Het zou gewoon iemand anders overkomen, miljoenen iemanden anders: dezelfde zinloze verliezen, dezelfde traanloze pijnen. Dat was één voordeel van arm opgroeien in de tropen.

Niemand vroeg ooit naar de details.

Er was die ene elementaire verhaallijn die iedereen kende, met een paar aflopen naar keuze. Elementair: neuriënde oma's, polycentrisch dansen, drankjes gemaakt van boomsappen, patriarchaat. Keuzemogelijkheden: jongetje ontkomt, goed in leren of voetballen, sterft jong, wordt priester, kindsoldaat enzovoort. Niets bijzonders, en dus niets wat het waard is om in de herinnering te bewaren.

Niets om in de herinnering te bewaren en dus ook niets om te betreuren.

Alleen een knoop in de maag, die hij probeerde weg te lachen bij het zien van de blik in de ogen van dat jongetje. Het jongetje begon ook te lachen, zacht, verrukt, zich er niet van bewust dat een dergelijke lach een volwassen man kon breken.

'Gaat het, *sa*?' vroeg hij. Zijn zus gaf een ruk aan zijn arm. Het jongetje probeerde op te houden met glimlachen maar dat lukte niet, en hij hield op met proberen.

'Ja hoor.' Kweku glimlachte, rechtte zijn rug, schraapte zijn keel. Hij wierp een blik op de oude vrouw, die boos stond te kijken, en verveeld. Hij keek naar het meisje, dat het zweet van haar voorhoofd veegde. Hij keek naar het jongetje, dat hoopvol naar hem glimlachte. En slaakte een zucht. Hij zag nu waar dit allemaal op uit zou draaien. 'Jij, hoe heet jij?' vroeg hij, hoewel hij het al wist.

Kofi, de huisknecht die hij op het servetje getekend had.

'Kofi, sa,' zei de jongen, en hij stak zijn vrije hand uit.

De vrouw zoog weer op haar tanden, ze had geen geduld met beleefdheden. 'Breng hem naar de timmerman,' zei ze, en waggelde weg.

Lamptey.

De yogi.

Die 'bij de oceaan sliep' zoals aangekondigd, in een boomhut op vier meter hoogte. Daar serveerde hij thee, een bitter brouwsel van moringablaadjes die hij geoogst had tijdens de harmattan, zei hij. Stak een joint op. 'Dat is heel oud, hoor!' wierp Kweku tegen, en hij stak geschrokken een hand uit naar het servetje dat Lamptey vlak bij zijn joint aandachtig aan het bestuderen was. 'Ik ook,' zei Lamptey spitsvondig, zonder het servetje te laten zakken. In het Ga: 'Dat wil nog niet zeggen dat ik zo meteen in rook opga.'

Kofi lachte. Kweku niet. Lamptey richtte zijn aandacht weer op de blauwdruk. Een zacht briesje kwam aanwaaien, met een geur van zout. Ze zaten op de vloer, op gevlochten raffia matten, de enige zitplaatsen in de grote, luchtige hutachtige ruimte. Afgezien van de inrichting was het fenomenaal uitgevoerd: in plaats van muren waren er rolluiken van houten latjes, en de vloerplanken waren zijdezacht geschuurd. Kweku nipte van zijn thee en bewonderde zwijgend het vakmanschap. Na een ogenblik streek hij met zijn hand over de vloer bij zijn mat. Glad. Dat was de reden dat hij een Ghanees zocht om zijn droomhuis te bouwen. Nergens vond je betere timmerlieden, niemand maakte beter schrijnwerk (als ze al een poging waagden).

Toen hij opkeek zat Lamptey glimlachend naar hem te kijken. 'Wanneer hebt u dit gebouwd?'

'Het is nog niet gebouwd.'

Lamptey grinnikte zachtjes. 'Jawel,' zei hij resoluut. Kweku wachtte af wat hij nog meer zou zeggen. Maar hij zei niets. Hij trok aan zijn joint.

'Hoe bedoelt u "gebouwd"? Kent u een huis als dit in Ghana?'

'Nee,' zei Lamptey. 'Maar u wel, of niet?'

'Waar zou ik het gezien moeten hebben?' Kweku gniffelde, hij kon de logica niet volgen. Maar het antwoord kwam op hem af drijven: in één ogenblik, in één oogopslag. Lamptey tikte tegen zijn voorhoofd en wees naar Kweku. Kweku begon zich ongemakkelijk te voelen en schoof op zijn mat. 'Als u bedoelt "waar heb ik dat ontworpen", ik heb het in het ziekenhuis ontworpen.'

'In het ziekenhuis?'

'Ja. Tijdens mijn artsenopleiding.'

'Maar waarom wilde u dat?'

'Een huis ontwerpen?'

'Een artsenopleiding volgen.'

'Om arts te worden.' Kweku moest lachen.

Lamptey lachte nog harder. 'Maar waarom wilde u dat?'

Kweku hield op met lachen. 'Wat?'

'Arts worden. U bent een kunstenaar.'

'U bent heel vriendelijk.'

'Ik ben heel oud.' De man knipoogde. Hij hield het servetje van Kweku voor hem op. 'En dat? Al die kamers? Zijn die voor al uw kinderen?'

'Nee.'

'Patiënten?'

'Alleen voor mij.'

'Hmm.' Hij draaide het servetje om alsof hij daarop een beter antwoord zocht.

'Er is verder niks,' zei Kweku snel, afwerend.

'Alleen voor u.' Nog een trek. Lamptey wees naar Kofi. 'En voor hem.' Hield het servetje op. 'Alleen dit. "Verder niks".'

Kweku ging staan. 'Ik weet niet waar u heen wilt…' Lamptey blies een rooksliert uit die omhoog kringelde. Maar zei niets. 'Maar ik zoek een bouwer, geen boeddha.'

'En hebt u die gevonden?'

Kweku aarzelde. Hij zei niets. Die had hij nog niet gevonden.

Dit was zijn achtste ontmoeting in dat kader en dat konden er alleen maar meer worden. Het perceel lag al meer dan een jaar op bebouwing te wachten. Hij keek naar de timmerman, de 'oude man', meneer Lamptey, die in kleermakerszit en lendendoek voor hem zat, wasbordje aangespannen, de staar in zijn ogen blauwachtig gloeiend als de kern van een kaarsvlam. Hij had wel iets van een bizar soort Afrikaanse Gandhi. Met ganja. Geweldloos. Verbijsterend. Triomfantelijk. Kweku veegde zijn gezicht af en haalde adem alsof hij iets wilde zeggen. Maar voor het eerst sinds hij hier was viel hem het *sjjj* van de golven op. En bleef hij stil. En bleef hij staan, zich nu een beetje onnozel voelend omdat hij stond, met zijn hoofd vlak onder het rieten dak.

Hij keek naar het patroon van het vlechtwerk boven zijn hoofd, dat hem vaag bekend voorkwam (hoewel de herinnering te zwaar was om hem op de wind achterna te worden gedragen: ronde hut in Kokrobité, nog geen uur van deze boomhut, het dak van die hut, ook riet, veel, veel hoger dan dit, ontworpen door een excentriekeling die niet zo heel anders was dan Lamptey, afwezige vader, piepende zus: zware herinnering, te traag).

Een tweede briesje, met de geur van een brandstapel.

Iemand die ergens iets verbrandde.

Kweku voelde zich opeens moe. 'Als u het kunt bouwen, is het uw project, zonder meer.'

'Ik kan het,' zei Lamptey eenvoudig, 'en ik doe het.'

En hij deed het, in twee jaar tijd. Hij kwam elke morgen om vier uur, geen minuut eerder of later, als de hemel nog donker was, om de zonnegroet te brengen op het nog lege perceel, een minuut of zestig achtereen, tot de zon opkwam.

Kweku – bang dat zijn bouwmaterialen gestolen zouden worden, op bestelling als hij een nachtwaker in de arm nam, of lukraak als hij dat niet deed (en het waren kostbare materialen, geïmporteerd marmer, platen leisteen; het was niet goedkoop om orde te scheppen in opgeschoten en verwilderd gras) – sliep in die tijd in een tent, de tent die Olu had laten liggen, terwijl de taaie Kofi de wacht hield met hun geadopteerde zwerfhond. Rond kwart over vijf werden ze opgeschrikt door de herrie: gezang, een hamer die een spijker op zijn kop sloeg, een handzaag die door hout ging – beide vlugger dan waar iemand van zeventig toe in staat zou moeten zijn, en sierlijker dan enig stuk gereedschap dat hij zelf ooit had gehanteerd. Na een halfjaar nam hij zelfs de gewoonte aan om Lamptey een keer per week, een uur lang, te schaduwen, terwijl hij van zijn koffie nipte en op de achtergrond bleef. Lamptey, die zong bij zijn werk maar nooit een woord zei, vond het best dat er naar hem werd gekeken maar weigerde zich te laten helpen. Kweku bleef op de achtergrond met zijn thermoskan, een en al aandacht van achter zijn bril, zonder te helpen en slechts toekijkend met toenemende jaloezie en ontzag – en probeerde te leren wat hij kon van de kalmte waarmee de man, met half geloken ogen, inkervingen maakte. 'U had chirurg moeten worden,' zei hij dan.

Lamptey zoog op zijn tanden, spuugde op de grond, antwoordde onduidelijk, zonder met zagen op te houden om een hijs van zijn joint te nemen. 'Ik had moeten worden waar ik voor bestemd ben. Ik zou moeten zijn wat ik ben', en zo verder. Maar hij bouwde het huis perfect, dat wil zeggen, precies volgens de instructies, iets wat voor Kweku in Ghana ongehoord was. Hij had nog nooit een Ghanees voor wat dan ook ingehuurd (of althans voor wat voor esthetisch karweitje dan ook) zonder dat die Ghanees zijn instructies op een of andere manier anders interpreteerde. 'Geen stijfsel in mijn overhemden, alstublieft,' waarop de man van de wasserette ze steef en zonder een spoor van berouw volhield: 'Het is beter zo.' Of: 'schilder de deuren wit', waarop Kofi ze blauw schilderde. 'Sa, is mooi, o, te mooi,' met die onvermoeibare glimlach. Lamptey veranderde niets, had geen bezwaren, kwam niet met allerlei suggesties en liep op geen enkele manier de kantjes eraf.

Tot de laatste week.

Het geschilpunt betrof de landschappelijke inrichting, voor zover daar sprake van was, want er was nog geen duizend vierkante meter over om 'landschappelijk in te richten'. Het grootste deel van het perceel was gekapt en bouwrijp gemaakt voor het huis, alleen bij de zonnekamer was nog een stukje jungle over.

Lamptey keek naar de simplistische bouwtekening. 'Hmm. Wat zijn dat voor bomen?'

'Maakt niet uit,' prevelde Kweku, in gedachten bij de afmetingen van het perceel. Het zwembad zou kleiner moeten worden dan hij het in het ziekenhuis getekend had, maar er waren vier zwemmers minder om er gebruik van te maken, dus dat was niet erg. Ze hoefden alleen maar de mangoboom om te hakken, of hem met wortel en al uit te graven. Dat ding stond met zijn weelde aan takken pontificaal in beeld.

Lamptey moest vreselijk lachen. Dat was hij echt niet van plan.

Had die mangoboom hun ooit kwaad gedaan, hun ooit wat voor onrecht dan ook aangedaan? Die boom omhakken zou net zoiets zijn als zijn grootmoeder de keel afsnijden. 'Dat lijkt me wat overdreven,' zei Kweku.

'Ik ga die boom geen kwaad doen.'

'Jezus, u bent een timmerman. U wérkt met omgehakte bomen...'

'Jezus was een timmerman...'

'Dat heeft er niks mee te maken.'

'U begon over Jezus...'

'Godsamme, man, hou op! Hou op!'

Lamptey staarde Kweku aan, verbaasd over deze uitbarsting. Kweku staarde terug, verbaasd over zichzelf. Maar vastbesloten, stelde hij zich voor, om toch iets van gezag te doen gelden. Feit was dat hij zijn visioen langzaam uit zijn handen voelde glippen. Geen kinderen die vredig in bed lagen, geen Fola die glinsterend in het zwembad lag, en als die mangoboom bleef staan, geen strand van gebleekt wit. Die boom moest weg. 'Dan huur ik gewoon iemand anders in.'

'Dat doet u niet.' Lamptey ging zitten en zei niets meer.

Drie dagen en twee nachten zat hij in kleermakerszit en lendendoek onder de mangoboom, hasj te roken, de wacht te houden, bij het ochtendgloren overeind komend voor zijn yoga, maar verder roerloos, en zelfvoldaan. Kofi bracht hem stiekem kokosnoten zodat hij iets te drinken had. Hij at niets gedurende zijn sit-in, afgezien van de mango's die naast hem neervielen, klaar om op te eten, en het zachte vochtige witte vruchtvlees van de jonge harde groene kokosnoten.

Dat hij er met smaak uit lepelde.

'U kunt hier niet voor eeuwig blijven zitten,' sneerde Kweku door opeengeklemde kaken toen hij zich op de tweede dag van het protest voor Lamptey had geposteerd. Die trok aan zijn joint, deed zijn ogen dicht, zei niets. Kweku zoog op zijn tanden en stormde weg. Op de derde dag dreigde hij de politie te bellen om de timmerman van zijn grond te laten verwijderen wegens huisvredebreuk. Maar toen hij zo naar de man keek – tweeënzeventig inmiddels, halfnaakt, met een rood koord om zijn nek waar een belletje aan hing – kon hij dat niet. Hij stelde zich zijn cameraman voor die de scène filmde: Ghanese sadhoe wordt weggesleept door gewapende, met smeergeld gespekte agenten terwijl Grondbezitter er bij zijn tent rustig naar staat te kijken. 'Dit is belachelijk,' zei hij uiteindelijk, terwijl hij de tent openritste. Opeens miste hij het geluid van hamer en zaag. De slaapvleugel was al maanden geschikt voor bewoning, maar hij gaf de voorkeur aan de tent van Olu, met zijn plastic dakraam. 'We zijn bijna klaar, man. Laten we nou gewoon afmaken waar we aan begonnen zijn.'

'Met de boom,' zei Lamptey.

'Nou, kom op dan.'

Lamptey pakte een takje en begon in de aarde te tekenen.

Zijn idee voor het uitzicht uit de zonnekamer.

Een tuin.

Alles even weelderig, zacht, te groen, strak noch steriel, grillig liefdegras en waaierpalmen zo groot als een kind en her en der bananenplanten als palmbomen zonder stam en hibiscus in struiken en vlammende gloriosa en van die magentaroze bloesems (Kweku vergeet altijd hoe ze heten) die uitbundig bloeien op bodembedekkers die tot over het hek woekeren. Een wirwar van kleuren. Een groene revolte. 'En hier een fontein,' besloot Lamptey.

'Waar is dat goed voor?'

Een lang, verbijsterend antwoord over de indeling van een heilige ruimte, de noodzaak van water, juiste proporties, blauw, groen. Kweku kon het allemaal niet volgen. Hij wreef over zijn voorhoofd en zuchtte. 'Bah! Dat kan ik niet onderhouden.'

'Dat kan ik wel, en dat zal ik doen ook.'

'U bent timmerman. Geen tuinman.'

'Ik ben een kunstenaar. Net als u…'

'Laat ook maar. Leg uw tuin maar aan…'

'Úw tuin.'

'Ook goed.'

Lamptey wachtte of Kweku nog iets te zeggen had. Kweku wendde zijn blik af, trapte tegen een steen, een witte kiezelsteen. Toen hij weer opkeek liep Lamptey, een tikkeltje hooghartig, naar de half afgebouwde zonnekamer. Kweku keek en bedacht dat ze de grote ramen zouden moeten schrappen (om de kosten van de airco te drukken, waar waren ze goed voor zonder zwembad). Hij haalde de blauwdruk tevoorschijn en keek er mismoedig naar.

Getekende poppetjes op een servet.

Het ene: zwaaiend, drijfnat.

Het andere: zit elke maandag in deze kleine zonnekamer, leest de *Graphic* tot hij wordt afgeleid en min of meer toevallig opkijkt, en schrikt elke keer als hij iemand in zijn tuin ziet staan, want hij vergeet telkens weer dat het maandag is, maandag tuindag, en hij morst met zijn koffie. Dan hun dans: de blik van de man op hem gericht, wachtend op zijn groet, terwijl hij zijn broekspijpen dept, en de boel een beetje kregelig ophoudt, tot hij het maar opgeeft, waarna hij opkijkt, een zucht slaakt en een glimlach forceert. En even met zijn servet zwaait, bij wijze van groet en erkenning van zijn nederlaag.

Daar in zijn swamikleren, met tuinhandschoenen aan, staat Lamptey.

Die glimlacht, de heg snoeit en terugzwaait.

7

Maar als hij nu naar de mangoboom pontificaal midden in de tuin kijkt, volop in bloei, ruige kruin hoog geheven, kan hij zich met de beste wil van de wereld niet voorstellen dat die boom er niet meer zou zijn – hoewel hij jaren geleden waarschijnlijk hetzelfde van zichzelf gezegd zou hebben. Toen hij Sadie in de kom van zijn handen hield, haar hele wezen bevend van inspanning om in leven te blijven, had hij zich ingebeeld dat hij een vaste waarde was, een ondeelbaar geheel met zijn omgeving. Intrinsiek aan het hele plaatje. Op een of andere manier maakte hij er de kern van uit. Hij had het zich toen met de beste wil van de wereld niet voor de geest kunnen halen: zijn afwezigheid in het leven waar hij voor vocht. Zijn omgeving zonder hem. Een totaal ander plaatje. Met wortel en al uitgegraven en vervangen door een gat.

Toch, hij denkt er nu aan en hij schrikt ervan, net als eerder, toen Taiwo bij de deur van de woonvleugel stilletjes in het niets oploste: met een pijnscheut, maar beduidend scherper, zodat hij voorover begint te vallen en naar de deurpost grijpt om zijn evenwicht te bewaren. Hij schudt lichtjes het hoofd, om de gedachte los te wrikken, die weliswaar heen en weer rolt, maar overeind blijft, niet onderuitgaat. Daarom gaat hij op zoek naar een andere gedachte om deze gedachte omver te kegelen, iets bots, dat meer gewicht in de schaal werpt dan zijn afwezigheid. Hij denkt:

wat sta je hier naar de tuin te staren?

Het werkt. De betovering wordt verbroken. De pijn ebt weg. Hij gaat met een ruk weer rechtop staan. Buiten adem. 'Kom op, staan blijven,' mompelt hij hardop, kuchend maar ook gniffelend, opdat zijn cameraman weet dat hij die overpeinzingen ook absurd vindt, dat hij niet gek wordt maar dat hij alleen even in gedachten verzonken was. Hoe vaak verdwalen mensen niet in hun eigen gedachtespinsels? Een beetje zuurstof, meer heb je niet nodig, een vrolijk wandelingetje tussen de bloesems, vrede sluiten met de mangoboom, even ruiken aan de rozen, dat soort dingen. Hij duwt de schuifdeur nu helemaal open.

Hij stapt van de drempel de tuin in en hapt naar adem.

Dauwdruppels op gras.

Op zijn voetzolen:

opeens, nat, onverwacht, een pijnlijke schok.

Pas nu merkt hij dat hij geen slippers aanheeft, nu hij de koelte onder zijn blote voeten voelt prikken. Hoelang is het geleden dat hij voor het laatst op blote voeten naar buiten ging, dat hij op blote voeten heeft gelópen, dat hij nat onder zijn voeten voelde? Weet hij niet meer. (Tientallen jaren eerder, in het donker voor de dageraad, bij de oceaan, de maan aan de hemel, lang geleden.) Hij springt terug alsof hij op hete kolen is gestapt, volledig bewust. Denkt: waar zijn mijn slippers?

8

Vele jaren later, als Taiwo aan haar vader denkt, zal ze zich hem hier zo in de tuin voorstellen, met zijn voeten in het gras en de dauw op zijn voeten, en zal ze zich afvragen: waar waren zijn slippers? Het is de onbeduidendste van alle vragen die nooit gesteld en nooit beantwoord zijn, het onbeduidendste van wat er niet klopt aan dit beeld – man tegen de grond, misschien vergiftigd door een analfabeet (wat Olu heimelijk gelooft) of gewoon dood in de traditie van mensen die gewoon doodgaan (de overtuiging van hun moeder) of door God gestraft voor zijn uiteenlopende zonden (Sadie) of daardoor uitgeput (Kehinde) – maar Taiwo zal de vraag toch stellen. Waar waren zijn slippers? Als ze aan haar vader denkt, als ze de gedachte laat ontstaan of als hij in vermomming naar binnen glipt, door een scheur in de muur die Kehinde en zij die eerste eenzame nachten in Lagos optrokken.

Het was een spelletje in het begin, zoals alles daar op den duur een spelletje werd, een spelletje dat ze samen speelden om op de een of andere manier niet gek te worden: nooit 'vader' of 'papa' mogen zeggen en moeten betalen als je het per ongeluk toch deed, een boete die de ander bepaalde (meestal stiekem de keuken binnenglippen om voor hen allebei koekjes te stelen, die in plastic pakjes van drie zaten, perfect om te verstoppen en later op te eten).

Zo legden ze het fundament.

Vervolgens herschreven ze de verhalen.

Dat was een spel dat ze meestal 's nachts speelden in dat plakkerige slaapkamertje met plafondventilator en twee krakende bedden, de enige kamer in het hele huis die niet was uitgerust met een airco die het deed. Taiwo begon altijd en vertelde een of ander verhaal uit Boston, zoals over die keer dat hij hen midden in de nacht wakker maakte en zei dat ze hun skipak moesten aantrekken, waarna hij het hele stel in de Volvo laadde en naar het Lars Andersen Park reed.

Het was twee uur 's nachts en de sneeuw was net gevallen, alles wat je zag was wit en ergens blafte een hond. Hij haalde vijf plastic sleetjes uit de kofferbak terwijl zij hem met grote ogen stonden aan te staren, en mama afkeurend floot. 'Kweku, nee,' siste ze hem toe, omdat ze het nu pas begreep, en ze drukte haar handen tegen elkaar. Wollen wanten. 'We worden nog gearresteerd.'

Sadie was nog niet geboren.

De sneeuw vers en volmaakt.

Het park donker en leeg.

Sterren knipoogden: ga je gang maar.

Ze werden niet gearresteerd. Ze bleven sleetje rijden tot het licht werd, zelfs mama, fluisterend, lachend, uitzinnig van vreugde, ondeugende vreugde, met uitgedroogde huid tot ze er grauw van zagen, een onwaarschijnlijk beeld: een Afrikaans gezin, alleen aan het dollen in de sneeuw.

Maar zoals zij het vertelde was haar vader er niet bij. Het was een idee van hun moeder, 's nachts sleetje rijden; er waren vier sleetjes, niet vijf. Daarna vertelde Kehinde een verhaal. En zo voort en zo verder, korte verhalen over sneeuw tot ze allebei in slaap vielen. Tot de man was uitgewist – uit hun verhalen en daarmee uit hun jeugd (die alleen bestond áls een verzameling verhalen, dat wist Taiwo, en dat weet ze nog). Niet dood. Nooit dood. Ze wensten de man nooit dood, deden ook nooit alsof hij dood was. Hij was alleen doorgehaald, weggewerkt achter een muur die ze zelf hadden opgetrokken. Zijn bestaan werd ontkend, hij was alleen aanwezig in stilte, als afwezigheid. Teruggebracht tot een idee. Niet meer dan een gedachte. Een gedachte, van zichzelf een rangschikking van woorden, dat wil zeggen, woorden die ze niet gebruikten – een gedachte dus die ze niet hadden.

De tijd verstreek en de muur werd hoger.

De tijd verstreek en de muur werd zwak.

Totdat, zonder waarschuwing, een gedachte. Waar waren zijn slippers? En een week later opnieuw. De scheur in de muur. Het was het enige wat ze in hun verhalen vergaten te schrappen, de ziekteoverdragende muskiet aan boord van het evacuatievliegtuig: geen moment of een herinnering, geen herinnerd detail in een anekdote, maar een detail in elke anekdote, alomtegenwoordig, de basis. Ze zagen ze dan ook over het hoofd, schrapten ze niet, lieten ze staan waar ze stonden, waar ze zijn blijven staan, aanwezig in het verborgene, aanjagers van het verleden.

De slippers.

Afgedragen slippers die je zo even aanschoot, bruin, met versleten zolen. Net leren huisdieren met verlatingsangst, trouw, zijn hondjes. En zijn religie, waar hij in geloofde, het absolute fundament van zijn moraal: een mengelmoes van kosmopolitische ascese, ritueel en strakke lijnen. De slipper. Zo simpel van compositie, zo stil op hout, brenger van reinheid, rust en vrede bij Gods volk waar ook ter wereld, elke klasse en elke cultuur, voor iedereen betaalbaar, een unieke vorm van bescherming tegen de gevaren van thuis, zoals bijvoorbeeld splinters en bacteriën en schade toegebracht aan hout, dat wil zeggen, met de hand geschuurde eiken planken, vijfhonderd dollar de vierkante meter. Als hij ergens op bezoek ging, keek hij allereerst of de familie ook slippers 'praktiseerde', waar elk verder oordeel op gebaseerd werd. En als er iemand op bezoek kwam – God verhoede, de vriendinnetjes van Taiwo, krioelende hordes gillende klasgenootjes die smoor waren op haar tweelingbroer – stond hij al paraat bij de voordeur, 'Kom binnen!', plechtig gebarend naar de mand die hij daar had staan.

Als een bak met huurschaatsen.

Slippers in alle stijlen en maten. Dikke sloffen van gewatteerd katoen uit luxehotels, stralend witte slippers met inlegzooltjes die meer op kussentjes leken en beige profielzolen, glimmende polyester muiltjes, in het groot ingekocht in Chinatown, staalblauw en knalroze, met geborduurde draken op de tenen; stugge Flintstonesachtige teenslippers van het vliegveld in Ghana (vanwaar ook de idiote MC Hammer-broek met *gye nyame*-print). De blozende stalkers van Kehinde kozen bijna altijd de draken, met bemoedigende blikken naar elkaar en een stilzwijgende gelofte van solidariteit terwijl ze hun Keds uitschopten, waarna ze dapper die vreemde nieuwe wereld betraden die naar olie en gember geurde.

'Omigod, Taiwo, je vader is zo scháttig!' giechelde er dan een, bijna op haar tenen om de hoge toon in schattig te kunnen halen.

'Omigod, Taylor, je bent zo gemáákt,' aapte ze haar dan na terwijl achter haar net Kehinde opdook. Verschijnend vanuit het niets zoals alleen hij dat kon, geluidloos, de hal in lopend op Marokkaanse babouches.

'Hallo,' luidde meestal zijn groet. Hij klonk verlegen en praatte zacht – maar hij was niet echt verlegen, wist Taiwo. Hij was alleen niet echt geïnteresseerd.

Hi kwam er bij hen in drie lettergrepen uit: Hi-i-i. Zodra ze Kehinde in het oog kregen. Waarbij ze allemaal bloosden. Taiwo merkte het op met muiltjes van het Westin Hotel aan haar voeten: vier hoofden met blonde paardenstaarten die zich eerbiedig bogen voor de babouches van haar broer. Jaloezie en verbijstering raakten in elkaar verwikkeld, in een knoop. Als de meisjes opkeken was Kehinde verdwenen.

Ninjaslippers.

Een religie of een fetisj, een soort podofilie – althans zo kwam het opeens over op Taiwo, die het woord tegenkwam in een literatuurles op school. Of eigenlijk auto-podofilie. Ze schreef het netjes op in haar schrift, en kleurde de o's in toen iemand vroeg: 'Wat is dan een pedofiel?'

De nerveuze lach van de leraar klonk ver weg: Taiwo had meer aandacht voor het inkleuren van haar o's. Ze dacht aan haar vader en de buitensporige zorg die hij aan zijn voeten besteedde: de zoutscrubs en de pepermuntoliën en de vitamine E voor het slapengaan. Liefde voor voeten. Maar later zal het bij haar terugkomen, dat lachen en die nervositeit, de gespannen uitdrukking op het gezicht van de leraar, de lucht in het lokaal, het gegiechel, elke beweging, elk geluid en elk beeld, elke fractie van dat ogenblik, heel duidelijk: echt zo'n moment dat je nooit herkent voor wat het is.

Een einde.

Een waarschuwingsschot.

Een grensmarkering. Tussen 'zoals het was' en 'toen alles anders werd', een ogenblik waarop je niets opvalt, waarvan je je later alles herinnert. En dat is het punt. Het verschil tussen haar leven op haar twaalfde, voor alles veranderde, en het leven dat daarna kwam is dit: onopmerkzaamheid. Niets hoeven op te merken, of zich er in elk geval niet bewust van zijn dat ze dingen opmerkte. Nooit om zich heen kijken. Niet 'onschuldig' als zodanig – ze beschouwde zichzelf nooit als onschuldig, niet zoals Kehinde onschuldig was: vrij van achterdocht en kritiek op van alles en nog wat –, maar 'op zichzelf', tevreden met de wereld in haar hoofd, een heel leven dat oprees uit haar dromen, haar eigen gedachten.

Ze dacht op dat moment net aan de 'liefde voor voeten' van haar vader, aan zijn liefde voor zijn éígen voeten, toen iemand vroeg wat een pedofiel was en zij, er niet helemaal bij, het woord opschreef. Iemand die van kinderen houdt. Die van zijn eigen kinderen houdt.

Pedofiel.

Auto-pedofiel.

Auto-podofiel.

En toen. De bekende tinteling in haar buik, de vlinders die ze voelde als ze wist dat ze gelijk had. Opwinding en troost en tevredenheid, vermengd met een vleugje van iets wat zwaarder was, onheilspellender: opluchting. Opluchting dat ze het wist, dat ze het bij het rechte eind had, doortrokken van een panische angst om wat er misschien zou gebeuren als ze het ooit bij het verkeerde eind had. Dat is wat ze zich voor altijd het duidelijkst zal herinneren en waar ze intens vals om lacht, haar zelfgenoegzaamheid die dag: dat ze een correct antwoord had gegeven, zoals je een woord in een dictee correct kon schrijven, op de vraag wie haar vader was.

Iemand die van zijn eigen voeten hield en iemand die van zijn eigen kinderen hield.

Met een foute inschatting van het Griekse woord 'philos', de gevoelswaarde van 'liefde'. En met een foute inschatting van haar vader, die zijn kinderen zou verlaten en die zijn voeten haatte, zoals ze die nacht ontdekte.

Of eigenlijk die ochtend.

Vier uur, het huis roerloos en doodstil, Taiwo starend naar het plafond, haar handen op haar ribben. Lijdend aan 'nachtelijk ontwaken', nog niet als zodanig gediagnosticeerd. Ze stond op en ging naar de keuken.

Als ze niet kon slapen glipte ze meestal door het luikje achter in de kast naar de kamer van Kehinde. Daar bleef ze stilletjes aan het voeteneind van zijn bed staan kijken naar zijn gezicht, dat door de maan in aquareltinten gekleurd was, en verwonderde ze zich erover hoe ernstig hij eruitzag als hij diep in slaap was; hij kon er alleen ernstig uitzien, met een frons in zijn voorhoofd, als hij sliep. Als hij wakker was zag hij eruit als Kehinde. Als zij zelf, maar met een geheim, met goudbruine ogen die een glimlach op zijn lippen verhulden. Dan keek ze glimlachend naar zijn gefronste voorhoofd tot hij, zonder wakker te worden, terugglimlachte, met de ogen dicht, een glimlach in zijn slaap. Eentje maar. Een klein glimlachje, vijftien seconden, niet langer, zijn oogleden nog rusteloos van de levendige dromen. Dan gaf ze hem een kushandje en kroop door de kast weer terug naar haar eigen kamer, waar ze altijd meteen in slaap viel.

Maar deze keer ging ze via de trap aan de achterkant van het huis naar de keuken, een van de verschillende geheime doorgangen die het huis rijk was – het koloniale huis in Brookline dat ze haatte, dat de man trots had gekocht toen Sadie geboren was (en ondanks het feit dat mama liever een huis in de stad had gehad, in South End, vóór dat een gewilde buurt was; meer waar voor ons geld, had ze gezegd, en ze had gelijk). Het was een prachtig huis. Rode baksteen met zwarte luiken, witte daklijst, puntdak, diepe achtertuin. Maar als Taiwo het vergeleek met de gigantische tudorherenhuizen van hun buren, vond ze dat het toch in gebreke bleef. Alsof het iets bleekzuchtigs had. (Ze lachte in zichzelf die eerste avond in Lagos, in de auto, toen ze door straten reden waarbij vergeleken Brookline maar armoedig was.)

Ze ging de keuken binnen en deed een kast open.

En toen nog een.

En toen de eerste nog een keer.

Olu was net begonnen op de Milton Academy en stond erop dat hij moest eten wat alle kinderen daar aten. De kastjes lagen vol met producten die naar raadselachtige namen luisterden als Mi-Del Biologische Citroen-Koekjes. Ze deed de kast weer dicht. Trok de koelkast open.

Achter de Appel & Eve-appelsap stond nog een overgebleven pakje Capri-Sun. Ze stak het rietje erin en dronk het in één keer leeg. Ze gooide het pakje weg, keek uit het raam en sloeg haar hand voor haar mond om het niet uit te schreeuwen.

Daar, naar haar starend, angstaanjagend in het maanlicht, stond het standbeeld van de moeder met de gebeeldhouwde stenen tweeling. Het was net een kind tussen de silhouetten van de sparrenbomen, een buitenaards kind van een meter twintig, met een lichtgrijze gloed over zich. Ze had de pest aan dat ding. Ze hadden allemaal de pest aan dat ding. Zelfs mama had min of meer heimelijk de pest aan dat ding. Ze had het met Kerstmis uitgepakt, gezegd: 'O, wat mooi, Kweku! Dank je wel!' en het na het eten in de sneeuw gezet, waar het eenzaam was blijven staan.

Taiwo lachte zachtjes, haar hart bonsde luid. Ze besloot dat ze alle sloten op de deuren moest controleren. Je wist maar nooit of er niet een of ander buitenaards kind door Brookline zwierf, azend op citroenkoekjes. De achterdeur zat op slot. Ze liep op haar tenen door de eetkamer, waar niemand ooit at, naar de koude, lege hal om de voordeur te controleren. De figuur die ineengedoken in de zitkamer zat, waar niemand ooit zat (afgezien van belangrijke gasten op slippers), links, vanuit de hal onder de deftige Moorse boog door, met de twee bankstellen en het rode tapijt uit Turkmenistan, ontging haar bijna.

Bijna.

Ze sloop door het donker naar de voordeur toen ze haar hoofd een klein stukje naar links draaide en daar zag ze hem.

Onderuitgezakt op een bank, voeten op een voetenbankje, hoofd voorovergezakt, loodgrijs, mond open. Hij had zijn blauwe operatiepak nog aan, er zaten hier en daar bloedspetters op, alsof hij zo vanuit de operatiekamer naar de auto was gelopen. Zijn witte jas lag op een hoopje op de grond. Beide slippers waren van zijn voeten op het tapijt gevallen. Helder maanlicht scheen naar binnen door het raam achter hem en viel op de fles sterkedrank die hij nog in zijn hand hield.

Ze bleef als aan de grond genageld staan. Haar hart begon weer te bonzen. Ze keek naar de trap. Ze probeerde na te denken: lopen of rennen? Ze wist dat ze in de problemen zou komen als hij wakker werd en haar zag, niet omdat ze daar rondsloop, niet omdat ze niet in bed lag, maar omdat ze hem zo zag. In elkaar gezakt op de bank met openhangende mond, jas op de grond, kin op de borst. Ze had haar vader nog nooit zo... los gezien. Zonder spanning. Hij was altijd zo star, zo strak. Nu leek hij net een marionet die de poppenspeler had laten vallen en die in een wirwar van hout, touwtjes en ledematen op de bank lag. Ze wist dat hij woedend zou zijn als hij besefte dat iemand hem zo gezien had. Ze wist dat ze geruisloos de trap op zou moeten spurten.

Maar dat kon ze niet. Of wilde ze niet. Ze wilde hem storen. Ze wilde hem weer tot leven brengen, hem wakker laten worden, rechtop laten zitten. Ze ging voor hem staan alsof hij Kehinde was, bij het voetenbankje waar zijn voeten op lagen, maar deinsde toen terug, weer met haar hand voor de mond om te voorkomen dat ze het uitschreeuwde, deze keer van de schrik om alle blauwe plekken onder zijn voeten.

Hoe het kon dat ze dat nooit eerder gezien had begreep ze niet, begrijpt ze nu nog niet, te bedenken dat ze altijd alleen maar die ene kant van zijn voeten had gezien, de gladde kant. De zolen vormden daar een scherp contrast mee. Ze zaten onder de schaaf-wonden, het eelt, de ruwe plekken, de huid was hier en daar zwart en bij de tenen opgezwollen. Het was alsof hij bijna letterlijk met blote voeten door brandend zand was gelopen (feit was dat hij het grootste deel van zijn jeugd zonder schoenen had gelopen). Taiwo perste haar lippen op elkaar om haar walging te onderdrukken, maar wat ze vervolgens voelde had geen vorm en geen geluid:

een eigenaardige leegte, gewichtloosheid, alsof ze zweefde, als-of ze een ogenblik lang had opgehouden te bestaan: een nieuwe, merkwaardige soort droefheid, deels verdriet, deels medelijden, een droefheid van helium, te ijl om te dragen. In de toekomst, als ze volwassen is, zal ze, als ze diezelfde ijlheid voelt, als ze voelt dat haar hele wezen aan haar ontsnapt als adem, ernaar verlangen om aan te raken en te worden aangeraakt, om contact te maken (en zal ze dat doen ook, met een heel scala aan gevolgen). Dat verlangen was, zoals de meeste dingen, bij de geboorte onschuldig en schoot wortel in haar handen en snel kloppende hart als een drang om zijn voeten aan te raken, te kussen, te kussen-en-beter-te-maken. Haar vader weer overeind te helpen. Maar ze wist niet hoe. Ze had geen oplossing. Ze wist het niet. Ze knielde neer. Begon te huilen.

Ze was bang om redenen die ze niet kon uitleggen, om een besef dat ze niet zou kunnen beredeneren maar dat evengoed duidelijk was: dat er iets op het punt stond afgrijselijk mis te gaan als dat niet al gebeurd was, dat er iets was veranderd. Dat was voornamelijk toe te schrijven aan haar onverklaarbaar scherpe intuïtie (en aan haar nachtelijk ontwaken, op haar twaalfde nog niet gediagnosticeerd). Maar het kwam zonder dat ze erbij nadacht, een gevoel zonder enige samenhang. Een opengaan.

Er was ergens iets opengegaan.

Het feit dat haar vader hier in het maanlicht onderuit lag betekende dat er iets mogelijk was dat ze nooit had beseft: dat hij kwetsbaar was. En dat als hij dat was – hun solide starre vader –, dat zij het dan ook was, dat ze het allemaal waren, en het, erger nog, misschien niet eens wisten. Hij had zijn voetzolen haar hele leven voor haar verborgen gehouden, twaalf jaar lang; hij kon (iedereen kon) wel van alles verborgen houden. En dat hij dat geprobeerd had, dat hij iets te verbergen had, betekende ten slotte dat haar vader schaamte voelde. Wat op een of andere manier onverdraaglijk was.

Ze legde haar hoofd op het voetenbankje. Fluisterde: 'Papa', raakte hem lichtjes aan. Hij bleef snurken. 'Wakker worden,' drong ze aan. 'Wákker worden.' Maar hij werd niet wakker. Ze zag de slippers bij haar knieën op het tapijt liggen.

Zo voorzichtig mogelijk en zo stil als ze kon schoof ze een van de slippers aan een van zijn voeten. Hij bungelde daar als een schoen aan een schoenenboom. Toen de andere. Nu waren de blauwe plekken en wonden in elk geval aan het gezicht onttrokken.

'Nee,' zei hij, nauwelijks verstaanbaar.

Taiwo sprong in paniek op en was in een flits weg bij het raam en het maanlicht. Onder dekking van de diepste duisternis, weggedoken in de schaduw, deed ze haar ogen dicht en wachtte op een schreeuw. Die kwam niet. Hij maakte een ander geluid, een vochtig, slaperig geluid, prevelde weer 'nee', heel zacht, en toen was het stil. En begon hij te snurken. Ze deed haar ogen open en stapte naar voren, nog steeds bang. Zijn hoofd stond nu recht op zijn schouders. Hij praatte in zijn slaap.

'Het was te laat,' zei hij, volmaakt duidelijk, alsof hij wist dat ze naar hem stond te kijken. Maar hij glimlachte niet in zijn slaap, zoals Kehinde zou hebben gedaan. Zijn hoofd zakte weer voorover.

Ze rende naar de trap.

Al die jaren later, als Taiwo aan haar vader denkt, als de gedachte stiekem door die spleet in de muur naar binnen glipt – en het beeld van hem, dood in een tuin, meeglipt, voetzolen helemaal paars, bloot, zodat iedereen ze zo kan zien –, zal ze zich wanhopig afvragen: 'Waar waren zijn slippers?' en net als toen ze twaalf was, zal ze beginnen te huilen.

9

Waar zijn zijn slippers?

In de slaapkamer.

Hij denkt na.

Zijn tweede vrouw Ama ligt in die kamer te slapen, roodbruine lippen een beetje open gezakt, het vlezige roze aan de binnenkant zichtbaar, en hij wil haar niet wakker maken. De verandering een wonder.

Geheel afgezien van de optredens voor zichzelf en zijn cameraman, is er dit nieuwe en oprechte verlangen om het zijn vrouw naar de zin te maken. Het is net alsof hij een andere (vriendelijker) man is in dit huwelijk, waarvan die Andere Vrouw zou aanvoeren dat het niet zijn tweede maar zijn derde is. Die Andere Vrouw liegt en dat weten ze allebei: ze waren nooit ook maar in de verste verte getrouwd geweest (hoewel ze in zijn huis had gewoond. Hij had wanhopig verlangd naar warmte, naar het gewicht van een lichaam, de geur van parfum, al was het goedkope Jean Naté. Het was misgegaan toen ze haar belofte die ochtend in mei de deur uit te gaan zodat ze Olu niet zou zien had gebroken, Olu, die eindelijk voor zijn verjaardag was gekomen en die rechtsomkeert had gemaakt zodra hij June in het oog kreeg). Bij Ama, met wie hij getrouwd is in een eenvoudige dorpsceremonie, terwijl haar verbaasde familie met wijd open mond toekeek, is hij zachtmoedig, wat hij bij Fola niet was. Niet dat hij bot was tegen Fola. Maar dit is anders.

Bijvoorbeeld.

Als hij zijn stem verheft en Ama krimpt ineen, houdt hij op met schreeuwen. Van het ene moment op het andere. Als een lichtschakelaar. Zij krimpt ineen, hij houdt op. Of als ze langs de deur van zijn studeerkamer komt en kucht, kijkt hij op; ongeacht wat hij aan het doen is, wat hij zit te lezen, Ama kucht, hij kijkt op. Zijn kinderen deden dat ook vaak, opzettelijk, gewoon om hem op de proef te stellen, om zijn toewijding aan zijn vak af te wegen tegen zijn toewijding aan hen. Hij had zijn sextet inmiddels naar dat enorme huis in Brookline verhuisd, een waar paleis, hoewel de deur van zijn studeerkamer, nog een originele deur, niet goed dicht wilde. De kinderen hingen dan op de overloop rond voor de halfopen deur, zachtjes giechelend en hard fluisterend om zijn aandacht te trekken, waarna ze naar binnen gluurden om te zien of hij opkeek van zijn vakblad, wat hij niet deed, om hun een lesje te leren. Het was een experiment met een denkfout. Dat zou hij hun wel verteld hebben, als ze het gevraagd hadden. Zijn toewijding aan zijn vak verschafte hun een dak boven het hoofd. Het was appels met peren vergelijken, het was geen wedstrijd, het was geen kwestie van werk versus gezin, het was niet het een of het ander: dat was misleidende Amerikaanse logica, dat was zwaar overtrokken, 'getrouwd zijn met je werk'. Hoe zou dat moeten? De uren die hij werkte waren juist een uiting van zijn *genegenheid*, rechtstreeks evenredig aan zijn streven hun een goed leven te bezorgen: goed opgeleid, bereisd, gerespecteerd door andere volwassenen. Weldoorvoed. Wat hij als kind gewild had, maar niet was geweest.

Als Ama hoorbaar voor zijn deur rondhangt – en zij stelt hem ook op de proef, dat weet Kweku – zet hij een streepje waar hij is en laat hij zijn boek zakken. Gebaart dat ze binnen moet komen en vraagt of alles goed is. Ze zegt altijd ja. Alles is altijd goed. En als ze aan het rijden zijn in de Land Cruiser en zij ook maar een klein beetje bibbert, geeft hij Kofi, die inmiddels ook kan autorijden, opdracht de airco uit te zetten (hoewel hij niet tegen de luchtvochtigheid kan, en nooit gekund heeft ook, als kind al niet; ze dreven altijd de spot met hem, noemden hem *obroni*, zij het ook om andere redenen). En als hij in de woonvleugel naar CNN zit te kijken en zij komt binnen op roze donsslippers, roze krulspelden in het haar, schakelt hij onmiddellijk over naar de geestdodende kakofonie van de Nollywoodfilms waar hij de pest aan heeft en die zij prachtig vindt.

Enzovoort: hij gaat naar de kerk (hoewel hij die heisa niet kan uitstaan), koopt zeep met een geurtje (hoewel hij dat geurtje niet kan uitstaan) en geeft Kofi opdracht de stoofpot precies volgens haar recept te maken (hoewel hij die heetheid niet kan uitstaan, de tranen lopen hem over de wangen, zo scherp is het). Hij wil dat ze tevreden is. Hij wil dat omdat zij dat in zich heeft. Zij is een vrouw die tevredengesteld kan worden.

Ze is anders dan de vrouwen die hij gekend heeft.

Of anders dan de vrouwen van wie hij gehouden heeft.

Hij is er niet zeker van of hij ze ooit gekend heeft, of dat gekund heeft, of een man een vrouw uiteindelijk kán kennen. Dus: de vrouwen van wie hij gehouden heeft. Die geen benul hadden van tevredenheid. Die, als ze gekregen hadden wat ze wilden, altijd onmiddellijk meer wilden. Niet hebzuchtig. Nooit hebzuchtig. Hij zou zijn moeder nooit hebzuchtig noemen, en Fola ook niet en zijn dochters ook niet (althans Taiwo niet, althans toen niet). Het waren doeners en denkers, liefdevol, zoekend, gevend. Maar ook dromers, en die waren het gevaarlijkst.

Het waren vrouwen die droomden.

Heel gevaarlijke vrouwen.

Die naar de wereld keken door hun grote, dromerige ogen en haar niet zagen zoals ze was, 'meedogenloos, zinloos', et cetera, maar erger, zoals ze zou kunnen zijn of wellicht zou kunnen worden.

Dus, onverzadigbare vrouwen.

Vrouwen die met geen mogelijkheid tevreden te stellen waren.

Die bovenal wilden wat niet te krijgen was. Niet wat zij niet konden krijgen – zoiets bestond voor zulke vrouwen niet –, maar wat sowieso niet te krijgen was. En wat het ergste was: die naar hem keken en zagen wat hij misschien zou kunnen worden. Mooier dan hij meent ooit te kunnen zijn.

Ama heeft dat probleem niet.

Of hij heeft dat probleem niet met Ama.

Om te beginnen is ze niet zo pienter als de anderen. Wat niet wil zeggen dat ze onnozel is. Verre van dat. Hij weet dat de mensen praten, dat ze het meisje 'simpel' noemen, en hij weet dat het een cliché is: chirurg die gaat hokken met een verpleegster. Maar hij weet nu ook dat zijn vrouw een genie is, van een compleet andere soort dan haar voorgangsters waren. Ze heeft haar eigen vorm van genialiteit, een soort dierlijke genialiteit: ze is onwankelbaar als een dier in haar streven om te krijgen wat ze wil. Om te krijgen wat ze nodig heeft, zonder de omgeving te verstoren. Zonder alles in de jungle te ontwortelen. Zonder zichzelf schade te berokkenen. Hij zou nooit gedacht hebben dat dit überhaupt een talent was, ware het niet dat die intelligentere vrouwen de gave hadden van de zelftwijfel en de zelfkastijding.

Ama doet zichzelf geen kwaad. Dat komt niet bij haar op. Om zichzelf in twijfel te trekken. Om van haar geest een kleine boete te eisen voor alle wereldse genoegens, hoewel de wereld daar niet om vraagt. Maar ze is geen dénker. Ze dénkt niet onophoudelijk – aan wat beter zou kunnen zijn, aan wat ze nu weer moet doen, aan wat ze verkeerd heeft gedaan, aan wie haar wellicht onrechtvaardig heeft behandeld, aan wat híj denkt of voelt maar niet zegt –, en haar gedachten botsen dus ook niet voortdurend op de zijne, met alle wrijving, uitbarstingen, vuurstormen die daar het gevolg van kunnen zijn, hoe onbedoeld ook. Haar gedachten zijn geen gevaarlijke substanties. De gedachten van de dromers waren landmijnen, vrije radicalen. Met hen kon een ontbijt al uitdraaien op oorlog. Ama is geen vechter. Ze komt ongewapend aan het ontbijt, en komt 's avonds naakt en ongewapend naar bed. Ze heeft er geen speciaal belang bij hem van gedachten te doen veranderen. Haar natuurlijke staat is tevreden, niet nieuwsgierig. Gevolg van dit alles: ze is niet ongelukkig.

Dat was een complete openbaring.

In één huis wonen met een vrouw die gelukkig is, die consequent gelukkig is, zo zonder meer – gelukkig? En die gelukkig is met hem, niet als uitkomst of reactie, niet om iets wat hij gedaan heeft en wat hij moet blijven doen als hij wil dat ze gelukkig blijft, de krukas aanslingeren, steeds weer de muziekdoos opwinden, dans, aapje, dans! –, maar die hij gelukkig maakt, die hij gelukkig hééft gemaakt, en die op wonderbaarlijke wijze gelukkig *gebleven* is? Die het vermogen heeft gelukkig te blijven, met hem, door de jaren heen?

Nooit.

Hij had niet geweten dat zoiets menselijkerwijs gesproken mogelijk was, of vrouwelijkerwijs gesproken mogelijk, tot zijn drieënvijftigste, toen hij zijn tent had afgebroken en hij zijn bivak had opgeslagen in de mastervleugel, die hij op een gegeven moment echter te stil had gevonden, waarna hij over zijn assistente was gaan nadenken, de welving van haar billen, de welluidendheid van haar lach, en de merkwaardige wijze waarop ze giechelde en bloosde als hij in de buurt kwam, en hij haar gevraagd had of ze misschien een keer met hem wilde eten?

Dat is de reden dat hij (denkt dat hij) van Ama houdt.

Omdat ze zei: 'Dank u, graag', en nog een keer hetzelfde toen hij haar vroeg of ze met hem wilde trouwen (ze zegt altijd ja). Omdat ze loyaal is, en simpel, en soepel, en jong. Omdat ze geen gedachten heeft die aan het ontbijt opeens voor vuurwerk kunnen zorgen. Hij denkt dat hij van Ama houdt vanwege de symmetrie tussen hen: zijn vermogen om te geven en haar vermogen om te genieten. Want hij vindt alle symmetrie elegant en déze symmetrie lekker rustig: een elegant soort rust, overal in huis. Hij denkt dat hij van Ama houdt – hoewel hij ooit gedacht heeft dat dat niet zo was, dat hij om haar gaf en dankbaar was dat hij haar had, maar niet 'echt van haar hield', en in het begin, voor hij besefte dat ze een genie was, was dat ook zo –, omdat hij nu iets weet, over vrouwen. Hij heeft inzicht gekregen in de grondslagen van zijn relatie met vrouwen, de essentie van die relatie, de behoefte om eindelijk te voldoen. Te weten dat hij genoeg is, eens en voor al, nu en voor altijd.

Dat is de reden dat hij (denkt dat hij) van Ama houdt.

Hij heeft het mis.

Eigenlijk is het omdat ze 's nachts, als ze slaapt, met een dun laagje zweet op haar volle roodbruine bovenlip, en een ademhaling die lief en luid naast hem opklinkt, zo griezelig veel op Taiwo lijkt. Op Taiwo toen ze nog geen vijf was en hij nog in zijn opleidings-periode zat, en hij, als hij na een late dienst naar huis was ge-strompeld, te moe was om te slapen, te slaperig om te staan en te onrustig om te zitten – en hij dus maar ging ijsberen.

Dan liep hij heen en weer door het smalle appartement (het bes-te dat hij zich kon veroorloven met zijn inkomen als arts-assistent: de somberste, kleinste helft van een twee-onder-een-kapwoning aan Huntington Avenue, waar het getto begon, onder het viaduct dat Boston van Brookline scheidt, rijkdom van armoe), nog in zijn operatiepak, in het donker. Door de hal, door de keuken, naar de eerste kamer, die van de jongens, met zijn gammele houten stapel-bed, en de tekeningen van Kehinde aan de muur. Naar het berg-hok met het raampje, waardoor hij een of andere kleine drugsdeal gadesloeg. Naar de badkamer, waar hij zijn gezicht waste.

Er een handdoek tegenaan drukte.

En vasthield.

Maar uiteindelijk naar de voorkamer en naar Taiwo op de slaap-bank, zonder slaapkamer voor zichzelf zoals hij zo graag wilde dat ze had, zijn eerste dochter, een compleet mysterie ondanks de ge-lijkenis met haar broer. Een meisjeskind. Iets nieuws. En op een of andere manier dierbaarder.

Met een dun laagje zweet op haar bovenlip, dankzij de stadsver-warming.

Dat hij wegveegde met de gedachte: dat is het minste wat ik kan doen.

Voor een meisje zonder slaapkamer en met trompetschelp-roze lippen.

Waar hij rechtop in slaap viel, terwijl hij naast haar zat.

Eigenlijk houdt hij van Ama omdat ze, als ze slaapt, op Taiwo lijkt toen zijn dochter nog geen vijf was en ze zwetend op de bank sliep, en omdat ze, als ze snurkt, precies zo klinkt als zijn moeder toen hij zelf nog geen vijf was en hij zwetend op de grond sliep. In diezelfde hut met rieten dak waar zijn zus zou sterven, op een mat naast de matten van zijn broertjes en zusjes en het enige houten bed, waar hun moeder lief en luid in lag te snurken en uitbundig te dromen, terwijl haar zoon goed luisterde naar waar ze allemaal naartoe ging (naar de opera's en jazzriedeltjes en trommels en oorlogskreten, naar de jaren vijftig zoals ze in verre landen klonken, aan de andere kant van het water), hardop dromend over plaatsen waar ze het op de radio over hadden, die hij nooit had gezien en die zij nooit zou zien. Dat gezicht en dat geluid, die twee zintuiglijke gewaarwordingen – zijn dochter, (a), geheel modern, product van dáár, Noord-Amerika, sneeuw, zuivelproducten, gedachten aan de toekomst, en zijn moeder, (b), oud, product van híér, hut, hitte, raffia, West-Afrika, het eeuwige verleden –, raakten elkaar nergens behalve in Ama.

Een brug.

Loyale en simpele en soepele jonge Ama, die nog stinkend naar zout (en naar palmolie, Pink Oil, verdampte Carnation) uit Kokrobité was gekomen om zich in een voorstad van Accra aan zijn zijde neer te leggen. Ama, wier zweet en gesnurk als ze slaapt kilometers verdriet en oceaan en lucht doen wegvallen, wier zachte lichaam een brug is waarover hij heen en weer loopt tussen twee werelden.

De brug waar hij naar gezocht had, eenendertig jaar lang.

Toen hij wegging meende hij te weten hoe hij die brug moest bouwen: door triomfantelijk terug te keren als arts en als vader, en het in Amerika geboren kind bij de aan Ghana gebonden grootmoeder neer te leggen als een bloemenkrans op een altaar. 'Kijk, ik zei toch dat ik terug zou komen.' Met een jongetje ook nog, een dubbel gelukkige Mozes. Met een zoontje en een academische graad. Zoals beloofd. Succes. In Pennsylvania stelde hij zich dat moment elke dag voor, en zag hij voor zich hoe zijn cameraman het zou filmen, met een close-up van haar gezicht. Violen. Tranen in de ogen van de moeder. Bewondering, vreugde, verbazing. Het ontzag van de broers en zussen. De verrukking. Tromgeroffel. En dan het dansen en feesten, vis die geroosterd werd, een geit die geslacht werd, rode vonken van het vuur die vreugdesprongen maakten in de lucht, een zwarte lucht, met sterren bezaaid, de oceaan tevreden brullend. De reünie een brug, haar voldoening de bakstenen.

Dat is hoe hij het had gepland.

Maar dat is niet hoe het gebeurde.

Tegen de tijd dat hij terugkwam, was ze er niet meer.

10

Hartverscheurende winter, 1975.

Een krot met één slaapkamer.

Een vrouw met wie hij één jaar getrouwd was.

Die aan tafel zat in een 'keuken', dat wil zeggen, een hoek waar een fornuis, een aanrecht met een gootsteentje en een tobbe dicht op elkaar tegen een muur waren geschoven. Hij kwam binnen met een jas aan. Hij haatte die jas. Een veel te grote, saaie beige jas, van de Goodwill in het centrum. Ze had erop gestaan dat hij hem kocht en nu wilde ze ook per se dat hij hem droeg. Het was het warmste kledingstuk dat hij bezat, maar in die jas leek hij zo arm.

Hij kwam binnen, in die armoedige jas. Zij zag er betoverend uit. Ze zag er altijd betoverend uit in zijn ogen, zelfs als ze kwaad was. Ze had een spijkerbroek met wijde pijpen aan en een wikkelvest, beide met dank aan de Goodwill, een sjaaltje in het haar.

Nee, geen sjaaltje, zag hij toen hij beter keek. Een goudgevlekte *aso-oke*, de Nigeriaanse dracht. Nigerianen waren veel geraffineerder met hun hoofddoeken dan Ghanezen. 'Flamboyanter, opzichtiger,' mochten de Ghanezen graag op afkeurende toon vaststellen. Maar op dat moment zag hij het anders: ze hechtten meer waarde aan schoonheid. Te allen tijde en in alles hechtten ze aan flair. Zelfs hier, in dit krot, in tweedehands kleren aan een tafel bij een tobbe, stond ze op die flair. Ze had die gouden doek van haar vader, die ongetwijfeld veel geld had gekost, weer gevonden en besloten hem om haar afrokapsel te winden waarmee ze haar naam eer aandeed. 'Mijn kroon is geschonken door rijkdom.' Folasadé. Ze zag er betoverend uit.

Hij deed de deur open en bleef als verstijfd op de drempel staan.

Haar handen lagen netjes gevouwen op het rode plastic tafelkleed, zo'n kleed dat je koopt voor een picknick en dan weggooit. Ze hadden het stiekem mee naar huis genomen, een beetje gegeneerd, na een barbecue van het ziekenhuis. Ze vond dat het de boel een beetje opfleurde. Bloemen ook. Natuurlijk. Alles zag eruit zoals het er altijd uitzag. Het bed was opgemaakt. De kleine sliep. En ademde, had hij vlug gecheckt.

Want er klopte iets niet.

Hij bleef in de deuropening staan omdat hij wist dat er iets niet klopte.

Hij zag de brief niet op tafel liggen. Hij zag alleen Fola terwijl ze haar hoofd omdraaide, nek gespannen van angst. Ze zei niets. Hij verroerde zich niet. Zijn cameraman glipte door het raam naar binnen. In deze scène: een Jongeman ontvangt Verschrikkelijk Nieuws. Nu zette hij zijn tas neer. Om zijn beide handen te ont-

lasten. Voor wat hij er misschien mee zou moeten doen, afhanke-
lijk van wat zij te zeggen had.

Ze zei: 'Je moeder is ziek, schat.' Ze liet hem de brief zien. 'Je
neef heeft ons adres van de universiteit gekregen en meteen geschreven.'

Er waren te veel woorden om in een keer te bevatten. Moeder.
Ziek. Neef. Adres. Universiteit. Geschreven. Wie van zijn neven
kon eigenlijk schrijven? Die gemene, huichelachtige vraag spoelde
op een of andere manier als eerste aan. 'Mijn neven zijn allemaal
analfabeet! Die weten helemaal niets!' brulde hij, zonder te weten
waarom, en waarom tegen Fola. 'Het is niet waar!'

Ze keek naar hem, met die uitdrukking, met haar wenkbrauwen
gefronst en haar mond geplooid in een omgekeerde glimlach. Pas
gisteren had hij opgemerkt dat ze dat gezicht ook tegen Olu trok,
als hij jammerde om een of andere klacht over te brengen. Wenkbrauwen gefronst, het hoofd een beetje schuin. 'Okunrin mi,' zei ze
dan. Mijn zoon. 'Ik weet het, ik weet het, ik weet het. Het doet
pijn.'

Ze wist het inderdaad. In de ware zin van het woord 'voelde' ze
andermans pijn. Ze was letterlijk meevoelend, iets waarvan hij niet
geloofd had dat het bestond toen ze elkaar voor het eerst ontmoetten. Hij had eindeloos veel vragen. Waar in haar lichaam
voelde ze het? Hoe wist ze dat het zijn pijn was, niet de hare? (In
haar borst, links, een puur fysieke sensatie, die van buiten kwam,
maar nu vertrouwd was: ware empathie.) Dat gezicht.

'Lieve schat,' zei ze.

'Het is niet waar,' herhaalde hij. Maar zacht. En was nu blij dat
hij zijn handen vrij had. Hij greep naar zijn hoofd, draaierig, zijn
wanten aan zijn voorhoofd, een vruchteloze poging, hersens bij elkaar houden. 'Ze is nog nooit een dag ziek geweest. Hoe zou dat
kunnen? Wat zeggen ze?' Hij kwam naast haar staan.

Ze overhandigde hem de brief en raakte met haar hand zijn vrije hand aan. Het was van dat goedkope luchtpostpapier dat niemand meer gebruikt, zo'n flinterdun pastelblauw velletje dat je kon opvouwen en dan was het een envelop.

Allemaal blokletters die schuin achteroverhelden.

Onregelmatig zwart schrift.

Er stond niet in de brief dat zijn moeder ziek was. Er stond dat ze op sterven lag en dat ze binnen een maand dood zou zijn. De brief was twee weken en één dag oud. Hij liet hem op tafel vallen. Zijn handen begonnen te beven (andere delen van hem ook). Fola sprong op en sloeg haar armen om hem heen. Voor de eerste keer sinds hij hem gekocht had, hield hij van deze beige jas. Hij was zo dik dat hij enige afstand creëerde tussen haar borst en zijn gebibber, zijn vrouw en zijn zwakte, zijn sidderende ledematen. (En zijn cameraman, die aan de andere kant van de kamer bij het raam stond, kon de in elkaar stortende held niet filmen vanwege diezelfde doffe, beschermende jas.)

'We gaan naar Ghana,' zei ze.

'Van welk geld?' mompelde hij. 'Daar hebben we het geld niet voor.'

'We vragen het gewoon...'

'Nee!' En vervolgde vertwijfeld: 'Ze overdrijven... het is een infectie, geen kanker... ze is nog niet eens vijftig. Tegen de jaarwisseling is ze wel weer beter... en tegen die tijd heb ik het geld...'

'We vragen het gewoon, Kweku. We moeten wel.'

En dat deden ze.

Of eigenlijk: dat deed zij. Die dag spendeerde ze haar laatste contanten aan een ticket naar Lagos om een rat te bezoeken, haar jongere halfbroer Femi, wiens moeder, een prostituee, het geld van haar dode minnaar had ingepikt en ervandoor was gegaan.

Toen Ghana, toen de geur van Ghana, een tegenstrijdigheid, een gebarsten kruik: de geur van droogte, natheid, allebei, de vochtigheid van aarde en de droogte van stof. Het vliegveld. Lichamen die duwden, trokken, schreeuwden, bedelden, elkaar raakten, ademden. Hij was de lichamen vergeten. De nabijheid van lichamen. In Amerika bleven lichamen op afstand. De warmte ervan. Duwen door het gedrang en gewoel, warme lichamen, Fola bij een arm vastgrijpend terwijl zij de baby vasthield, zijn smaldeel naar de taxistandplaats loodsend. 'Je tasje!' riep hij over zijn schouder. 'Uitkijken! We zijn hier in Ghana.'

'O ja?!'

Maar toen hij keek moest ze lachen. 'Ik kom uit Lagos, vriend. Ik maak me niet druk om dat kleine Ghana van jou.' Ze knipoogde. 'Ik red me wel. Wij redden ons wel.'

En toen naar huis.

Ze reden naar het dorp in een gammele taxi, een rood met gele rammelkast die zwarte rook uitspuwde, akelig hobbelend over de donkerrode, onverharde weg. Niemand zei iets, zelfs Olu was stil, alsof hij het in zijn babyhart besefte. Dit was niet zoals hij zich zijn triomfantelijke terugkeer had voorgesteld, die politieke hysterie op de radio zonder de vioolklanken van John Williams, maar deze chauffeur was de enige in de hele rij geweest die met zijn prijs had ingestemd én de weg naar zijn dorp kende.

Een uur buiten de stad: de oceaan.

Onaangekondigd, zonder trompetgeschal.

Gewoon opeens dáár.

Vanaf de stad hadden ze de destijds ongeplaveide weg naar de kruising getrotseerd, waar ze de droge lege heuvel naar Kokrobité waren op gereden. Vanaf de heuvel waren ze afgedaald naar de kust, die aan het zicht werd onttrokken door de bergen gras die links langs de weg lagen. Toen, abrupt, een opening: geplet gras met daarachter zand, zee, lucht, eindeloos. Een dramatische onthulling. Iets wat er al die tijd geweest was, niet zozeer verrassend als wel opzienbarend, de reikwijdte, hoe dingen erdoor veranderd werden. De lucht.

Het was zeven uur in de ochtend, dat kon hij zien zonder het te hoeven checken, aan de mannen die de netten binnenhaalden van de nacht: zeker wel tien, elf man, in een verticale lijn langs het eind van een touw dat tot ver in zee reikte. En hup! En hup! Naar voren, naar achteren, volmaakt synchroon, allen met één beweging trekkend, als roeiers op zand, in ooit felgekleurde T-shirts (net als de T-shirts die ze in de Goodwill verkochten). Alle palmbomen bogen met hen mee, hun bladeren fladderden in de bries.

Hij had kennelijk een of ander geluid gemaakt toen hij uit het raam staarde, want Fola legde heel licht een hand op zijn hand. Zoals ze altijd deed. Ze pakte nooit zijn hand, hield hem nooit vast, legde alleen haar hand lichtjes op zijn hand. Een keuze. Vasthouden of vastgehouden worden. Hij hield haar hand afwezig vast, zonder zich van het raam af te wenden. Daar niet toe in staat, hij kon zijn ogen er niet van afhouden, het beeld trok al zijn aandacht, terwijl zich nu de eerste tranen vormden, losjes als stapelwolken die zijn blik vertroebelden maar nog niet rijp waren om te vallen. Het effect was dat de randen wazig werden, een filter, het strand sprankelend grijs in hemels nevelig licht, als een scène uit die soaps waar de verpleegsters allemaal zo graag naar keken: onweerstaanbaar pakkend als je de plot maar kende. (En die kende hij. In grote lijnen. Dansen, boomsap, oma's.) Hij staarde net als de verpleegsters, door opwellende tranen heen.

Waarom had hij de pest gehad aan dit beeld? Van dit strand, van

de ruggen van die vissers, glanzend bruin, van de lange houten boten, met evangelische namen in drie felle kleuren op hun versplin-
terende boorden, Black Star Jesus, Jah Reign, Christ the Fisher of
Men, in het rood, geel, groen van de nationale vlag en in de nationale geest van openheid, die mix van anglicaans, rasta, Ghanees?
Wat was daar mis mee? Er was alleen openheid. Zover het oog
reikte. Een opgewekte openheid. Onschuld. Een onschuldig
strand langs de weg naar Kokrobité, om zeven uur 's morgens, november 1975, klein land dat opgewekt, onbewust, voortstrompelde
naar een revolutie. Kleine taxi die de revolutie links liet liggen en
voortstrompelde naar een groot verdriet.

En toen zij.
    Geen brug, met haar voldoening als baksteen.
    Geen gejubel, geen geroffel, geen geit en geen vis.

Fola bleef staan wachten met zijn halfzusters Shormeh en Naa,
hun ogen vol oude haat en nieuw verdriet. Een opgewonden menigte had zich verzameld zodra ze uit de taxi waren gestapt en
bleef staan kijken terwijl hij de hut binnenging. Niemand had details nodig (onweerstaanbaar pakkend). Zijn cameraman, ook daar,
volgde hem niet naar binnen.
    Hij bukte zich toen hij naar binnenging, hij was vergeten hoe
lang hij was. Of hij was de afmetingen vergeten van de hut waarin hij was opgegroeid. Hij droeg zijn zoon, half in slaap, zes maanden oud, het in Amerika geboren jongetje, naar haar toe.
    Naar het ene bed toe.
    Ze lag op haar rug met haar armen langs haar zij, de matten op
de grond waren nog dezelfde die hij zich herinnerde. Donker, en
heel koel, met dat hoge koepeldak. Het was een vakkundig ge-
bouwde hut, hoe minimaal ook. Ronde wanden van klei met dat
enorme rieten dak, een driehoekige koepel van bijna vijf meter

hoog. Zijn vader had hem gebouwd. Een kunstenaar, hadden ze tegen hem gezegd, een Fante, een zwerver, 'geniaal als hij'. (Hij was gevangengezet nadat hij een dronken Engelse sergeant had geslagen die zijn vrouw had lastiggevallen, gevangengezet en vervolgens publiekelijk gegeseld. Daar bij de boom, midden in de 'compound', dit groepje hutten. Midden op de dag uitgekleed tot op zijn onderbroek. 'Hij is vertrokken,' zeiden de dorpelingen eenvoudig. Daarna. Had gewoon zijn spullen gepakt en was weggelopen, zoals hij gekomen was. Anderen, inmiddels gestorven, beweerden dat hij in een stralend witte *bubu* de oceaan in was gelopen, tot zijn middel, en toen tot zijn hoofd, en dat hij was blijven lopen. Verder, dieper het water in, de oceaan in. Als Jezus. Met gewichten. Bij maanlicht. Het zwart tegemoet.)

Zijn broer keek verrast toen hij binnenkwam maar zei niets. 'Laat me alleen,' zei hij tegen zijn broer. Zijn broer liet hem alleen.

Zoals ze daar lag, had ze wel kunnen slapen. Dat had hij mensen wel eens horen zeggen en dan had hij gegniffeld. 'We dachten dat ze een tukje deed', over de geliefde oude oma, die al in staat van ontbinding in allerijl naar het ziekenhuis werd gebracht, dagen na haar dood. Idioten, dacht hij dan. Nu begreep hij de verwarring. Het was net of ze sliep. Alleen maakte ze geen geluid. Droomde ze niet over plaatsen waar ze nooit geweest was.

Ze was dood, in het dorp, de enige plek waar ze ooit heen zou gaan.

Zijn hart brak op één plaats. De eerste breuk. Hij voelde het niet. Olu giechelde, zachtjes, het enige geluid in de hut. Kweku keek naar Olu. Hij was vergeten dat hij hem in zijn armen hield. Olu keek vol ontzag naar de vlinder op haar teen.

Zwart en blauw (zwaarddragertje), net neergestreken, een bijna neonkleurige tint turquoise, zwarte tekening, witte stippen. Hij fladderde om de voet van zijn moeder heen, een loom rondje, en steeg toen op, dartel klapwiekend naar het koepeldak en het raampje uit. Weg.

'Dit is je grootmoeder.' Andere tijd. 'Wás.' Olu keek naar Kweku zonder de stem te herkennen. En hij keek naar zijn moeder. 'Ik zei het je,' wist hij nog net uit te brengen. 'Ik zei dat ik terug zou komen…' maar de rest kreeg hij er niet uit.

Hij ging op de grond zitten, op een raffia mat. In de hitte en de vieze lucht, de stank van de pasgestorvene. Hij wreef Olu over zijn rug tot het kind in slaap viel (vijftien minuten, niet meer, zo'n braaf kind). In het halfdonker bleef hij zitten, wie weet hoelang, misschien wel uren, het zonlicht schoof langs de wand. Hij dacht niet wat hij gedacht had dat hij denken zou. Dat hij niet had moeten weggaan. Zonder afscheid te nemen. Dat hij de laatste keer dat hij haar zag – toen ze die akelige ruzie hadden gehad over de vraag of hij die volledige beurs moest aanvaarden of niet, toen zij gezegd had dat ze hem híér nodig hadden en niet in 'Pen-Sil-hoe-heet-het-daar' – niet had moeten zeggen wat hij gezegd had.

Dat ze 'jaloers' was.

Natuurlijk was ze jaloers. Ze was achtendertig. Ze was nooit in een ander land geweest. Haar jongste dochter was dood. Haar geniale man was met de noorderzon vertrokken, of liever met het maanlicht, in zee (of wat waarschijnlijker was: had haar verlaten omdat hij haar uit schaamte niet onder ogen kon komen). En nu probeerde haar zoon – haar geniale zoon, zestien jaar oud, blootsvoets – ervandoor te gaan met Amerikaanse missionarissen, naar de alma mater van de president (motto: 'Wanneer de zoon u vrijgemaakt heeft, zult ge werkelijk vrij zijn.' Werkelijk. En als de zoon een beurs krijgt?). In haar moederhart wist ze het.

Dat hij niet zou 'weggaan en weer terugkomen', dat hier niets was om voor terug te komen, dat hij zou leren – zoals zij ook gewild had, begaafd kind als ze was, op haar zevende van school ge-

77

haald om brandhout en water te halen – en wegblijven. Zoals zij ook gewild had.

Dat hoefde niet gezegd te worden.

Die gedachten kwamen later. (En zouden nog jaren blijven terugkomen, telkens als hij probeerde de vochtige stank van een pasgestorvene op afstand te houden.) Wat hij dacht toen hij daar zat was: hoe anders, die rust. Het was nooit zo rustig geweest in deze hut toen hij hier opgroeide. En dat het hem misschien best bevallen zou zijn als hij er maar in had kunnen zitten zoals nu, alleen en in stilte. En dat zij dat ook zo ervaren moest hebben. Dat is de reden dat ze hen allemaal zo vroeg wekte en naar buiten stuurde, allemaal, vijf uur 's morgens, hup!, niet omdat ze zo 'lui' waren, niet iets met 'vroege vogels', of wat de missie de moeders van Ghana in die tijd maar tegen hun *pikin* liet uitkramen. Het was om in stilte en eenzaamheid op haar rug op haar matras te kunnen liggen, armen langs haar zij. Alleen maar kijkend naar de rietstengels die met een boog naar het midden van het dak hoog boven haar liepen. Slimme structuur: zo op je rug leek het heel groot. Slimme vrijer: hopend, biddend, dat hij de weduwe op een goede dag tot zijn vrouw zou maken – degene met het zwarte transistorradiootje dat ze overal als een troeteldier mee naartoe nam; hij had zijn lemen hut zo ontworpen dat een meisje, als ze opkeek vanuit zijn bed, afstand zou voelen, ruimte, hoogte. Ze had hen de hut uit gestuurd, om afstand te kunnen voelen. Rust. Om daar gewoon te kunnen liggen. Vijf minuten. Tien minuten op zijn hoogst. Nog even en ze zouden terug zijn van de put waar ze zich gewassen hadden, zes kinderen (later vijf), twee jongens, vier magere meisjes. Nog even en de hut zou vollopen met hun beweeglijkheid, en dan zou het zo vochtig worden dat ze allemaal naar buiten moesten.

Nu, om vijf uur 's morgens, kon ze daar liggen, roerloos, in stilte, de golven waren dichtbij maar maakten niet echt wat je noemt

geluid. Misschien vol bewondering voor het genie van haar weggelopen man? Misschien even in vrede met de kaarten die ze van
het lot gekregen had? Een vrouw, geboren in Goudkust, in 1941,
toen de hele wereld met zichzelf in oorlog was. Maar niet hier.
Hier aan de rand van de wereld, de rafelrand. Hier, waar de tijd
stilstond, terwijl ze yam tot moes stampte. En brandhout en water
haalde. En boten zag uitvaren, smachtend. Bovenal weg willend.

Op een gegeven moment, Fola, van buiten de hut.

'Lieve schat', heel zachtjes. 'Ben je daar?'

Nee, hij was er niet. Hij was nergens, hij was weg, buiten zichzelf. 'Ik ben hier.'

'Is de baby...?'

'De baby is in slaap.'

Maar hij wist wat ze bedoelde: dat het op een of andere manier
fout was om nieuw leven zo lang in de nabijheid van de dood te
houden. Hij tilde de baby op en overhandigde hem aan zijn moeder, die naar binnen gebogen stond, haar hoofd een tikje schuin.

'Nog eventjes.' Alsof hij in een badkamer was.

Hij bleef tot middernacht, de tranen waren nog niet rijp.

II

Zijn tweede vrouw Ama ligt in die slaapkamer te slapen zoals hij
het meest van haar houdt: dromend, een brug van vlees. Dus hij
gaat zijn slippers niet halen. Hij zal wel koffie gaan zetten. Het kan
nooit later zijn dan vier uur – waar was hij wakker van geworden?
Hij weet het niet meer – wat voor dag is het? Zondag. De vrije dag
van Kofi. Geen gehamer meer. Alleen stilte en roerloosheid. Af-

zondering en rust. Hij denkt: het bevalt me wel, dit rare gevoel alsof de tijd even stilstaat. Alsof de ochtend aarzelt tussen donker en dageraad, en hij er ook in is blijven hangen, stuurloos in dit schemergebied. Te laat om verder te slapen, te vroeg om de dag te beginnen. Een adempauze. De koffie, denkt hij.

En draait zich om om naar de keuken te gaan als hij het ziet, nog net, vanuit een ooghoek. Het is onmogelijk te zeggen wat er anders met hem gebeurd zou zijn, als hij het niet had gezien, als het hem niet te binnen was geschoten en hij niet aan haar gezicht had gedacht. Als hij vanuit de zonnekamer naar de eetvleugel was gelopen, door de eetkamer naar de keuken om mokkakoffie en toast te maken. Naar alle waarschijnlijkheid zou hij de beklemming op zijn borst en zijn kortademigheid wel hebben opgemerkt en zou hij onmiddellijk hebben geweten dat actie geboden was. Zou hij de heparine in het medicijnkastje hebben opgespoord – ongehaast, hypergefocust – en vervolgens een telefoon hebben gepakt. Zou hij zijn vriend Benson hebben gebeld, een andere Ghanees van Hopkins die tegenwoordig een peperdure privékliniek in Accra heeft (en die net gisteren heeft gebeld en een uiterst vreemde boodschap heeft ingesproken, iets over Fola die hij hier in Ghana gezien zou hebben; wat niet kan). Zou Benson aan de lijn hebben gekregen en bij hem in de kliniek hebben afgesproken. Zou zijn hardloopschoenen bij de deur hebben gevonden, waar ze op hem stonden te wachten voor zijn dagelijkse hardlooprondje. Zou geprobeerd hebben om, terwijl hij zijn veters strikte, terug te denken aan de eerste steken in zijn borst (te mooi soms). Zou op de klok hebben gekeken. Een halfuur. Eitje. Zou naar de kliniek zijn gereden, en Ama, die niet kon rijden, thuis hebben gelaten. Enzovoort.

Zou het hebben opgemerkt.

En het dus hebben geweten.

En dus in actie zijn gekomen.

Maar hij ziet het ding, zij het maar net, felturquoise en zwart.

Net neergestreken op een bloesem, felroze. Als het hem opeens te binnen schiet: de naam, uit het hoofd.

'Bougainville,' hoort hij haar zeggen.

'Het klinkt als een ziekte. Patiënt geveld door bougainville.'

'Stil.' Ze zoog op haar tanden.

Maar toen hij keek moest ze lachen. Bij de gootsteen, haar handen in de bloemen, klein, overvloedig, magenta. 'Prachtig,' zei hij.

'Ja. Ze zijn mooi, hè?'

'Nee. Jij.'

Ze lachte weer, blozend. 'Stil,' maar zachtjes. Een glimlach kreeg vorm. De zon in het raam verlichtte haar van achteren. Hij overwoog naar haar toe te lopen en haar in zijn armen te nemen. Maar in plaats daarvan nam hij haar alleen maar op.

Waarom ben ik ooit bij je weggegaan? denkt hij opeens, en door de plotselinge pijn wankelt hij en belandt van de drempel in het gras. Andermaal protesteren zijn blote voeten – die jarenlang niets anders gekend hebben dan het leer van zijn slippers, het katoen van zijn sokken, de tegels van de douche. De kou, de nattigheid, de scherpte van grassprieten. Hij registreert het allemaal en probeert het uit zijn gedachten te bannen, en adem te halen. Maar de woorden laten zich niet wegduwen, en zijn kortademigheid ook niet. Alleen het 'waarom ben ik ooit bij je weggegaan', een zich steeds herhalend refrein (de brug is nog onhoorbaar in de verte, 'te vroeg'), terwijl hij zich vooroverbuigt en naar adem hapt, bijna geveld door de pijn. 'Ik weet het niet,' zegt hij hardop en tegen niemand, maar hij liegt. Hij doet zijn ogen dicht; in het donker ziet hij haar gezicht. Haar wenkbrauwen gefronst. Haar mond in een omgekeerde glimlach. De stem van een vrouw. 'Ik weet het, ik weet het, ik weet het.'

Dus hier is het op uitgedraaid? Hier blootsvoets en ademloos, alleen in zijn tuin, zonder kracht om nog iemand te roepen? Niet dat het iets zou uithalen. Hij is hier in de tuin; zij is daar in de slaapkamer en slaapt alsof de stekker eruit is. De huisknecht is thuis bij zijn zuster in Jamestown. De timmerman annex tuinman annex mysticus komt morgen. Wie zou hem horen roepen? Zwerfhonden of de bedelaar. En wat zou hij roepen? Dat het eindelijk gebroken is? Nee. Op een of andere manier weet hij dat er nu geen weg meer terug is.

De laatste keer dat hij dat voelde was met Kehinde.

12

Weer een ziekenhuis, 1993.

Eind van de middag, begin van de herfst.

De hal.

Fola verderop in de straat in haar drukke winkel. Een jaar eerder had ze het stalletje in het Brigham eraan gegeven. Een geboren ondernemer, op en top Nigeriaans – ze had haar eigen zaakje opgezet terwijl hij nog studeerde en had eerst bloemen op straat verkocht, voordat ze een vergunning kreeg voor een stalletje in het ziekenhuis (anjers, gipskruid). Toen hij was afgestudeerd en ze naar Boston waren verhuisd, was ze weer helemaal opnieuw op straat begonnen: bij de lunchkraam (falafel) in de bittere kou, toen in de hal van het Brigham, en nu in een eigen bloemenzaak.

Sadie, bijna vier, in witte maillot en op roze slippers, demi-pliés aan het oefenen op ballet bij Paulette.

Olu, nog in de bovenbouw maar gedoodverfd voor Yale, koppig bezig met zijn pogingen zijn eigen crosscountryrecord te verbeteren.

Taiwo, dertien, op de Steinway in de studeerkamer koppig bezig met haar pogingen 'Prelude in cis mineur' van Rachmaninov te spelen terwijl Shoshanna, haar lerares, een voormalige Israëlische soldaat, bevelen over de metronoom heen schreeuwde. 'Sneller! *Da!* Snel!'

En Kehinde op de tekencursus waarvan Fola, ondanks het krankzinnige lesgeld, per se wilde dat hij hem volgde, in het Museum of Fine Arts, drie haltes verderop aan de Green Line, Huntington, waar Kweku hem na zijn werk zou oppikken.

Alleen Kweku ging nooit naar zijn werk.

Hij had 'Tot vanmiddag!' geroepen en was de deur uit gelopen zoals hij elke morgen de deur uit ging: in zijn operatiepak en witte jas, om kwart over zeven, terwijl Olu zat te wachten tot hij werd opgehaald en de tweeling havermoutpap zat te eten aan de tafel in de ontbijthoek en Fola het haar van Sadie aan het vlechten was en Sadie Lucky Charms zat te eten en de National Public Radio hard aanstond. 'Tot vanmiddag!' riepen ze terug. Drie alten, één bas, en de sopraan van Sadie, 'Ik hou van jouuu!' er een fractie van een seconde later achteraan, nog maar net door de alweer dichtvallende voordeur naar buiten glippend zoals een laatkomer nog maar net door de deuren van een bijna gemiste trein naar binnen glipt.

Hij had de Volvo gestart en was achteruit de oprit af gereden. Hij had de cassette die uit de speler stak weer teruggeduwd. *Kind of Blue.* Hij was langzaam door zijn straat gereden, luisterend naar Miles. Het geeloranje gebladerte een lust voor het oog. Potten met goud. In de achteruitkijkspiegel een roodbruin stenen paleis. Het voornaamste dat hij ooit had bezeten, binnenkort te koop.

Hij reed om Jamaica Pond heen.

Hij reed onder het viaduct door.

Hij reed naar hun oude huis aan Huntington Avenue. Hij remde af om ernaar te kijken. Het oude huis keek terug. Een raam was kapot, hier en daar ontbrak metselwerk en op de stoep lag afval. Het had iets van een gezicht waaraan een paar tanden en een oog ontbraken. Meneer Charlie, de voormalige eigenaar, zou zich in zijn graf hebben omgedraaid. Die had zoveel aandacht voor details. Kweku had hem altijd graag gemogen. Amerikaan, uit het Zuiden, mank en met een lijzige manier van praten. Was zijn vrouw Pearl meer dan een jaar voordat zij er kwamen wonen verloren, maar liet haar jas nog altijd aan de kapstok in de gang hangen. Hij had hun vijfentwintig procent korting op de huur gegeven omdat Fola in het voorjaar de verweesde tuin van Pearl verzorgde en omdat hij, Kweku, gratis medisch advies verstrekte (en gratis insuline), en omdat ze 'goeie, eerlijke jongelui waren'.

Kweku had hem altijd gegroet met het Ghanese 'Ey Chalé!', waarop meneer Charlie altijd reageerde met: 'Vertel dat verhaal nog 's.' (Het verhaal: in de jaren veertig stonden de officieren die je overal in Ghana had bekend als Charlie, allemaal – een algemeen genoeg klinkende blanke jongensnaam. Ghanese jongens zeiden bij wijze van groet: 'Hé Charlie!', wat in de loop van de tijd 'Ey Chalé' werd, althans dat had Kweku zich laten vertellen.) Hoe hard de man er ook op aandrong, ze konden hem niet zomaar bij zijn voornaam noemen, zo doorkneed waren Fola en hij in de Afrikaanse gerontocratische mores. Meneer Charlie wilde echter van geen 'meneer Dyson' weten. ('Meneer Dyson was mijn vader, de hufter ruste in vrede.') Vandaar 'meneer Charlie'.

Meneer Chalé.

Was buschauffeur geweest. Maakte elke zondag na de kerk een brunch klaar voor zijn zoons en liet ze vervolgens allerlei klusjes in huis opknappen: deuren repareren en afhangen, voegwerk vernieuwen, hout vervangen, daklijsten schilderen. Toen hij was overleden (diabetes), hadden zijn zoons het huis geërfd. De oudste zei dat de korting helaas werd teruggedraaid, met onmiddellijke ingang, vanwege de kosten van de begrafenis later die week, waar

'Quaker' ook voor werd uitgenodigd met 'Foola' en de kinderen. De jongste – de knapste, het lievelingetje van zijn vader; een charmeur en een drugsdealer, wat zijn vader niet wist – had Kweku op voornoemde begrafenis, een bescheiden plechtigheid, terzijde genomen en op een zachte, bijna troostende bastoon laten weten dat er, aangezien ze toch zo ongeveer collega's waren – en beiden ook respectabel werk deden, niet eens zo heel verschillend, dat van Kweku en dat van hem: ze zaten allebei in de feelgood business –, misschien wel weer een korting in zou zitten als Kweku een serieuze partij opiaten wist te regelen.

Nu was het huis vervallen. Een bouwval, dacht Kweku. Als een tempel langs de kant van een weg, met geknakte pilaren en hopen afval. Niet zozeer een blijvend aandenken aan de inspanningen van de gelovigen, als wel een commentaar op de zinloosheid van inspanning op zich. Een gezicht waaraan tanden ontbraken, omgeven door soortgelijke gezichten. Een uiteenvallend monument ter herinnering aan Charlies levenswerk: minnaar, echtgenoot, vader, buschauffeur die huiseigenaar werd, en toen weduwnaar, en toen statistisch gegeven (diabetisch, zwart, ingemaakt door zijn eigen brunch).

Hoe hebben we daar ooit gewoond, vroeg Kweku zich af. Alle zes. Achterin, waar zelfs zonlicht iets smerigs had. Hij wist het niet. Een auto toeterde. Hij keek achterom. Hij blokkeerde het verkeer. Hij keek weer naar het huis, dat tegen hem leek te zeggen: ga nou maar. Hij wilde niet gaan, niet waar hij heen ging, niet verder, maar hij kon niet blijven staan en hij kon ook niet terug. Hij knikte naar het huis en reed weer door. Gaten in het metselwerk in de achteruitkijkspiegel. (Hij zou het huis nooit weer zien.)

Hij reed naar advocatenkantoor Kleinman & Kleinman en parkeerde een eindje van de ingang. Het was een vrijstaand pand met een enorm raam aan de voorkant; het kozijn werd door planten overwoekerd. De receptioniste, die in de zestig was, zat met haar gezicht naar dat raam en keek af en toe terloops door de varens naar de weg. Al typend. Altijd typend. Ze hield nooit op met typen. Haar gezwollen vingers als op hol geslagen robots.

Kweku had gemerkt dat als hij pal voor het raam parkeerde, zij door het struikgewas tuurde en zijn auto herkende. En dan had ze net genoeg tijd om klaar te zitten met die meewarige blik als hij door de voordeur binnenkwam. Hij haatte die blik. Geen gefronste glimlach van medeleven, geen blijk van invoelend vermogen, alleen die meewarige blik, met van die half dichtgeknepen ogen. Alsof ze hem met die blik iets minder deerniswekkend kon maken, alsof ze het beeld wazig wilde maken en de details van zijn gezicht en zijn lot in nevelen wilde hullen. Op haar lip bijtend alsof ze bezorgd was – maar nog altijd typend. Ook weer niet zo bezorgd.

Een regen van vingers op het toetsenbord.

Hij liep het trottoir op en ging naar binnen. Een belletje rinkelde ijl toen hij de deur opendeed. 'Ik weer,' zei hij toen ze opkeek en naar hem tuurde.

'U weer,' zei ze met een ietwat verbeten glimlach. 'Marty verwacht u al.'

Kweku probeerde rustig adem te halen. Marty was nooit zo vroeg, hij hield ervan om mensen te laten wachten. Als hij op Kweku zat te wachten was er iets niet goed. De cameraman verscheen en begon de shot voor te bereiden. Gerespecteerd Arts krijgt Verschrikkelijk Nieuws te horen. 'Oké.'

'Goed.'

'Zal ik dan…?'

'Ja, loopt u maar door.'

'Natuurlijk.' Talmend. 'Dank u wel.'

Nog altijd typend. 'Sterkte.'

Marty nam niet de moeite meewarig te kijken. 'Luister, vriend. We hebben ons goed geweerd.' Voorheen rafelige hippie, nu advocaat, een van de beste in Massachusetts, een meter negentig lang, enorme schouders, enorme buik, enorme bos haar. Was in Humboldt County op een hippe bus naar Harvard gestapt terwijl de hippiebeweging nasmeulde, van gloeiend oranje naar asgrauw, etcetera. Een advocatenadvocaat. Legde zijn benen op het bureau. Vouwde zijn handen achter zijn hoofd, zijn enorme bos zilveren pijpenkrullen. 'Je hebt honderdduizenden gespendeerd aan je pogingen dit terug te draaien. Ze geven geen duimbreed toe, man. Het maakt je kapot.'

Kweku lachte vreugdeloos. Niet zij, haar, de familie, maar het; geen naam, geen gezicht. Het monster.

Het apparaat.

Zo had hij het ziekenhuis genoemd toen hij op Hopkins kwam, zo vol ontzag was hij geweest toen hij zag hoe goed alles draaide. Hoe blinkend, hoe glimmend, hoe schoon en ordentelijk, hoe wit en helder chroomgeel, hoe geolied alles liep. Hij vond het fantastisch. Hij vond het fijn 's morgens op de tafel bij de tobbe, de gootsteen en het fornuis, op een handdoek zijn kleren te strijken, zijn witte jas, de korte jas die studenten droegen. Hij hield ervan om, nog altijd met grote ogen van verwondering, de buik van het monster in te lopen.

Als hij uit de lift stapte, bleef hij altijd even staan om naar de machinale geluiden te luisteren: geklik, gepiep, gezoem, stilte. Om de machinale geuren op te snuiven: prikkelend, metalig, desinfecterend. Om machinale gedachten op te wekken: schoonmaken, snijden, zoeken, verwijderen, hechten, knippen. Hij voelde zich als een astronaut in astronautwit die net onverwacht in een buitenaards ruimtestation was beland. Die de taal inmiddels sprak, maar zich nog niet thuis voelde. En die later als een bekeerling onder het buitenaardse volk leefde.

Later, in Boston, toen hij zijn opleiding had afgerond, toen hij daadwerkelijk arts was geworden, en nog hoog aangeslagen werd ook, liep hij met grote passen door de witte en chroomgele gangen van het Beth Israel, en voelde hij zich onderdeel van de machinerie, en daardoor des te sterker. Het was een gevoel dat hij nooit durfde te delen met zijn collega's, die zijn trots op het ziekenhuis zouden aanzien voor gebrek aan trots op zichzelf. Dat hij zich nog altijd speciaal, zelfs superieur voelde, omdat hij daar werkte. Omdat hij deel uitmaakte van de machinerie, en van zo'n machtige machine ook nog. Die alles reguleerde en onder controle hield. Het netto-effect van de hele vertoning, beeld én geluid, het brandschone van de operatiekamer, de slippers van de verpleegsters die piepten op de vloer, was dat het iedereen duidelijk was dat hier elke vorm van chaos bedwongen werd: elke menselijke emotie, menselijke zwakte, vuiligheid, ziekte, complicaties. Dat was de reden, dacht hij, dat ze zulke grote kerken bouwden, en zulke indrukwekkende beleggingsbanken. Om de gelovigen te imponeren. Arrogantie door associatie. Het apparaat had alles onder controle. En degene die erbij hoorde had dus ook alles onder controle.

Toen keerde het apparaat zich tegen hem, ging tot de aanval over, verzwolg hem, vermorzelde hem, en spuwde hem uit door een pijp aan de achterkant.

'Het was onrechtmatig ontslag,' zei hij zonder gevoel, de duizendste keer dat hij het zei.

En Marty's duizendste keer: 'Dat weten we', terwijl zijn vingers een tent opzetten op de heuvel van zijn buik. 'We kunnen het alleen niet bewijzen.' Diepe zucht. 'Ik zou niets liever willen. En ik heb het geprobeerd ook. Jij bent een waanzinnig goeie arts, een waanzinnig goed mens.' Hij tikte met zijn voet tegen een enorme stapel mappen. 'Heb jij deze referenties eigenlijk wel eens ingekeken?'

'Nee.'

'Je kunt aan de slag waar je maar wilt.'

'Ik ben onrechtmatig ontslagen. Ik zou dáár aan de slag moeten...' hoorde Kweku zichzelf zeggen. Hij viel stil. Hij klonk als een puber, als een meisje dat net was gedumpt en nog altijd vertwijfeld naar de omarming van haar kwelgeest verlangde.

Marty schraapte zijn keel. 'Het komt hierop neer. Ze hebben alles in stelling gebracht wat ze maar konden. Shit. Jij was op de verkeerde tijd op de verkeerde plaats. De belangen waren te groot. De Cabots hebben te veel prestige. Ze moesten wel iets doen, dus lieten ze jou vallen, oké? Jij liet het er niet bij zitten, maar toen konden ze natuurlijk moeilijk gewoon zeggen: "Ja, oké, dat was een miskleun van ons, we hebben je in de stront getrapt." Hoewel ze dat wel gedaan hebben. Maar omdat jij zwart bent. Begrijp je wel? Want dan is het opeens: is het Beth Israel racistisch? En aangezien we hier in Boston zitten zou die vraag... boemmm!' Een geluid en een gebaar dat een explosie moest voorstellen. 'Al die ziekenhuizen hier zijn op een of andere manier aan elkaar gelieerd. Het zal moeilijk worden hier werk te krijgen. Maar dit land is gigantisch. Verhuis met je gezin naar Californië...' enzovoort, maar vaag, halfhartig, een riedeltje dat hij afdraaide.

Hij had het allemaal al eens eerder gezegd. Kweku had het allemaal al eens eerder gehoord. En Kweku had wat hij erop zou antwoorden allemaal al eens eerder gezegd. Ze waren net een kibbelend echtpaar dat onherroepelijk op een scheiding afstevent en dat, te moe om nieuwe beschuldigingen te verzinnen om elkaar naar het hoofd te smijten, niettemin met dezelfde afgezaagde woorden blijft ruziën, bang dat zelfs één ogenblik stilte erkenning van eigen verlies zou zijn.

Marty viel stil.

Kweku voelde niets. Geen paniek, zoals hij verwacht had, gezien de hoeveelheid geld die hij eraan had uitgegeven. Gevoelloosheid, meer niet. Bijna aangenaam. Hij keek om zich heen. Een van de beste advocaten van Boston, en het kantoor zag er niet uit. Een donker pand met lage plafonds, vaste vloerbedekking en goedkope plastic lamellen achter een weinig voorstellende winkelpromenade. Kweku staarde uit het raam achter Marty, dat een spiegelbeeld was van het raam aan de voorkant. Geen planten. Enorme gouden bekers van het basketbal en presse-papiers, van die doormidden gebroken stenen met kwarts aan de binnenkant. In rots gevangen amethist, Fola's geboortesteen, waar het licht door gebroken werd.

Kweku staarde over de stenen heen naar de bomen.

Vanuit het kantoor van Marty keek je uit op de parkeerplaats van een winkelpromenade die grensde aan een merkwaardig detonerend dennenbos (of wat daar van over was: niet zozeer een bos als wel een handvol overlevenden, vijf naaldbomen die aan de kettingzaag ontsnapt waren). Kweku staarde naar die bomen. Die zo misplaatst oogden in deze omgeving. Die ooit deel moesten hebben uitgemaakt van een bos, groen en niet dit grijs, ooit hun natuurlijke omgeving, voor het beton, voor Christus, hun geboortegrond. 'Die bomen zijn inheems.' Hij realiseerde zich aanvankelijk niet dat hij het hardop gezegd had. Zijn blik ging langs Marty, die hem bezorgd aanstaarde, zoals je kijkt naar een gek die eindelijk doordraait.

'Die bomen zijn inheems?' herhaalde Marty. 'Is dat codetaal?'

'Dit is hun geboortegrond.' Kweku wees. 'Daar, achter je... Laat maar.'

Hij viel stil.

Marty kwam in beweging. Hij haalde zijn voeten van het bureau, strekte zijn armen, streek door zijn haar en gaf een klap op de stapel mappen. 'Nou, wat wou je nou doen? Ik doe wat jij zegt. Ik bedoel, je hebt die honderdduizenden aan mij betaald.' Droog lachje. 'Maar als je mijn professionele mening wilt? Dan loopt de weg hier ten einde.'

Kweku wilde zijn professionele mening niet. Hij wilde zijn land terug, zijn bos, zijn groen. Hij stond op zonder iets te zeggen en liep het kantoor uit. Door de hal, langs de receptioniste. Vingerregen op toetsenbord.

'Meneer Sai!' riep ze hem na. 'Uw factuur...' maar Marty verscheen in de deuropening van zijn kantoor en leunde tegen de deurpost. 'Laat hem maar gaan.'

Kweku bleef doorlopen. De voordeur uit (een ijl gerinkel), over het trottoir naar waar de Volvo in de schaduw geparkeerd stond. Laat hem maar gaan, laat hem maar gaan, laat hem maar gaan, laat hem maar gaan. Dat was het enige waar die blanken goed voor waren: hem laten gaan.

'Ik vrees dat we u zullen moeten laten gaan.'

Stilte, langs de hele tafel.

Een veelkoppige stilte.

Een ovale tafel met ronde armfauteuils die eruitzagen alsof ze konden rondtollen, als een attractie op de kermis. Met rondlopende armleuningen en leren bekleding, rood met koperen nagels, en het hele ziekenhuisbestuur aan boord. Een kamer op de hoogste verdieping van het ziekenhuis waar de kantoren zich bevonden en die hij nooit eerder had gezien, maar die hem bekend voorkwam van een jarenlange ervaring met toelatingsgesprekken: voor de studie medicijnen, voor een beurs, voor een arts-assistentschap, voor een aanstelling, voor een hypotheek, voor een lening.

Een Kamer des Oordeels.

Met het bijbehorende, benauwende decor: gepolijst hout, Perzisch tapijt, ongelezen boeken met rode ruggen (het maximale aantal, ontelbare boeken, donkerrode boeken die niemand las), zware gordijnen waardoor helder, hopeloos licht naar binnen sijpelde, een werveling van kleuren, kleuren die alles overschaduwden, pruimenpaars, mosterdbruin, wijnrood. En witte gezichten. Een enkele vrouw. Een Aziatische.

Die het woord voerde.

'Na een grondige bestudering van het verloop van de blindedarmoperatie die mevrouw Cabot heeft ondergaan en van de klacht die de familie Cabot daarna tegen u heeft ingediend, is dit lichaam van mening dat u, hoe uitzonderlijk uw kwaliteiten als chirurg ook mogen zijn, hebt gefaald...'

Maar Kweku hoorde haar niet.

Hij hoorde alleen Fola – drieëntwintig jaar oud, met haar toelating tot de studie rechten in een lijstje aan de muur, de toezegging dat ze een volledige beurs kreeg voor Georgetown, en Olu in utero. 'Eén droom is genoeg voor ons tweeën.' Zij zou hem volgen naar Baltimore en haar rechtenstudie uitstellen en hun kindje ter wereld brengen zonder dat ze ook maar een cent hadden en bloemen verkopen op straat en baden in een keuken, zodat een van hen zijn droom kon verwezenlijken. Twintig jaar precies van dat naar dit moment, een heel bouwwerk met een droom als fundering, 'chirurg zonder weerga', Ghanese Carson en dat soort dingen, jongetje dat goed kan leren en dat het helemaal maakt – en dat had hij gedaan ook. Hij had zich erdoorheen geslagen, de hele santenkraam: de loftuitingen, de pianolessen, het enorme stenen huis, de verbijsterende bedragen aan schoolgeld, het elke morgen om kwart over zeven 'Tot vanmiddag!' roepen in zijn operatiepak en witte jas. Hij had zich aan zijn aandeel in de overeenkomst gehouden: zijn succes voor haar opoffering, twee woorden die ze nooit hardop uitspraken. Nooit 'succes', want wat waren de eenheden waaraan je dat kon afmeten (Amerikaanse dollars? Ingelijste diploma's?) en welke hoeveelheid was genoeg? En nooit 'opoffering', want het klonk altijd vijandig als zij het zei en absurd als hij het probeerde, alsof hij het nog niet half begreep. Het hele bouwwerk stond op het zand van die overeenkomst, maar ze durfden er nooit meer een woord over te zeggen na dat 'Eén droom is genoeg'. Als ze ruzie hadden, ruzieden ze eromheen, over de luiers of de afwas of etentjes met collega's (voor hem werk, voor haar verspilde tijd), maar ze wisten het. Of híj wist het: dat haar opoffering geen einde kende. En aangezien de Opoffering geen einde kende, moest het Succes ook eeuwig duren.

Hij zou zich erdoorheen slaan – als hij kon, en hij bad dat het hem zou lukken, hij moest blozend erkennen dat hij niets liever wilde dan dat, de Pan-Nigeriaanse Prinses zoals ze haar noemden waardig zijn: die intellectuele jonge vrouw die in '67 gevlucht was voor de oorlog, die in haar spijkerbroek met wijde pijpen en met dat spleetje tussen haar tanden zoveel slimmer en aantrekkelijker was dan al hun Afro-Amerikaanse studiegenoten, hem incluis, een prinses onder het plebs – niet door succes te hebben gehad, maar door een succes te zíjn. Om Fola waardig te zijn, om te zorgen dat het het voor Fola allemaal waard was, moest hij Succesvol blijven.

Dus hij kon ze letterlijk niet behappen, de woorden die daarna kwamen, als er tenminste nog iets gezegd was na dat 'u hebt gefaald'.

Toen elf maanden van aanvoeren dat hij dat helemaal niet had, voor de rechter, helemaal niet had gefaald, dat hij was ontslagen zonder redelijke aanleiding. Wat ook zo was. Ze had te lang gewacht voor ze zich in allerijl naar het ziekenhuis liet brengen, waar ze ook weer veel te veel tijd hadden genomen alvorens te beslissen wat ze met haar moesten. Zevenenzeventig jaar oude rookster met een gescheurde blindedarm en een bloedbaaninfectie van meerdere dagen oud. Geen schijn van kans. Jane 'Ginny' Cabot – beschermvrouwe van wetenschappelijk onderzoek, lid van de beau monde, echtgenote, moeder, grootmoeder, alcoholist en vriendin – zou dood zijn voor de dag aanbrak, of ze nu in bed lag in het Beth Israel of in bed op Beacon Hill, tussen aanmerkelijk fijnere lakens. De enige reden dat Kweku het er toch op gewaagd had was dat de Cabots de geneesheer-directeur, die een vriend was van de familie, erbij hadden gehaald en heel beleefd hadden geopperd dat een laatste wanhoopspoging om haar leven te redden in het licht van hun donatie toch zeker niet te veel gevraagd was? Dat was zeker niet het geval. En ze wilden de beste chirurg. De geneesheer-directeur trof Kweku toen hij op het punt stond naar huis te gaan.

De Cabots keken naar Kweku en toen weer naar de geneesheer-directeur. 'Even overleg,' zeiden ze beleefd, en waren op de gang gaan staan. Kip Cabot, die wat doof begon te worden, sprak luider dan bij die akoestiek strikt noodzakelijk was. 'Maar hij is…'

'Een heel goede chirurg. De beste die we hebben.'

De huisarts van de familie Cabot, een zelfingenomen man (die bij de familie in dienst was, door hen onderhouden werd, gebronsd, peper-en-zoutkleurig haar) bleef bij Kweku in de kamer terwijl Kip op de gang stond te oreren. 'En waar hebt u uw "opleiding" gedaan?' De aanhalingstekens gebaarde hij erbij.

'In de jungle,' antwoordde Kweku op geaffecteerde toon. 'Met chimpansees als docent. Je zou het misschien niet zeggen, maar het was een uitstekende opleiding.'

Op dat moment kwamen de beraadslagers weer binnen, stuk voor stuk blozend in uiteenlopende tinten onnatuurlijk roze – maar resoluut. Wat Kweku verder ook mocht zijn, hij was de juiste man voor deze operatie. Iemand gaf hem een klap op zijn schouder. Kweku richtte zich tot Kip. 'Naar mijn professionele mening, meneer Cabot, is het te laat voor een operatie. Maar hoe langer ik hier sta, des te zinlozer de ingreep.'

De Cabots wilden zijn professionele mening niet.

Ze wilden dat hij naar de operatiekamer ging, zijn handen schrobben.

Uren, een bloederige zaak, zijn poging het leven van de vrouw te redden, terwijl de geneesheer-directeur toekeek vanaf het balkon (schuldbewust, vol gêne, 'Ik heb de Cabots mijn woord gegeven'), maar een meesterlijke operatie, zoals gewoonlijk. Zijn beste. Schoonmaken, snijden, zoeken, verwijderen, hechten, knippen. Bloed van gezicht wissen. Tot een vermoeide verpleegkundige het vaststelde – tijdstip van overlijden drie uur 's nachts – en hij vertrok, naar buiten liep, in zijn auto stapte en uitblies.

Hij weet nog steeds niet hoe hij zichzelf naar huis heeft gereden. Het volgende wat hij zich herinnert is dat hij wakker werd, in de kleren, in de zitkamer nog wel, met een fles Johnnie Walker Gold naast zich, zijn slippers aan zijn voeten bungelend, een onverklaarbare geur van kiwi-aardbei in de lucht, en het gevoel dat ergens iets was veranderd.

Toen elf maanden van doen alsof dat niet zo was.

Alsof er niets was veranderd.

Elke morgen opstaan, de deur uit gaan (operatiekleding, witte jas, aktetas) als de Singaporese hoofdrolspeler in de film die hij nooit gezien had maar waar hij over meepraatte alsof hij hem gezien had, want hij had alle recensies gelezen en het was in onder chirurgen om naar Aziatische films te kijken. Volgens de recensies is de man op zijn werk bij een bank ontslagen, maar schaamt hij zich zo tegenover zijn familie dat hij het niet durft te vertellen en doet hij nog steeds elke dag alsof hij naar zijn werk gaat: staat op, trekt zijn pak aan en gaat op een bankje in het park personeelsadvertenties in kranten zitten bekijken.

Zoiets.

Maar dan zonder park.

Hij ging de deur uit, reed naar Kleinman & Kleinman om zich te laten bijpraten, zette zijn auto op een parkeerplaats en stak te voet de brug over naar de juridische faculteit van Harvard. Eenmaal daar liet hij vluchtig zijn duidelijk valse alumni-identiteitskaart – die op naam stond van Marty's zwarte studiegenoot en dubbelpartner Aaron Falls – aan de duidelijk onderbetaalde latino bewaker van de faculteitsbibliotheek zien, die met zijn accent het dagelijkse grapje maakte: 'Goedemorgen, meneer Vals.'

Met zijn neus in de boeken tot twee uur, dossieronderzoek: onrechtmatig ontslag, discriminatie, medische fouten. Lunchpauze. Daarna nog meer lectuur, tot hij 's avonds weer terugliep naar Boston, de rivier vloeibaar goud in de avondgloed.

En nu liet Marty hem ook gaan.

Hij startte de motor.

Maar kon nergens heen.

Hij begon te lachen. Hij kon nergens heen. Hij lachte nog harder. Hij kon niet eens meer dóén alsof hij ergens heen ging. Hij had geen rooie cent meer. Hij was verslagen. Hij was buiten zinnen. Hij reed al enige minuten voor tot hem doordrong dat hij reed. Reed, ontdekte hij, alsof die handen niet van hem waren, alsof die voet niet van hem was, naar het ziekenhuis.

Een vraag.

Een vraag aan dr. Yuki, dr. Michiko 'Michelle' Yuki, die hem uit de hoogte had aangekeken vanuit haar kermisstoel. '… is dit lichaam van mening…', zij de mond van het lichaam. Klein mondje. Eentonige, veellettergrepige woorden. Voormalig turnster. Een meter vijftig met een asymmetrisch pagekopje en een kwartet van Harvard: BA, MD, PH.D., MBA. Hij had een keer bij haar thuis in Cambridge een etentje gehad. Ze was getrouwd met een advocaat, een collega van Marty. Het diner was ter gelegenheid van haar promotie tot vicevoorzitter van het ziekenhuisbestuur. Er lagen slippers in de hal, had hij opgemerkt. Prachtig huis. Heerlijk huis. De man was een misbaksel, een en al vloeken en tieren, stomdronken voor de hors d'oeuvres één keer waren rondgegaan, maar de kamer was wel heel stijlvol, overal bonsaiboompjes en orchideeën, en gekalligrafeerde rollen die als watervallen langs de muren naar beneden kwamen. Lakschalen.

Een vraag aan dr. Yuki.

Eentje maar. Wat hij haar had willen vragen, recht in haar gezicht (of althans de helft van haar gezicht: een goeie vijftig procent ging schuil achter het glanzende halfgordijn van haar asymmetrische bob). Een heel eenvoudige vraag: kon ze 's nachts gewoon slapen? Dr. Yuki de chirurg. Niet de MBA, de bestuurder. De arts die behoedt-voor-alles-wat-schadelijk-is. Want die andere, de streber, het mantelpakje? Tsja. Vicevoorzitter Yuki was pragmatisch, zij had haar aandeelhouders die ze tevreden moest stellen. Een van de rijkste families van Boston, een van de grootste geldschieters van het ziekenhuis, 'de belangen waren te groot', zoals Marty gezegd had, om het erbij te laten zitten. De familie had geëist dat iemand verantwoordelijk werd gesteld. 'Die dingen gebeuren soms' was geen rekenschap genoeg. Daarom hadden ze in een weekend, in een achterkamertje – een Kamer des Oordeels, maar dan met cocktails –, besloten dat de chirurg ontslagen zou worden. Zou dat genoeg zijn? Zou dat de Cabots tevredenstellen? Ja, dank u wel, dat zou het zeker. Daar was nog in te komen, vicevoorzitter Yuki.

Maar Yuki de chirurg?

Zij wist het.

Zij wist wat er voor nodig was, om je handen schoon te schrobben, om te zeggen: 'Scalpel', om met scherp steriel staal de buikwand open te snijden. Zij wist met hoeveel trots hij dat bloederige werk deed, met hoeveel vreugde – en niet alleen hij, maar hun hele trotse clan. Zij wist dat de operatie onberispelijk was uitgevoerd. Zij wist het, dr. Yuki, maar toen ze het woord nam was dat niettemin om bij wijze van concessie aan een invloedrijke familie een goede chirurg te ontslaan, met als argument dat hij had nagelaten 'de risico's in acht te nemen'.

Hoewel geen arts (op één na) het met haar beoordeling eens zou zijn. Hoewel haar baas, de geneesheer-directeur, de operatie zelf had gadegeslagen, wat het nog eens extra schrijnend maakte en waardoor het ziekenhuis trouwens nog bijna in het ongelijk zou zijn gesteld, ware het niet dat de rechter een neef van Ginny was.

Bijna.

Uiteindelijk maakte het niet uit. Het apparaat was in beweging gezet. Het verzwolg alle brieven, alle petities, alle smeekbedes, collega's die het voor hem opnamen, die aanvoerden dat hij gedaan had wat hij kon, dat zij het niet beter hadden kunnen doen. Allemaal vergeefs. Er bestond twijfel. Dr. Putnam 'Putty' Gardener – de vertrouwde huisarts van de familie, dispuutgenoot van weduwnaar Kip, Brahmin uit Boston, racist en golfer – hield vol dat de chirurg had nagelaten (a) de risico's in te schatten en (b) ze te communiceren.

En dat was dat.

Nu wilde de chirurg de vicevoorzitter van het bestuur wel even spreken, om haar op de vrouw af te vragen of ze 's nachts gewoon kon slapen. En dus parkeerde hij zijn auto (gewoontegetrouw op enige afstand) en liep hij nonchalant, zo kalm als het maar kon, de grote hal binnen, waar hij met een warme glimlach werd begroet door de Jamaicaanse portier Ernie – die altijd blij was de dokter te zien, de enige die wist hoe hij heette, die elke morgen bij aankomst 'Goedemorgen, meneer Ernie' zei en elke avond bij vertrek 'Groeten thuis', in plaats van blindelings langs hem heen te stormen zonder hem te groeten, zonder hem ook maar te zien, alsof portiers geen levende wezens waren, maar ziekenhuismeubilair –, nam de lift, alleen, naar de bovenste verdieping, waar de kantoren waren, en bleef even staan om op adem te komen en zich te verwonderen over de opperste stilte; en liep toen weer verder, in zijn operatiekleding en witte jas, door de gang, klopte één keer aan en kwam toen zo bij haar binnenvallen.

Tegen de tijd dat ze hem terug sleurden door de hal, ogen bloeddoorlopen van het schreeuwen, een gek in doktersjas, was hij de tekencursus in het Museum of Fine Arts en Kehinde, drie haltes verderop, helemaal vergeten.

En bleef hij er dan ook bijna in toen de jongen in de hal opdook, nadat hij een halfuur op zijn vader had staan wachten alvorens te bedenken dat die vast nog aan het werk was, en dat hij net zo goed alvast naar het ziekenhuis kon lopen om daar op hem te wachten. Tot dat moment zou Kweku hebben durven wedden dat zijn jongste zoon niet zou kunnen zeggen waar hij werkte – dat hij de naam van het ziekenhuis niet eens zou weten, een van verschillende ziekenhuizen in de buurt, en dat hij ook niet zou weten hoe hij er zou moeten komen –, maar daar was Kehinde: hij kwam rustig de hal binnenlopen op hetzelfde moment dat twee mannen een gek naar de uitgang sleurden.

'Blijf met je poten van me af!' riep hij tegen de bewakers.

En Ernie tegen zijn collega's: 'Die man is arts hier! Laat hem los!'

En dr. Yuki tegen Ernie: 'Hij is géén arts hier, het spijt me! Hij is ontslagen! Vorig jaar!'

Net toen Kehinde aan kwam zetten.

Zomaar. Vanuit het niets. Zoals alleen hij dat kon, geruisloos, met zijn leren portfolio onder een arm.

De bewakers, die blank waren, keken naar dr. Yuki, die roze was, handjes en mondje bevend van een woede waar geen woorden voor waren. Ze knikte één keer naar hen, als een Chinese gangsterleidster die haar trawanten toeknikt, en streek haar rok glad om weer over te gaan tot de orde van de dag toen ze Kehinde in de gaten kreeg. Ze schoof het gordijntje open om naar zijn ogen te turen, alsof ze werd aangetrokken door een gevaarlijke, al te felle lichtbron. Kehinde tuurde terug en voelde wat dr. Yuki voelde, de onvruchtbaarheid, heel triest voor haar. Hij beet verontrust op zijn lip. Dr. Yuki zag zijn medelijden, en hij voelde hoe haar buik zich vulde met schaamte.

Ze draaide zich om op haar kokette hakjes en verdween klik-klik-klik uit het oog.

De bewakers keken naar Ernie, met oprecht leedwezen, en duwden Kweku, zonder, naar buiten. Kehinde strompelde zo'n beetje achter hem aan, te overrompeld om een woord uit te brengen – door de draaideur naar buiten, waar hij tot zijn verbazing zag dat de wereld ook draaide.

Namiddag.

Oranje zon.

Ze bleven een ogenblik staan. Kweku probeerde weer op adem te komen met zijn handen op zijn knieën en zijn blik op zijn knokkels, en Kehinde stond naast hem, met zijn portfolio tegen zijn borst als een reddingsvest, ogen groot van de stilte. Het volgende moment stopte er een ambulance voor de ingang, een storm van rode zwaailichten en rode sirenes, en zoals verwacht mocht worden kwam het apparaat met een schok tot leven alsof er niets was gebeurd (niets belangrijks). De achterportieren zwaaiden open, ambulancepersoneel sprong naar buiten, ziekenhuispersoneel vloog naar buiten, en masse, zelfs Ernie had zijn functie: zorgen dat er geen mensen in de weg liepen zodat de stretcher (krijsende vrouw in de uitdrijvingsfase) zo snel mogelijk naar binnen kon. Vanaf het trottoir zag Kweku dr. Yuki bij de lift staan wachten, met onverstoorbaar gelaat, terwijl de brancard achter haar langs werd gereden: doof of onverschillig jegens de wolk van pure chaos die langs haar heen joeg. Naar binnen, naar boven.

Uit gewoonte, zonder te kijken, pakte hij Kehinde bij een elleboog. Dat deed hij – hij raakte zijn familie altijd aan als er chaos in hun midden was, alleen om ze te voelen, hun lichaamswarmte te voelen, ze zo goed mogelijk dicht bij zich te houden, zo dicht als hij bij fysieke genegenheid kwam – maar het gebaar voelde opeens absurd aan. Hij in zijn operatiepak, ongeschoren, met vochtige ogen, 'vorig jaar ontslagen!' en nu met geweld de deur uit gewerkt: Kehinde troostend, Kehinde, die zo beheerst was, kraakhelder overhemd netjes in zijn broek, gestreken, altijd zo onverstoorbaar? Absurd. Hij liet los.

Zoveel dingen die Kweku op dat moment wenste: dat hij meer tijd met Kehinde had doorgebracht om te proberen zijn gelaatsuitdrukkingen te leren lezen, dat de jongen hém opeens had zien opduiken voor het ziekenhuis, bezig levens te redden en de held te spelen te midden van de chaos, dat hij zijn veto over die tekencursus had uitgesproken (of nog beter, die had kunnen betalen), dat hij iets dichterbij geparkeerd had, zodat hij deze kruisgang niet had hoeven maken. Hij brandde van verlangen om iets briljants te zeggen, iets wijs dat alles in de schaduw zou stellen, iets verantwoords dat meteen een ander licht op de zaak zou werpen. Maar het enige wat hij kon bedenken was: 'Het spijt me dat je dat moest zien.'

'Zien is subjectief. Dat hebben we op de cursus geleerd.'

Kehinde keek naar Kweku, zijn hoofd een tikje schuin, wenkbrauwen gefronst. Een omgekeerde glimlach.

Ze stapten in de auto.

Kind of Blue.

Die zette hij uit.

Hij reed om de vijver heen, de zon begon aan de afdaling. Hij reed zonder te kijken, zonder dat dat nodig was, op de automatische piloot. Hij zag in plaats van dat hij keek. Hij kende de weg naar huis vanbuiten. Langs de naar alle kanten uitdijende herenhuizen – waren die altijd al zo groot? Hun huis leek opeens zo bescheiden, daarbij vergeleken. Langs de krioelende bomen – waren er altijd al zoveel? Als hofdames in rijen langs de weg. Over de derde van vier rotondes (de trots van Brookline, nodeloze rotondes). Langs een man en een hond die hardliepen. Tot er geen weg terug was.

De bladeren in hun straat werden door de zonsondergang in vuur en vlam gezet. Hij reed de oprit op en schakelde de motor uit. Hij wist, hoewel hij er niet bewust bij stilstond, dat hij Fola nu niet onder ogen kon komen (een besef, geen bewuste kennis), dat hij die aanblik niet zou kunnen verdragen. Het gezicht van Fola op dat van Kehinde zien was op dat moment genoeg. Zijn falen op het gezicht van Fola zien leek hem meer dan hij verdragen kon.

Het licht boven de garage floepte aan. Alle lichten in huis waren aan. Hij noch Kehinde verroerde zich of zei iets waaruit bleek dat ze dat bewust deden. Ze zaten zoals mannen dat doen: zij aan zij, recht voor zich uit kijkend, beiden zwijgzaam en geduldig, wachtend op iets wat ze zouden kunnen zeggen. 'Wil je mijn schilderij zien?' vroeg Kehinde na een poosje. Kweku draaide zich met enige gêne naar hem toe. Hij had er niet aan gedacht het te vragen.

'Ja, graag.'

Kehinde knikte. 'Wacht even.' Hij ritste de portfolio open en trok zijn werkstuk eruit.

Zelfs in dit beroerde licht was het adembenemend mooi. Niet dat Kweku er ook maar een flauw benul van had hoe je een kunstwerk moest beoordelen. Maar je hoefde geen expert te zijn om te zien dat hier een prestatie was geleverd: de intelligentie van het beeld, de eenvoud van de vormen. Een jongen en een vrouw, op de rug gezien, hand in hand. Kweku wees naar de vrouw. 'Wie is dat?' Hoewel hij het wel wist.

'Dat is mama,' antwoordde Kehinde.

'En dat moet jij zijn.'

'Nee, dat is…'

'Olu?'

'Eh, nee.'

'Maar het is wel een jongen, toch?'

'Dat ben jij.'

'Ik?!' Kweku moest lachen. Een plotseling geluid in de stilte.

'…' Talmend.

Nog steeds lachend. 'Maar waarom ben ik zo kléín?'

'Omdat mama zegt dat zij altijd de grootste van jullie tweeën moet zijn.'

Kweku moest nu zo hard lachen dat hij begon te huilen. 'Geniaal.'

Een glimlachje, vijftien seconden, niet langer. 'Vind je het mooi?'

'Ik vind het prachtig. Echt geniaal.' Hij hield zijn adem in. 'Dat zegt ze inderdaad, hè, of niet?'

'Met "of niet" erachteraan, ja. Ik moet altijd de grootste van ons tweeën zijn, of niet?'

Kweku lachte nog harder, de tranen stroomden over zijn wangen. 'Oké.'

Kehinde glimlachte bedeesd en wierp een blik op het huis. 'Het was eigenlijk voor mama bedoeld. Maar als je wilt mag jij het hebben.'

'Heel graag zelfs. Vindt ze dat niet erg?'

'Mama? Nee. Die heeft er al heel veel.'

'Oké.' Hij was degene die niet wist dat ze een kleine Basquiat op de wereld hadden gezet, niet zij. Zij was de ouder. Hij was de kostwinner. Hij hield op met lachen. 'Ik wil hem h-h-h-heel graag h-hebben.' Zijn stem brak (andere delen van hem ook). 'Hoe moet ik... hem meenemen?'

'Ik rol ze op. Kijk, zo.'

'Wacht. Moet je hem niet eerst signeren?'

'Alleen beroemde kunstenaars signeren hun werk.'

'Alleen domme kunstenaars wachten tot ze beroemd zijn. Heb je een pen?'

Kehinde grijnsde te breed om te kunnen praten. Hij pakte zijn rugzak. Kweku hield hem tegen.

'Gebruik deze maar.' Hij trok de zilveren pen uit de borstzak van zijn ongebruikte operatiepak (van Fola gekregen ter gelegenheid van zijn afstuderen, om recepten mee te schrijven, met inscriptie). Kehinde nam de pen aan en draaide hem in zijn vingers.

'Wat een mooie pen. Waar heb je die vandaan?'

'Van je moeder. Natuurlijk.'

Kehinde knikte en glimlachte. Nog een blik op het huis. Hij legde de schildering op het dashboard en keek waar hij hem zou signeren. Kweku nam Kehinde op met enige verwondering over de verandering die zich in hem voltrok: zodra zijn hand het papier raakte was hij op zijn gemak, zijn schouders ontspanden zich, zijn ademhaling werd rustig, alsof alles opeens meezat. Bij hem gebeurde hetzelfde als er een lichaam voor hem op de operatietafel lag en hij een zilveren mes in zijn handen had in plaats van een zilveren pen. Hoe had dat hem kunnen ontgaan?

Zo vaak had hij Fola in een vertrouwelijk gesprek verteld dat hij die slimme, knappe jongen niet 'snapte'; in tegenstelling tot Olu, die hem zozeer aan zichzelf deed denken, was Kehinde een waar zwart gat. Fola reageerde daar altijd met iets vaags op, iets over de ondoorgrondelijke aard van de tweede van een tweeling, of ze vertelde weer met veel patriottische trots de Yoruba-mythe van de *ibeji*.

De mythe:

IJebi (tweelingbroertjes of -zussen) zijn twee helften van één geest, een geest die te groot is voor één lichaam, en liminale wezens, half mens, half godheid, die dienovereenkomstig moeten worden geëerd, vereerd zelfs. De tweede van de twee in het bijzonder – het wisselkind, de bedrieglijkste van de twee, het minst gefascineerd door aardse zaken – komt ter wereld met grote tegenzin en blijft met nog grotere moeite, heimwee als hij of zij heeft naar meer spirituele sferen. Aan de vooravond van hun geboorte in twee fysieke lichamen zegt de sceptische tweede van het stel tegen de eerste: 'Ga eens kijken of de wereld goed is. Als hij goed is, blijf er dan maar. Zo niet, kom dan terug.' De oudste van de tweeling, Taiyewo (van het Yoruba *to aiye wo*, 'de wereld zien en proeven', afgekort tot Taiye of Taiwo) verlaat gehoorzaam de baarmoeder om op verkenning uit te gaan en vindt de wereld goed genoeg om er te blijven. Kehinde (van het Yoruba *kehin de*, 'als volgende arriveren') merkt dat zijn andere helft niet terugkomt en maakt zich op zijn gemak op om zich bij zijn Taiyewo te voegen – waarbij hij zich verwaardigt een menselijke vorm aan te nemen. Vandaar dat de Yoruba Kehinde als de oudste van de twee beschouwen: als tweede geboren, maar wijzer en dus 'ouder'.

En zo geschiedde.

Kehinde was niet minder, niet minder vlot, niet minder sociaal en stond niet 'in de schaduw' van Taiwo, was ook geen schaduw. Hij was iets anders. Ergens anders vandaan. Hij was bovenaards als Ekua. Empathisch als Fola. En voor wat het maar waard was, zag Kweku nu met ontzag: als zijn vader (en diens vader).

Kehinde signeerde keurig rechts onder in de hoek. Kweku raakte zijn schouder aan. 'Geweldig, bedankt, meneer Sai.'

'Graag gedaan, dokter Sai.' De glimlach van Kehinde verflauwde snel. Het woord 'dokter' hing als iets onwelriekends tussen hen in onder het autodak. Honden zetten een canon in van kakofonisch geblaf. Kehinde keek nog iets langer naar het huis. Het licht in de kamer van Taiwo ging uit. Toen aan, toen uit. Als een signaal. Toen aan. Kehinde wendde zich weer naar Kweku en werd weer een zwart gat. 'Je pen.'

'Voor jou.'

'Maar hij is…'

'Hou hem maar.'

'Weet je het zeker?' Hij draaide de pen tussen zijn vingers.

'Het zou een eer voor me zijn als jij hem van me aannam.'

'Dank je, pap.' Weer die onwelriekende geur.

Kweku boog zich naar Kehinde toe, legde zijn hand tegen zijn wang en wreef toen met een vinger zachtjes tussen zijn wenkbrauwen, zoals hij ook vaak bij Fola deed, als hij probeerde haar frons glad te wrijven – hoewel dat nooit lukte, en nu ook niet. 'Het is vast etenstijd.' Hoewel dat niet zo was. Dat duurde nog een halfuur. 'Je moeder wil vast alles over de cursus horen. Ga maar vast.'

'Kom jij niet?'

'Zo direct.'

Kehinde knikte, zonder glimlach. 'Je schilderij,' zei hij.

Hij rolde het keurig op en gaf het aan Kweku. De cameraman filmde: De Intelligente Ouder Met Stomheid Geslagen. Kweku pakte het schilderij vast zoals je doet wanneer je bedoelt 'ik zal dit altijd koesteren' maar er de woorden niet voor kunt vinden. De woorden die hij vond waren: 'Als je misschien niks zou willen zeggen…'

'Maak je geen zorgen. Dat beloof ik. Ik zeg niks.'

En toen stilte.

'Oké,' zei Kweku.

'Oké,' zei Kehinde. Hij wachtte een ogenblik en stapte toen uit. 'Ik hou van je,' zei Kweku, maar bij het 'ik' ging het portier dicht. Kehinde hoorde het niet en ging naar binnen.

Hij wachtte heel even en reed toen achteruit de afrit af. Hij bleef doorrijden tot Baltimore, zeven uur achter elkaar, almaar rechtdoor over de 1-95 die zich voor hem uitstrekte als een donkere oceaan. Vlak. Hij reed door zonder te zien, bij maanlicht, het zwart tegemoet. Hij nam zijn intrek in een hotel vlak bij het Hopkins Hospital, een hotel dat hij zich nog herinnerde. Toen hij eindelijk naar huis belde snikte ze, maar ze was duidelijk verstaanbaar. 'Kehinde wil niet zeggen wat er gebeurd is, hij zegt dat hij dat aan jou beloofd heeft. Je maakt me bang. Wat is er gebeurd? Waar zit je? Wat is er aan de hand?'

Hij zei alleen maar dat het hem speet en dat hij wegging. Dat ze, als ze het huis verkocht voor wat het waard was, genoeg zou hebben om opnieuw te beginnen. Dat het heel goed mogelijk was dat hij haar eigenlijk nooit verdiend had, niet echt. Dat hij hen de vernieling in had gejaagd met zijn pogingen zich uit de nesten te werken.

'Uit de nesten? Hoe bedoel je? Is er iets ergs aan de hand? Heb je schulden gemaakt? Word je bedreigd? Waar ben je?'

(Hij was nergens.) Hij zei dat het zo het beste was en weer dat het hem speet. Dat zij zonder hem beter af zou zijn. 'Ik laat je gaan.'

'Wat bedoel je daarmee?'

Alle liefs voor de kinderen.

'Wanneer kom je naar huis?' huilde ze.

Hij kwam niet naar huis.

13

Zestien jaar later staat hij voorovergebogen met zijn handen op zijn knieën, blote voeten in het gras, deels te puffen, deels te lachen om wat er is gebeurd en hoe: het hartzeer waar hij voor gevlucht was heeft hem gevonden.

Eindelijk.

Toen hij wegging, veronderstelde hij natuurlijk dat hij terug zou keren, naar zijn leven zoals hij het gekend had, zijn gezin, zijn thuis – misschien nog wel sneller dan hij uiteindelijk deed, niet na weken maar na dagen –, maar hij had nooit ook maar één moment gedacht dat ze weg zouden zijn. In rook opgegaan. En kon hij het haar kwalijk nemen? Was zij degene die overdreven reageerde, door haar boeltje te pakken en ten einde raad de tent te sluiten? Alleen gelaten in dat huis, alleen met haar tranen, in een huis met allerlei geheime doorgangen, met zijn tocht en zijn donkere hoeken, originele deuren die niet dicht wilden en vier kinderen, een serieuze jongen, twee liminale wezens en een baby – zonder hem? Verlaten? Alleen? Niet 'hulpeloos'. Nooit hulpeloos. Ze was nooit hulpeloos geweest, als kind al niet, verwend als ze was in vooroorlogs Victoria Island. Ze was krijgshaftig van nature, een Egba die niet over zich heen liet lopen (of althans een halve, haar Igbo-moeder was in het kraambed gestorven), en ze had wel voor af-schrikwekkender zaken gestaan dan een berg schulden die ze niet zelf had gemaakt, dan eenzaamheid, dan alleen zijn, dan wanhoop.

Maar niet dan in de steek gelaten worden, zou ze wel hebben bedacht. Niet dan bedrog, dan teleurstelling. Niet dan haar vertrouwen stellen in, om vervolgens te worden verraden.

Was zij het, zoals hij gedacht had – al wist hij misschien toen al dat hij fout zat, of eigenlijk dat hij *verloren* had, dat het nooit meer kon worden goedgemaakt, en trouwens, in hoeverre heb je het bij het rechte eind als jou onrecht wordt aangedaan door iemand die je zelf onrechtvaardig hebt behandeld: kun je dan in je eigen rechtschapenheid geloven? Was zij het die hem verraden had, zelf verraden als ze was? Die, nadat ze tot tweemaal toe een leven achter zich had gelaten, dat gewoon nog een keer had gedaan? Of was hij het, die niks had gepakt, die vertwijfeld was weggereden, te uitgeput om het uit te leggen, te uitgeput om na te denken: over andere ziekenhuizen, over een nieuw begin, over werk zoeken in een andere staat, over redelijk zijn, over verantwoordelijk zijn, over vader zijn, over vergeven worden?

Hij die was weggegaan. In een opwelling. Die even had gewacht, even had uitgekeken, naar een moment (één moment), maar die vervolgens toch achteruit de oprit weer was af gereden. Terwijl als Fola uit een raam had gekeken, en de Volvo had gezien. Terwijl als Kehinde bij het naar binnen gaan misschien een geluidje had gemaakt. Terwijl als hij er nog eens over had nagedacht, op een of andere manier tot bezinning was gekomen. Of überhaupt eens een keer had nagedacht. Was uitgestapt, naar binnen gegaan. In zijn operatiepak, gebogen en gebroken, maar hoe dan ook naar binnen, door het halletje, de gang, naar de keuken, waar de geur hing van gember en olie. Dan was die vraag misschien geen lichaam geworden dat hem elke morgen, zodra de zon opkwam en hij zijn ogen opsloeg, weer begroette met zijn warmte en gewicht: als, als, als? Hij denkt er nu aan en kan het nauwelijks bevatten. Dat hij haar is kwijtgeraakt. Dat hij bij haar is weggegaan. Dat zij bij hem is weggegaan.

En hoe.

Dagen: in een staat van verdoving, waarin hij nauwelijks sliep, nauwelijks nadacht, te bang om naar huis te bellen, hij at rijst, dronk schaamte en ging terug naar de Goodwill aan Broadway om een pak te kopen voor een bespreking in het Hopkins (geen vacatures), Johnnie Walker, *Kind of Blue*. Weken: ze liepen in elkaar over. Zes, acht weken, tien. Tot hij op een nacht, na twaalven, gewoon terug naar huis reed. Een begin van sneeuw zoals sneeuw begint in Boston, onschuldig, traag, licht, een sneeuwstorm tegen de avond, maar eerst alleen wat vlagen, bleke, fladderende vlokken in de roze winterochtend. Angst in zijn vingertoppen, bibberende buik, maar zeker dat hij in staat zou zijn zijn zaak te bepleiten, te bekennen en verklaren, vergeving van zijn kinderen te smeken, hun vertrouwen weer te winnen, haar weer te overreden. In plaats daarvan kwam hij om zeven uur 's morgens aan bij een TE KOOP-bordje in de voortuin en het standbeeld in de achtertuin, dat hij bijna zonder erbij na te denken in de kofferbak laadde alvorens eerst naar de bloemenwinkel te scheuren (potdicht), en toen naar de school (kinderen eraf gehaald). Toen zwetend en in paniek plankgas naar Milton, waar hij radeloos op zoek ging naar de rector om naar zijn zoon te vragen en op een of andere manier stomtoevallig Olu zelf tegen het lijf liep in die jas, die beige jas, met een L.L. Bean-rugzak op zijn rug. Voor een van hen iets kon zeggen sneed een schelle bel, rinkelend staal, dwars door de afstand tussen vader en zoon, die opgelaten en voor iedereen zichtbaar in de plotselinge vloedgolf van leerlingen stonden die uit bakstenen gebouwen tevoorschijn kwam en juichend de sneeuw begroette. Olu sprak op klinische toon, zoals je praat over een patiënt. 'Ze huilt elke morgen. Ze denkt dat ik het niet hoor. Ze zegt dat je plotseling bent weggegaan zonder een cent op de bank voor ons achter te laten. De tweeling is in Lagos. De baby is nog hier.'

'Waar is je moeder?'

'Die wil je niet zien.'

'Kijk me aan als je tegen me praat.'

'En ik ook niet.' Olu keek naar beneden, pakte de schouderbanden van zijn rugzak beet. Trapte in de grond. Nog een bel. 'Ik moet gaan.' Liep weg.

Zoals het allemaal uit elkaar viel.

Zoals dingen van steile rotsen vallen. Zoals Irene, zijn eerste vlakke EEG, de eerste patiënte die hij verloor; lachend bij zonsondergang opgenomen, morsdood voor de dageraad. De enorme snelheid waarmee dat gegaan was. De verbijsterende snelheid van de dood. (Of was het andersom? De verbijsterende snelheid van het leven?) Hij is arts, had het moeten weten, het lichaam bederft, niets blijft, een leven niet, waarom een liefde wel?, hoe verlies werkt in de wereld en wat er in welke hoeveelheden met wie gebeurt, 'de enige constante is verandering...' en dat soort dingen. Maar toch, wie zou dat gedacht hebben? Dat ze op de vlucht zou slaan, zou weigeren hem te zien, of hem hen te laten zien, of tegen hem te zeggen waar ze waren als hij haar aan de telefoon kreeg? Weken die maanden werden, die seizoenen werden: zonder vergeving. Een bestaan dat uit elkaar was gevallen. Onomkeerbaar.

Open en dicht.

Hoe had hij dat kunnen weten? Dat een leven waar ze jaren over hadden gedaan om het op te bouwen binnen weken kon worden afgebroken? Een heel leven, een hele wereld, een hele wereld die ze zelf geschapen hadden: maaltijden, afwassen, luiers, aktes, graden, onuitgesproken afspraken, uitgaande antwoordapparaatboodschappen: 'U bent verbonden met de Sais, we zijn er op dit moment niet.' En we zullen er ook nooit meer zijn. 'Spreek na de pieptoon een boodschap in.' Tot er niets meer over was behalve het beeld van de moeder in de kofferbak van de Volvo en het schilderij, twee gedaantes. Olieverf op doek. Kehinde Sai, 1993. Gesigneerd door de kunstenaar. 'De grootste van de twee.'

Hij moet lachen.

Hij zet een stap naar voren en struikelt, valt. Hij landt op zijn buik, gezicht in de dauw. Waarom ben ik ooit bij je weggegaan? De eindeloos herhaalde brug in de slappe R&B waar Taiwo altijd bij zat te mokken. (Om een gebroken hart te helen was er alleen Coltrane op vinyl. Coltrane zou haar wel genezen hebben. Dat zou hij haar wel gezegd hebben als ze het gevraagd had.) Maar het is te vroeg om te sterven. Dus tilt hij zijn gezicht op. Vandaag niet, denkt hij, lachend. Eerder 'honend', buiten adem. Hij heeft Coltrane, hij heeft heparine, hij heeft niets om over in te zitten. Elke dag joggen, elke nacht Ama. Nooit gerookt. Zijn hart is sterk. Maar dat is het niet, en hij weet het. Het is op vier plaatsen gebroken. Niet meer dan barsten in het begin, nu al jaren onbehandeld. Zijn moeder in Kokrobité, Olu in Boston, Kofi in Jamestown, Folasadé overal. Die vrouw, die zit bij hem overal, diep in het bindweefsel, in het spierweefsel, in het celweefsel, in het bloed, in het lichaam. Hij is stervende aan een gebroken hart. Hij kan er niets aan doen, hij moet er wel om lachen. Of dat proberen. Gekweld door de pijn grijpt hij het gras en rolt zich op zijn zij. Tilt zijn hoofd op. Kijkt om zich heen. Is er iets waar hij zich aan kan optrekken? De bougainville, de vlinder, de mangoboom.

En daar is ze.

Eindelijk.

In de fontein.

Een belachelijke plek. Hoewel ook weer niet verrassend voor een dromer. Of voor twee. Staand (drijvend) in de fontein met witte bloesems in hun katoenhaar, lichaam gehuld in glinsterend kant, witte bubas, bespikkeld met diamanten, goud, met sneeuw op hun schouders en spleetjes tussen hun tanden, allebei, de ene met de radio, de andere met de camera. Hij staart ernaar en moet lachen. Is die van de onzichtbare cameraman? Hoe heeft ze die uit zijn handen gerukt? Hij hapt naar adem, nog steeds lachend. Zij lacht nu ook. Uit de radio klinkt zachte muziek. Sentimenteel, wat je zegt.

Ze legt de camera op de grond. Hij gaat in rook op.

'Ik hou van jou,' zegt hij.

'Ik weet het, ik weet het, ik weet het.'

'Het doet pijn,' zegt hij.

Zijn moeder zegt: 'Ga liggen.'

Fola zegt: 'Ja.'

Daarom strekt hij zich uit in het gras. 'Liefdegras' heet het, nota bene. Sukkel.

Hij denkt niet wat hij dacht dat hij zou denken. Dat hij nooit afscheid heeft genomen of dat het zo snel voorbijgaat of dat hij achter Olu aan de trap af had moeten rennen toen die bij hem was of dat hij Sadie had moeten zien opgroeien of niet had moeten wegrijden. Hij denkt dat hij ernaast zat. Dat het helemaal niet allemaal vergeten zou worden. Niet dat hij niet vergeten zal worden – dat gaat wel gebeuren, dat is al gebeurd –, maar het is niet zo dat de details niet opmerkelijk waren. Waar het uiteindelijk op neerkomt is wel degelijk van belang. Eén detail is de moeite van het onthouden waard.

Dat hij haar uiteindelijk gevonden heeft.

Folasadé Savage op de vlucht voor een oorlog. Kweku Sai op de vlucht voor een vrede die dodelijk zou kunnen zijn. Twee bootjes, verloren op zee, aangespoeld in Pennsylvania ('Pen-Sil-hoe-heet-het-daar') nota bene, bibberend van de kou, in leven, verliefd. Wezen, ontsnapt, op drift in de wereldgeschiedenis, beiden afkomstig uit landen die de afgelopen twee eeuwen nogal aan belang hadden ingeboet – maar trots (moediger, hoopvol) en boordevol en bankroet – dus diep wanhopig op zoek naar een thuis en naar avontuur, wat ze beide vonden. Wat ze beide vonden in elkaar omdat ze beide voor elkaar wáren, de avonden dat ze toostten met warme Schweppes in goedkope flûtes of de liefde bedreven in bad of huilden van het lachen: dat hij gevonden had wat hij niet had durven zoeken. Terwijl het genoeg zou zijn geweest om een uitweg te hebben gevonden, om te zijn begonnen waar hij begon en een eind verder te zijn geëindigd, als vader en als arts, wat hij verder ook maar geworden is. Om iets te durven worden. Ontsnappen op zich zou al genoeg zijn geweest. 'Vrij' zijn, als je aanzwellende violen wilt, 'menselijk' zijn. Wat meer is dan 'staatsburger' zijn, meer dan 'arm' zijn. Dat was het enige waar het hem uiteindelijk om te doen was geweest, een menselijk verhaal, een manier om Kweku te zijn zonder arm te zijn. Zijn kleine verhaal op een of andere manier te hebben losgekoppeld van de grotere verhalen, de verhalen van Land en van Armoede en van Oorlog die de verhalen van de mensen om hem heen hadden opgeslokt en ze anoniem hadden uitgespuugd, Dorpelingen zonder naam, onbelangrijk in het grote geheel; te zijn gevlucht, en op die manier losgekoppeld, op het kleine stoomschip Sai naar de uitgestrektheid en nietigheid van een leven dat vrij was van gebrek: de triviale overwinningen en nederlagen van het Zelf (beroep, familie) versus die van de Staat (uitputtend werk, burgeroorlog) – ja, dat zou echt wel genoeg zijn geweest, denkt Kweku. Geboren in stof, gestorven in gras. Vooruitgang. Verre kust bereikt.

Dat er nog verder, voorbij 'vrij', 'bemind' lag, in haar lach, 'thuis' in haar aanraking, in het zachte van haar afrokapsel? Hij kan het bijna niet bevatten. Had er nooit van durven dromen, omdat hij ervan uit was gegaan dat een dergelijk einde niet bestond voor hem, of voor hen, die op blote voeten hadden gelopen, die glimlachten bij hun dood en die zongen in hun dromen en die van weinig belang waren. Dat hij haar gevonden had en van haar gehouden had en hun liefde tot vier keer toe vlees en bloed had gemaakt – dat was van belang, al was het alleen voor hem. De zin van het verhaal. Dat meisje jongen had ontmoet. En van hem gehouden had.

Ook al was hij haar kwijtgeraakt.

Dus hij maakt aanstalten overeind te komen, om haar een kus te geven in de fontein, niet om haar in zich op te nemen of om door haar in zijn armen te worden genomen, maar om haar in zijn armen te nemen. Althans dat probeert hij. Hij komt niet verder dan een soort opdrukhouding, maar dan begeven zijn kleppen het.

En dan de dood.

Hij ligt met zijn gezicht naar beneden, glimlach om de mond. De vlinder is klaar met drinken en fladdert omhoog. Een spectaculair contrast, turqoise tegen het roze. Maar daar niet in geïnteresseerd, in schoonheid, in contrast, in verlies, fladdert hij door de tuin en blijft hangen bij zijn voet. Zijn vleugels klapperen zachtjes tegen zijn zolen, als om ze te sussen. Open en dicht. De hond ruikt de dood en blaft, de vlinder schrikt op. Hij flappert met zijn vleugels en vliegt weg.

Stilte.

DEEL II

OP WEG

I

Fola wordt die zondag bij zonsopgang ademloos wakker, uit een droom dat ze verdrinkt, bij een gebrul als van golven. Donker. Gordijnen dicht, vochtig, het klamme bed een oceaan: nog half in slaap, ogen dicht, gaat ze rechtop zitten en schreeuwt het uit. Maar haar 'Kweku!' is geluidloos, twee waterbellen die nu, nu haar lippen van elkaar zijn, naar binnen glijden, door haar keelgat, waar ze, zelf water, meer water vinden, diep in haar buik, en verder naar beneden, in haar bovenbenen, die drijfnat zijn – de ooit witte satijnen nachtpon doorweekt, nat vanbinnen en vanbuiten, een tweede huid, nu bruin van het zweet –, water dat een tij wordt dat keert, een vloed die opkomt door haar bovenbenen, buik, hart, steeds hoger, om dan door haar borst heen te breken.

De snik is zo luid dat ze er helemaal wakker van wordt. Ze doet haar ogen open en het water stroomt eruit. Ze snikt onbeheerst tot het tij opeens afneemt, zonder een spoor van de droom na te laten (een beetje zoals golven letters in het zand uitwissen: zonder waarschuwing komen ze aanrollen en verdwijnt alles wat kinderen en geliefden geschreven hebben). Alleen een vage angst blijft hangen, losgekoppeld van zijn verhaallijn, achtergebleven in het natte zand als dun, glinsterend schuim. En het gebrul: een schel klinkend kabaal in de doffe, klamme duisternis, de airco even lawaaierig als een die het nog doet.

Glinsterend angstschuim, en gebrul.

Ze zit rechtop in bed, gedesoriënteerd, zonder iets te kunnen zien vanwege de dichte mosterdgele gordijnen, dus zit ze daar maar, helemaal in de war, zonder te begrijpen wat er net is gebeurd, of waarom ze huilde, of waarom ze even later is opgehouden. Met de gebruikelijke vragen: hoe laat is het? waar ben ik? In Ghana, antwoordt iets, de buulbuul buiten, zogeheten 'pepervogels' die zich in gedachten verzonken bij het kabaal aansluiten, in een ode aan vergetelheid voor dingen die niet werken. Geen nacht dus: pepervogels, ochtend in Ghana, het land waar ze heen is verhuisd, of gevlucht.

Opnieuw.

Zonder ophef of overleg, zoals kuddes zich verplaatsen, of soldaten, instinctmatig, zonder bagage, vertrekkend bij het eerste daglicht:

ze vond de brief op een maandag, in de ochtend, in Boston, toen ze de post stond te bekijken aan het aanrecht (koffie, WBUR, 'een radiostation gesteund door luisteraars als u'), rekeningen voor schoolgeld, voor energie. Eén brief viel op de grond. Of liever gezegd, daalde zwevend neer: pastelblauw, flinterdun, een veertje dat zich geruisloos had losgemaakt uit de dikke stapel maandagochtendpost. Een heuse brief. En bleef liggen. In het witte winterlicht, van dat goedkope luchtpostpapier dat niemand meer gebruikt.

Ze maakte hem open. Las hem. Legde hem op het aanrecht. Liet hem daar liggen en ging naar haar bloemenwinkel. Kwam thuis in het donker en de leegte en pakte hem weer. Las opnieuw dat Sena Wosornu, surrogaatvader, dood was. Dood was en haar, 'juffrouw' Folasadé Savage, een huis met drie slaapkamers had nagelaten in West Airport, Accra. Stond sprakeloos in haar jas in de keuken en de stilte, een zachte zilverzwarte duisternis, tegeltjes in het kille schijnsel van de maan. Maandagavond. Ze vertrok op vrijdag. Van JFK naar Kotoka. Non-stop. Zonder ophef. Pakte gewoon haar spullen en vertrok.

Nu tuurt ze in het donker en onderscheidt de slaapkamer, die haar na amper zes weken op geen enkele manier vertrouwd voorkomt. Onbekende vormen, schaduwen, en de ruimte hier naast haar, na zestien jaar nog op geen enkele manier vertrouwd.

Ze voelt aan haar nachtpon en schrikt ervan hoe nat die is. Ze plukt het doorweekte satijn los van haar huid. Ze raakt haar buik aan zoals ze gewoon is wanneer dit gebeurt, wanneer de angst schuchter om haar heen hangt, maar zijn gezicht nog niet laat zien, als er iets niet goed is maar ze niet weet wat of met wie van het nageslacht dat aan die plek is ontsproten. Haar buik geeft altijd antwoord (of misschien eerder haar baarmoeder, haar 'schoot', al klinkt dat woord haar absurd in de oren, 'schoot', altijd al. Souterrain. Een donkere, tochtige ruimte, een mysterieuze grot. Een woord met een schaduw. Rijmt op 'dood'). Ze raakt haar buik op de vier verschillende plekken aan, de kwadranten van een cirkel tussen haar middel en haar borst: eerst die rechtsboven (Olu) onder haar rechterborst, dan die rechtsonder (Taiwo) waar ze het kleine litteken heeft, dan die linksonder (Kehinde), naast Taiwo, en dan die linksboven (Sadie), de baby, haar hart, en blijft bij alle vier even stilstaan om het gevoel tot zich te laten doordringen, de beweging of juist het ontbreken daarvan onder haar handpalm. En voelt:

Olu – rustig. Droefheid, zoals gebruikelijk, zacht en aanhoudend als het geluid van een ventilator. Taiwo – spanning. Beetje trekkerig gevoel. Maar geen gewaarwording van gevaar, geen reden tot paniek. Kehinde – afwezigheid, een galmende afwezigheid die draaglijk wordt gemaakt door de zekerheid dat áls, ze het zou weten (zoals ze het geweten had toen het gebeurde, zoals ze het op hetzelfde moment al geweten had, toen ze aan de werktafel in haar winkel een pastelblauwe hortensia afsneed en ze opeens een soort attaque voelde, linksonder, en ze uitriep: 'Kehinde!' waarbij het mes zijdelings uit haar hand gleed en in haar andere hand sneed.

Het bloed drupte op het werkblad, op de stelen en de bloemen, op de telefoon terwijl ze het nummer draaide; ze wist al welke het was – ze kreeg de voicemail: 'Dit is de voicemail van Keh...' en toen werd ze zelf gebeld, een klik gevolgd door een heftig snikken: 'Mama, Taiwo. Er is iets gebeurd.' 'Ik weet het.' Ze wist het net zoals Taiwo het geweten had op het moment dat het gebeurde, toen het lemmet door de huid sneed, de eerste pols. Zodat ze het nu, een jaar later – meer, bijna twee jaar later –, hoewel ze hem noch gesproken noch iets van hem gehoord heeft, weet. Weet dat ze het weten zou). En ten slotte Sadie – fladderend, vlinders, iets nieuws, die rusteloosheid, dat zoeken naar iets, zonder het te vinden.

Prima.

Droefheid, spanning, afwezigheid, angst – maar prima, zoals ze hen op de wereld had gezet, levend zij het niet volmaakt, vissen in water, in de toestand waarin ze hen baarde (naar adem happend en vechtend) en dat is genoeg. Misschien niet voor anderen, denkt Fola, andere moeders die bidden om grote roem en rijkdom voor hun kinderen, grote liefdes, grote vreugde (betere moeders naar alle waarschijnlijkheid; kleine stationcarmoeders met een stralende glimlach en een overvloed aan ambitie), maar wel voor haar, die zou doden, verminken en sterven voor elk kind, maar die ook weet dat de bereidheid om te sterven haar grenzen heeft.

Dat de dood onverschillig is.

Zij niet (hoewel ze het wel lijkt), maar haar eeuwenoude opponent wel, haar vijand, hun vijand, de gemeenschappelijke vijand van alle moeders – de dood, alles wat het kind kan overkomen – die haar zal verslaan, dat weet ze.

Maar niet vandaag.

De angst trekt weg. Het gebrul houdt aan. Het ongelijkmatige, snuivende geploeter van de kapotte installatie. De hitte wordt ondraaglijk, alsof ze zich genegeerd voelt. Het laken en haar nachtpon worden opeens koud.

Ze stapt uit bed en stoot haar knie; zachtjes vervloekt ze het huis en de kapotte airconditioning. De nachtwaker, Ghartey, zou hem repareren, of zou zijn neef, die elektricien was, laten komen om hem te repareren, of zou de blanke man die de airco geïnstalleerd had vragen hem te repareren – zijn voornemen blijft haar grotendeels onduidelijk. 'Hij komt,' luidt het antwoord wanneer ze ernaar vraagt. 'Ik vraag, hij komt.' Al weken nu, een drukkende warmte. Maar de relatie is pril, tussen haar en haar personeel, en ze weet dat ze omzichtig te werk moet gaan en niks moet forceren. Ze is een vrouw, om te beginnen; niet getrouwd, wat erger is; een Nigeriaanse, wat nog het ergste is; en ze heeft een lichte huid. In Ghana komt het er dan op neer dat je net zo goed een beruchte terrorist kunt zijn. De bedienden die ze geërfd heeft bij het huis met zijn typische jarenzeventigmeubilair met oranje wollen bekleding, lopen zo ongeveer op hun tenen om haar heen en kunnen hun geschoktheid nauwelijks verhullen. Dat ze hier alleen naartoe is gekomen. Om blóémen te verkopen. Erger nog: dat ze die zaterdagochtend van het vliegveld kwam in een witlinnen outfit op schoenen met een open teen en uit de taxi was gestapt met de woorden: 'How are you?', met een Britse a en een Amerikaanse r – onbegrijpelijk. En wat nog het ergste was: dat er na haar geen man uit de taxi was gestapt.

Dat ze hun allemaal een hand had gegeven en oogcontact had gezocht.

Dat ze haar koffers (drie? waren het er meer? was dit alles? een heel leven in Amerika?) bij de taxi had laten staan en regelrecht op de muur af was gelopen waar ze haar neus in de bladeren had gestoken. 'Bougainviiille!' Nog steeds onbegrijpelijk.

Dat ze hen 's morgens begroet met datzelfde merkwaardige 'How are you?' en hen bizar genoeg bedankt voor hun werk. 'Dánk je' tegen de huisknecht als hij haar kleren wast. 'Dánk je' tegen de kok als hij haar eten klaarzet. 'Dánk je' tegen de portier als hij het hek openmaakt en opnieuw als hij het dichtdoet.

Dat ze rookt.

Dat ze shorts draagt.

Dat ze in die shorts en met een zonnehoed op door de tuin loopt, met sigaretten en een snoeischaar, en overal wat afknipt, waarna ze met haar oogst naar de keuken gaat en aan het aanrecht geen yam gaat stampen, geen bonen gaat doppen, maar blóémen gaat schikken. Ze vindt dat wel vermakelijk, en heeft dat ook altijd gevonden, die Afrikaanse veronachtzaming van bloemen, de onverschilligheid van hen die rijk gezegend zijn (of psychologisch murw geslagen – de chronische zelfhater die, ondanks alle bewijzen van het tegendeel, niet kan accepteren dat iets inheems, dat in zo'n weelde, zo'n overvloed voorkomt, zo schijnbaar zonder moeite, enige waarde zou kunnen hebben). Ze kijken toe zoals wetenschappers een nieuwe soort observeren, een hybride, herbivoor, waarschijnlijk onschadelijk, maar misschien ook niet. Verhuld, terwijl ze haar eten geven, de was voor haar doen, haar kleren onderzoeken als ze denken dat ze niet kijkt, fluisteren, kijken terwijl ze eet. Ze heeft ze nog niet verteld dat ze ooit in Ghana gewoond heeft, dat ze alles verstaat wat ze in gedempt Twi zeggen over haar bloemen, haar gebloemde nachtjaponnen, haar verontrustende eetgewoontes zoals het uittrekken en opeten van onkruid (citroengras). Dat heeft ze geleerd van haar vader, die de belangrijkste Nigeriaanse talen sprak, maar ook Frans, Swahili, Arabisch, en een beetje Twi. 'Je moet altijd de plaatselijke taal leren. En het nooit aan de plaatselijke bevolking laten merken,' zei hij altijd, een sigaar die zijn einde nabij was tussen de lippen, het leven schenkend aan een lach...

linksboven.

Daar had je het.

De beweging waar ze net naar had gezocht.

Linksboven, in de buurt van Sadie maar dichter bij het hart, geen trekken of verstrakken of een angstig kloppen maar een echo, een leegte, een lediging. Een bekend gevoel. Niet het gevoel waar ze naar gezocht had, waar ze bang voor was (een intuïtief besef dat het kind iets overkomen is), maar een gevoel dat ze zich herinnerde, onmiskenbaar, van veertig jaar terug, een herinnering waarvan ze vergeten was dat ze hem nog had.

Ze gaat afwezig weer zitten en laat haar plan voor wat het is, wat het ook was, een hartig woordje met Ghartey misschien, of een klap tegen het apparaat dat aan de muur hangt, of schone lakens op het bed, een drankje om de nachtmerrie te vergeten. En denkt: gek, te worden teruggebracht naar de dood van haar vader, waar ze zo zelden aan denkt, zoals je je dromen opnieuw voor de geest haalt, wazig, vaal, niet de gebeurtenis maar de emotie, een verdriet dat is vervaagd, gedroogd, omgekruld, van alle kleur ontdaan. De gebeurtenis ziet ze nog helder voor zich, zelfs nu nog: Lagos, juli 1966, de korte reeks gebeurtenissen:

allereerst het naar lucht happend wakker worden, helemaal koud, dertien jaar oud, onder haar posters van de Beatles die met punaises aan de muren hangen, geschrokken rechtop in bed zittend met die ruimte in haar borst, niet bekend met het gevoel (dezelfde rare leegte als nu). Ten tweede: het van haar kamer naar beneden lopen, naar de kamer van haar vader, vergetend dat die naar het noorden was om te kijken hoe het met zijn schoonfamilie was, haar 'grootouders', de Nwaneri's, die ze nooit had ontmoet en ook nooit zou ontmoeten. Niemand zei het. Hij helemaal nooit, haar vriendelijke vader met zijn brede schouders en wollige haar, die elke avond huilde om het verlies van zijn bruid, op zijn knieën bij zijn bed onder het portret erboven, Somayina Nwaneri, met haar lichte huid en haar gouden ogen. Een geest.

Zevenentwintig.

Goede fee, goede geest.

Doodgebloed in het kraambed.

Een vreemde voor Fola, niet meer dan een gezicht, zo ongewoon bleekjes dat ze er op het portret uitzag alsof ze zonder bloed was geboren, uit ijs gehouwen. En toch zo mooi. Voer voor legendes. Plaatselijke beroemdheid in Kaduna, met een Igbo vader die net zo beroemd was om zijn post in het noorden als om het feit dat hij één roos uit de tuin van de missie had geplukt en met haar getrouwd was, een Schotse, Maud met haar kastanjebruine haar. En de rest van het verhaal: de schande, een doodgeboren zoon, opeenvolgende miskramen, het schudden van hoofden en klakken van tongen, 'zie je wel, de Schotse kan niet het kind van een Igbo dragen', en toen die ene dochter met haar blanke huid, de betoverende halfbloed. Kleine prinses van Kaduna. Dochter van de koloniale bestuurder. Die een beurs in de wacht sleepte om na de oorlog verpleegkunde te gaan studeren in Londen, waar ze prompt Kayo Savage ontmoette en met hem trouwde: de vader van Fola, advocaat, voorheen van de Royal Air Force. Geveld bij haar geboorte, etcetera. Niemand zei het. Niemand begon erover dat ze haar nooit waren komen opzoeken, de edelachtbare John Nwaneri en zijn vrouw Maud, dat ze nooit waren langsgekomen of een cadeau hadden opgestuurd, maar ze kon het wel raden: dat ze haar de schuld gaven van de ontijdige dood van hun enige dochter, zoals zij hen zou gaan haten om zijn dood.

Maar nog niet.

Allereerst: het midden in de nacht wakker worden met ruimte in haar borst. Ten tweede: het naar beneden glippen, door de hal naar de slaapkamer van haar vader, die leeg was. Ten derde: het in zijn lege bed klimmen, waar ze nog warme geuren opsnoof (rum, zeep, Russian Leather) en waar ze zijn dikke kente deken over haar gezicht trok om dan roerloos te blijven liggen, met open ogen en kloppend hart. Stil als een lijk, gehuld in zweet en katoen, met de airco uit en haar vader ergens anders, in Kaduna, waar hij die morgen heen was gegaan nadat hij van vrienden had gehoord dat de Igbo's in het noorden weer in de problemen zaten.

'Alwéér?' had ze gezucht, nukkig, luid slurpend van haar ontbijt (*gari*, suikerwater, ijs) – hoewel ze al wist dat hij ging omdat hij haar ontbijt had klaargemaakt. 'Een ontbijt voor een junglemeisje', zoals hij het noemde, enigszins spottend. Yampoeder in ijswater, haar lievelingsontbijt. Als die grootvader van haar zo rijk was als ze zeiden, met zijn Cyclone cj en zijn splitlevelboerderij, waarom moest haar vader dan altijd 'kijken hoe het met hem was', had ze gevraagd, het ijs knerpend tussen haar tanden, al wist ze het zelf wel. Hij moest er wel heen, altijd, om hen te verzoenen, om zichzelf vrij te pleiten, om weer vergeving te vragen voor de dood van Somayina (die strikt genomen niet zijn schuld was, maar de hare, de schuld van Fola, of op zijn minst van de dokter, of haar baarmoeder).

'Ze zitten altijd in de problemen, die Igbo's. *Na wow o.*'

'Je moeder was een Igbo.'

'Half.'

'Genoeg.' Maar toen ze keek moest hij lachen. Hij kwam op haar af om haar op het hoofd te kussen. Hij ging ervandoor. 'Ik ben voor zondag weer terug. Ik hou van je.'

'*Mo n mo.*'

Het Yoruba kende geen equivalent van de woorden 'ik hou van jou'. 'Als je van iemand houdt, laat je dat zien,' mocht haar vader altijd graag zeggen. Maar hij zei het niettemin in het Engels, waarop zij dan in het Yoruba antwoordde: 'Weet ik', mo n mo.

De deur uit.

Net zo makkelijk.

Stond op, zette zijn koffiekopje neer, gaf haar een kus op het voorhoofd, met zijn handen op haar kroeshaar, en liep de deur uit. Weg. Wollig haar en wollen pak, brede en soepele schouders die al dansend uit het zicht verdwenen. De deur viel weer dicht.

Ten vierde: veertien uur later in zijn bed onder de deken, onder de kente wegduikend in duisternis, afwezigheid, warmte en geur, een stille en roerloze oceaan. Waar ze bleef liggen. In de stilte. Recht als een plank, niet bewegend, wetend.

Dat iets was weggenomen.

Dat een ding dat in de wereld was geweest die net verlaten had, even natuurlijk en eenvoudig als mensen een kamer verlaten of als het stof van dode paardenbloemen wordt opgetild door de wind, geruisloos, waarbij ze een leegte, een open plek, achterlaten. Een ongelooflijke, ondraaglijke, oneindige leegte die nu rondom haar opdoemde, boven haar, achter haar, wijd open, in haar, een gat, of een mond: vreemd, vochtig, hol en hongerig. On-verzadigbaar.

De details kwamen later – zoals details altijd komen, zoals je de details kunt kennen van de dood van iemand anders, hoe het gegaan is, hoe langzaam of hoe rustig, koud of beangstigend, eenzaam –, maar het gebeurde daar in de slaapkamer. Het verlies. Later, als ze alleen is, zal ze erover nadenken, de griezelige overeenkomst tussen dat en dit moment: alleen in het donker in de broeierige hitte in een kamer die niet van haar is in een bed dat veel te groot is. Twee eindes die elkaars spiegelbeeld zijn. Het einde van een leven zoals zij het had gekend, die nacht in Lagos, zonder ooit te vermoeden wat er gebeurd was (het zou domweg niet bij haar zijn opgekomen, dat kwaad bestond, dat de dood onverschillig was), maar het op een of andere manier wetend. Dat was voor haar de gebeurtenis, het concrete verlies, de uren waarin ze van besef en weten naar 'verlies' in abstracte zin ging, naar verdriet. Zes, zeven uren van leegte die langzaam verhardden tot eenzaamheid.

De details kwamen later – hoe een vrachtwagen vol soldaten, Hausa's die stijf stonden van de goedkope heroïne en de haat, hen vermoord hadden, rotsblokken voor de deuren hadden opgestapeld en het huis gewoon in brand hadden gestoken –, maar de details namen nooit de vaste vorm aan van beelden in haar hoofd. Dus ze geloofde het nooit echt, niet echt, ze zag het niet voor zich, kreeg nooit een beeld voor ogen waardoor het zou blijven hangen, waardoor er wat vlees op de woorden zou komen (loeiende vlammen, brandend hout), waardoor de lijken een gezicht zouden krijgen. De woorden bleven botten. Ze bestonden niet echt, de 'soldaten'. Het waren schaduwwezens, geen echte mensen. De 'Nwaneri's' waren wat ze altijd geweest waren: een portret aan de muur, een naam. Een flets gezelschap. Geen personen, maar categorieën: burger, soldaat, Hausa, Igbo, boosdoener, slachtoffer. Te wazig om waar te zijn.

En niet hem.

Het was hem wel. Hij was er zonder enige twijfel (hoewel ze het nooit konden bevestigen, zijn botten waren tot as verbrand, in zijn slaap, in zijn dromen, zijn 'Fola!' niet meer dan twee belletjes), toen onontkoombare anti-Igbo pogroms de oorlog inluidden. Maar ze zag hem domweg niet voor zich, niet haar vader zoals ze hem kende, zoals ze hem had zien weglopen uit de keuken, toen zijn schouders al dansend uit het zicht waren verdwenen. Het was iemand anders die ze die nacht vermoord hadden, die 'soldaten' die ze niet voor zich zag, dat 'slachtoffer' dat ze niet kende, anoniem als alle slachtoffers.

De onverschilligheid ervan.

Dát was het probleem en zou het altijd blijven, het punt waar ze soms met haar hele wezen over struikelde: dat hij (en daarmee zij) zo onspecifiek was geworden. In één klap. Dat de details er uiteindelijk niet toe deden. Haar leven had tot dat moment zo origineel geleken, een weelderig gesponnen verhaal met een schitterende rolbezetting – zijzelf: moederloze prinses in een verticaal paleis, hun vier verdiepingen tellende appartement in Victoria Island; de anderen: hartstochtelijke, charmante vrienden van haar vader, personeel; en hij: weduwnaar, koning van het kasteel. Als hij een dood was gestorven die bij hun leven hoorde zoals zij het gekend had – als hij bijvoorbeeld bij een auto-ongeluk was omgekomen, in zijn geliefde 2cv, of gestorven was aan leverkanker, of longkanker, en tot zijn dood zijn Caos had gerookt en zijn rum had gedronken –, zou ze zich bij het verlies hebben kunnen neerleggen. Zou ze hebben gerouwd. Zou ze opeens een wees zijn geweest in een vier verdiepingen tellend appartement, zou ze op haar dertiende allebei haar ouders verloren zijn, maar zou ze, als enige nabestaande, iets geweest zijn dat ze herkende (tragisch) in plaats van wat ze geworden was: een deel van de geschiedenis (generisch).

Ze voelde het verschil meteen, ze voelde het aan de toon waarop mensen spraken als ze hoorden dat haar vader door soldaten vermoord was; aan de manier waarop ze knikten, alsof ze zeggen wilden: ja, zeker, het begin van de Nigeriaanse burgeroorlog, natuurlijk. Maakte niet uit dat de Hausa's het op de Igbo's voorzien hadden en dat haar vader een Yoruba was, en haar grootmoeder een Schotse, en het personeel Fulani, een paar zelfs Indiaas. Tien doden, waarvan één Igbo, details, maakte niet uit. Ze voelde het ook in Amerika, toen ze in Pennsylvania was aangekomen (nadat ze eerst door de vriendelijke Sena Wosornu was meegenomen naar Ghana), dat haar studiegenoten en docenten, blank of zwart, maakte niet uit, op een of andere manier vonden dat het, hoe tragisch ook, vanzelfsprekend was wat er gebeurd was. Dat ze niet langer Folasadé Somayina Savage was, maar in plaats daarvan iemand uit een generisch, door oorlog verscheurd land. Zonder verdere bijzonderheden. Zonder de geur van rum, zonder posters van de Beatles, zonder een kente deken die over een groot tweepersoonsbed was gegooid en zonder portretten. Gewoon een door oorlog verscheurd land, hopeloos en onmenselijk en even klam als elk ander door oorlog verscheurd land, als alle door oorlog verscheurde landen waar ook ter wereld. 'Wat erg,' zeiden ze dan met een knikje, zoals je 'gecondoleerd' zegt wanneer een ouder iemand is overleden, 'jammer' (maar ook weer niet zó jammer, meer iets van 'tja, zo gaan die dingen' in dit leven), zonder een spoor van verrassing in hun blik. Tuurlijk, breedgeschouderde, kroesharige vaders van inwoners van door oorlog verscheurde landen werden toch aan de lopende band vermoord?

Hoe was dit gebeurd?

Het was niet Lagos waar ze naar verlangde, de luister, het spectaculaire, het besef rijk te zijn – het was het besef van het zelf dat opeens was uitgeleverd aan de zinloosheid van de geschiedenis, het beperkte en naïeve van haar vroegere persoonlijkheid. Nadien hield ze ermee op zich druk te maken over de details, over het idee dat een bestaan zijn vorm ontleende aan bijzonderheden. Dit huis of dat, dit paspoort of dat, Baltimore of Lagos of Boston of Accra, dure kleren of afdankertjes, bloemist of advocaat, leven of dood – het maakte uiteindelijk niet veel uit. Als je zonder identiteit kon sterven, vervreemd van elke context, kon je ook vervreemd van elke context leven.

Dat is wat ze denkt terwijl ze hier zit, vochtig, leeg, een schip dat net is aangespoeld op een nachtelijk strand: dat de details anders zijn maar de ruimte onveranderd, oneindig, en de afwezigheid even aanwezig, en absoluut. Hij is nu weg, haar vader, is al zo lang weg dat zijn wegheid geheel voor zijn bestaan in de plaats is gekomen. Dat is niet in de loop van de tijd gebeurd, maar in een flits, in zijn slaapkamer: hij werd weggenomen, en zij bleef, en dat was dat.

Dat is dat.

Eén pepervogel, dapperder dan zijn kibbelende speelkameraadjes, pikt achter de gordijnen aan het glas. 'Koekoe, koekoe, koekoe,' roept hij, en even moet ze denken aan wat ze zei toen ze wakker werd. Wat was het? Ze kan het zich niet herinneren. Een nachtmerrie. Het was niets. 'Kóékoe,' houdt de buulbuul vol, maar de airco komt tussenbeide.

'Tat-tat-tat-tat-tat.' Een doodsrochel. Het sterft weg en de slaapkamer wordt stil.

Fola wacht een minuut en moet er dan zelf om lachen. Waar wacht ze op? Er is niets, denkt ze. Hij is weg, zij blijft, dat is dat, tat-tat-tat. Ze trekt een schone nachtpon aan en gaat weer slapen.

Maar slaapt niet diep.

De telefoon gaat.

Eerst denkt ze: nee, ik droom nog. En negeert de telefoon. Maar vraagt zich dan af hoe ze, als ze droomt, kan denken. Dus doet ze één oog open. Hoort het gerinkel. Neemt de telefoon op. 'Hallo?' prevelt ze.

'Fola,' antwoordt hij.

Een man. Maar wie heeft dit nummer? Hij niet. Olu niet. Kehinde niet. De stem is te diep. 'Met wie spreek ik?'

'Met Benson,' zegt hij.

'Benson, hai. Hoe laat is het?' vraagt ze. Haar blik zoekt een wekker.

'Het spijt me dat ik je zo vroeg bel…'

Geen wekker. 'Hoe laat is het?' herhaalt ze.

'Het is alleen, ik heb dit nummer vorige week donderdag van je gekregen…'

Een man die eromheen draait.

Ze merkt het meteen op en gaat nu rechtop zitten, bezorgd. 'Wat is er?' Een zeer korte stilte volgt. 'Ik vind het heel erg,' begint hij – dus ze neemt de vier kwadranten door: levend zij het niet volmaakt, vissen in water, met hen is er niks aan de hand. Ze weet dat hij huilt hoewel ze niet weet hoe. Ze hoort niets. Ze troost hem intuïtief: 'Niet huilen. Met de kinderen is alles goed.'

Hij denkt dat ze dat vraagt. 'Ja,' zegt hij snel. 'Het is vast goed met de kinderen.' Een kuchje, één zacht snikje, en dan is er niets.

'Benson?'

'Ik weet niet hoe ik dit moet zeggen. Ik vind het zo erg.'

Nu weet ze wat en weet ze wie en is ze stil.

'Fola?'

Ze vraagt zich af hoe het kan dat ze het nu pas weet. Niet het kind. 'Waar ben je?' vraagt ze.

'In zijn huis,' antwoordt Benson. 'Zijn vrouw…' maar valt dan weer stil. 'Zo vreselijk.'

Niet de vader. Het gebrul begint zonder waarschuwing opnieuw, de vloed komt op in haar binnenste. 'Niet hij,' fluistert Fola.

'Ze belde me thuis en ik ben meteen gekomen, maar het hart was… hij… het was te laat.'

Benson vervolgt met zijn sonore stem, sprekend Luther Vandross. Een van de losse gedachten die nu door haar hoofd schieten is dat ze Benson die dag in het Hopkins was tegengekomen. Drieëntwintig jaar oud, in de hal van het ziekenhuis, met Olu ingestopt in haar *wrappa*, diep in slaap. Benson in zijn operatiepak met zijn huid van gebrande omber, de langste van de knappe Ghanezen.

De andere.

'Koekoe!' roept de buulbuul.

'Alsjeblieft…' fluistert Fola. 'Nog niet alsjeblieft nee Kweku – nee.'

2

Olu loopt zonder zich speciaal te haasten door de hoofdingang van het ziekenhuis naar buiten, zet zijn koffie neer, hangt zijn telefoon op en begint te huilen. Vijf snelle snikken, trommelslagen – je-va-der-is-dood –, dan wist hij zijn tranen en doet zijn ogen dicht. Sneeuwvlokken vallen, landen op zijn neus, zijn lippen. Het is één uur 's nachts, nul graden.

'Zo erg.'

Hij slaat zijn ogen op en ziet een vrouw op leeftijd voor hem staan, net anderhalve meter lang, in een bontjas. Ze is zojuist door de rolstoeluitgang naar buiten gekomen en bij hem blijven staan. In de vreemde stilte die het eerste bedrijf van een sneeuwstorm in de nacht steevast inluidt, staan ze daar samen en kijken naar de sneeuw die door de donkere lucht dwarrelt en door het schijnsel van het neonbord boven de ingang.

Ze gebaart naar de hal achter de glazen deuren, raakt hem aan, knipoogt, en dan komt een stortvloed van woorden: 'Ik weet dat ik bij de kinderen had moeten blijven. Nou ja. De kinderen. Jezus. Veertig is onze jongste, mijn jongste. Twee jongens. Brett en Junior. Bruce Junior, naar mijn man. Hij heeft altijd een feilloze timing gehad, mijn Bruce. Twaalf uur eenentwintig in de nacht van eenentwintig december, tijdstip van overlijden. Is dat een goede timing of niet? Jazeker. Ik vind het zo mooi 's nachts als het net begint te sneeuwen. Het gaat alleen zo snel voorbij. Wie hebt u verloren?'

'… arts,' zegt hij, want zijn stem begeeft het bij 'ik ben'. 'Ik ben arts.'

'Dat kon ik aan uw kleding wel zien,' zegt ze. 'Maar ik veronderstelde dat u hier niet om een patiënt stond te treuren.' Na een ogenblik begint ze te lachen en hij lacht mee, met ademwolkjes. Ze haalt een Cohiba Esplendido in een zakdoek tevoorschijn. Een kleine zilveren aansteker. Vonken. Het vlammetje dooft. Olu houdt een hand om de aansteker heen, met trillende vingers. 'Uw vingers beven,' zegt ze.

'Het is wel koud.' Zulke onnozele dingen zegt hij altijd als hij nerveus is, korte zinnen die beginnen met 'het is wel' of 'wat dacht je van'.

'In die kleren,' en ze raakt hem weer aan, 'in die katoenen pyjama? U weet toch dat we hier in een sneeuwstorm staan? Jawel, meneer. Het lijkt nu nog niet veel, dat lijkt het in het begin nooit, maar wacht maar tot de zon opkomt. Niet hier. Ga niet hier staan wachten. U besterft het nog – o jee. Zei ik dat? Ongelukkige woordkeus. Hier, neem deze.'

'Nee. Ik ben…'

'Arts. Dat had u al gezegd.'

'Ik…'

'Neem nou maar. Ik heb mijn Bruce beloofd dat ik die voor hem zou opsteken. Als hij doodging, wannéér hij doodging. Net zoals hij deed toen onze kinderen werden geboren, onze twee jongens. Pakje van drie. Maar ik ben oud.' Ze moet weer lachen, neemt één lange hijs met haar ogen dicht en stopt de sigaar – 'goed zo' – in zijn mond. Een verpleegster die de temperatuur komt opnemen. Hij buigt zich speciaal voorover. Met zijn gezicht zo dicht voor haar raakt ze zijn wang aan. 'U huilt.' Een vaststelling. Ze houdt zijn kin vast, zachtjes, en veegt met haar zakdoek over zijn wang. 'Zo.' Ze geeft hem een klopje op zijn wang, glimlacht en voegt eraan toe alvorens door te lopen: 'Ik moet ook altijd huilen van de kou.'

Olu loopt al rokend over Huntington Avenue. Van straatlantaarns drupt goud in poelen van licht. Het begint steeds harder te sneeuwen terwijl hij naar huis loopt, voorovergebogen, met steeds meer barstjes in zijn lippen en met blote armen. Geen jas. Uitgaanspubliek loopt strompelend en schreeuwend over straat. Een paar auto's rijden langzaam voorbij, zonder grip op het wegdek, bang. Het schijnt niemand op te vallen dat daar iemand loopt. Met blote armen, in blauw operatiepak, onder trommelslagen.

Ling ligt met haar rug naar de deur te slapen. Hij staat in de deuropening en kijkt naar haar. Het licht deelt haar lichaam in een hoek in tweeën, haar haren op het kussen een olievlek. Glanzend zwart. De slaapkamer is wit, alles wit, overal wit. Zij vindt het overdreven, een decoratieve sprei zou geen kwaad kunnen. Ze heeft haar rode T-shirt op de grond laten liggen, een hint. Hij raapt het op zonder geluid te maken. Kijkt om zich heen. Loopt naar de Eames-stoel (wit), met het T-shirt in zijn handen zoals een kind een dekentje of beer zou vasthouden, voor de geur. Chanel no. 5, Jergens lotion, kersen-amandel. Hij probeert haar naam te zeggen, wil hem horen. Zegt: 'L…' Maar hoort in plaats daarvan Fola, haar stem vlak en ver weg, een beroerde verbinding, 'Je vader is dood', en de paar dingen die ze hem verteld heeft, de pauze die daarna kwam, de stilte tussen gehoord en geregistreerd, vóór de pijn.

Hij stelde elke vraag en hoorde elk detail – 'op zijn gezicht', 'in het gras', 'Benson heeft hem zo gevonden', 'schijnbaar is hij naar buiten gelopen en gevallen en kon hij niet meer overeind komen', 'zes uur 's morgens'–, maar ze had geen antwoorden. Ze huilde. Hij legde zijn roerstaafje neer, sojamelk drupte op het tafelblad. Hij keek om zich heen in de personeelslounge, die op dit uur vol zat. Allemaal coassistenten op de spoedeisende hulp, aan de cola, de Red Bull of de koffie, hun ogen dof en bloeddoorlopen van angst en vermoeidheid. Enkele dagen voor kerst, na middernacht, zondagochtend, met alle treurigheid die de zaterdagavond bij hen had achtergelaten: uit de hand gelopen caféruzies, zelfmoordpogingen, de eerste ongelukken in de sneeuw, onderkoeling onder daklozen. Hij wilde niet naar huis. Dit is wat hij mist in zijn tweede jaar bij orthopedie, die nachtdiensten die in een roes van energiedrankjes en ambulanceritten voorbijgaan. Orthopedische chirurgie is intensiteit op afspraak: opa's die gevallen zijn, quarterbacks die gevallen zijn, een en al procedures, en goedbetaald. Daarom heeft hij er ook voor gekozen, vooral om de procedures, het fysieke aspect, de precisie, heimwee naar de atletiekbaan. Maar hij mist de drukte van de spoedeisende hulp, de wanhoop, het vooruitzicht van de dood die overal boven hangt.

Fola. 'Ben je daar?'

'Ja.'

'Wil jij de anderen bellen? Om ze te zeggen…?'

'Ja.'

'Vind je het niet erg? Gaat het wel?'

'Ja.'

'Ik moet even rusten. Lange ochtend. Ik houd van je, lieve schat. Dat weet je.'

'Dat weet ik.'

Hij zit in zijn operatiepak in het donker met het t-shirt in zijn handen. De maan maakt ijs van de vloer en de muren. Misschien heeft ze wel gelijk, denkt hij, al dat wit is benauwend, steriel; een slaapkamer hoeft geen operatiekamer te zijn. In de zon is het schitterend, scherpe hoeken en nog scherper het licht dat op zijn eigen schaduw botst, met een spookachtig effect, wit op wit, als een echo: de zon die naar zijn eigen spiegelbeeld staart. Maar nu niet. Nu is het eenzaam en koud in het donker dat niet helemaal donker is, een koud en donker licht. Buiten, even geluidloos als hopeloos, valt de sneeuw op zichzelf neer, meer wit op wit.

Hij kijkt naar haar borst die op- en neergaat. Ze beweegt in haar slaap, schuift hierheen, dan daarheen, zoals ze gewoon is, draaiend en woelend. Hij probeert het opnieuw: 'L…', maar het 'ing' blijft steken in zijn keel, die is opgezet van schaamte. Nota bene. Niet van verdriet of pijn, niet dik van tranen, maar van een schaamte die hij als warmte door zijn keelgat voelt gaan, naar zijn borst, naar zijn buik, zijn onderbuik, waar hij even stopt en krachten verzamelt om dan verder uit te waaieren naar zijn knieën. Nota bene. Warme knieën, terwijl hij in het niet-donker zit, haar T-shirt tegen zijn mond gedrukt als een demper. En waarom dit? Waarom deze sensatie als van smeltend kaarsvet, die hem zo verzwakt dat hij niet kan staan of spreken en die omslaat in een branderig gevoel, fel en hevig, zo branderig dat hij dubbel klapt en uitroept: 'H…!'?

Het T-shirt kaatst de uitroep terug, de rode katoenen bal die hij tegen zijn lippen gedrukt houdt en die zijn woede en schaamte dempt – zijn uitroep slaat naar binnen, naar beneden, door zijn keelgat naar zijn buik, om daar te landen met een ademloos '…oe'.

Hóé is de vraag (sterft een uitzonderlijk chirurg gewoon in zijn tuin aan een hartstilstand?). Hóé, terwijl hij zijn hele leven geprobeerd heeft om als hem te zijn, terwijl hij zijn zonden heeft vergeven uit naam van zijn gave, terwijl hij zijn genialiteit heeft bewonderd en verteld heeft over zijn bekwaamheid, chirurg zonder weerga, zelfs nu nog niet vergeten. 'Sai, zeg je? Ik heb een keer een Sai gekend. Een Ghanees. Een kunstenaar met het scalpel. Weet je wie ik bedoel?' 'Ja. Dat is mijn vader.' 'Je vader! Hoe gáát het met hem? Tjonge, dat is jaren geleden…' 'Zestien jaar, ja.'

Hij is dood.

Gestorven in een tuin, aan een hartstilstand, een hartinfarct, eitje, kwestie van snel optreden, Kweku Sai, verloren wonderkind, uitblinker, mislukkeling.

Een arts die er niet in geslaagd is zijn eigen dood te voorkomen.

Hóé is de schaamte die Olu binnenhoudt, voorovergebogen,

terwijl Ling zich in haar slaap afwendt. Hóé kan hij deze vrouw wakker maken en vertellen dat de vader over wie hij haar verteld heeft zo aan zijn eind is gekomen? Hóé, terwijl hij haar jarenlang heeft beloofd, veertien jaar inmiddels, dat hij haar ooit een keer zou meenemen om hem eindelijk eens te ontmoeten en dat ze van hem zou houden, dat wist hij, een arts zoals zij zijn, een geest zoals zij hebben, al het andere ten spijt. Ling, van wie hij gehouden heeft sinds hun handen elkaar raakten bij het inschenken van punch op een open dag van het Aziatisch-Amerikaans Cultureel Centrum op Yale. ('O, sorry,' was er bij de ingang gegeneerd tegen Olu gezegd, 'we dachten dat Sai een Aziatische naam was. Maar u bent uiteraard welkom.') Ling die, zonder te kijken, haar hand uitstak naar de opscheplepel op hetzelfde moment dat hij dat deed, zachte huid die huid vond. Ling, van wie hij sindsdien gehouden heeft, hun handen nog steeds tegen elkaar aan, aan dezelfde lepel, waarbij hij bloosde en zij haar voorhoofd fronste. 'Jij bent geen Aziaat. Wacht. Waarom ben je hier? Speel je een snaarinstrument? Blink je uit in wiskunde? Ga je naar een of andere sekteachtige Koreaans-Amerikaanse kerk?'

Lachend, en nog steeds elkaar aanrakend: 'Piano. En natuurwetenschappen. En nee, een katholieke kerk, maar de priester komt uit Laos.'

'Wat zeg ik dan? Wat stom van me. Je bent wel Aziatisch.'

'Ik ben Olu.'

'Ik ben Ling.'

En vandaar de rest: systeemkaarten schrijven en zoenen achter tussenschotten in de universiteitsbibliotheek, ramen eten boven organische-scheikundeboeken, daarna Harvard, vier jaar, beiden arts-assistent in Boston (hij bij orthopedie, zij bij obstetrie), het 'gouden koppel', zoals ze overal genoemd werden. Ling-en-Olu, groot, klein, een studie in contrasten, hun foto's net reclameposters voor Benetton: Ling-en-Olu in Guam, huizen aan het bouwen voor daklozen, Ling-en-Olu in Kenia, putten aan het slaan voor waterlozen, Ling-en-Olu in Rio, inentingen aan het geven aan zwervers, Ling-en-Olu bij Pepe, uitvergroot, zwart-wit. 'Zijn grote liefde', hoewel hij dat een wat al te zoete zegswijze vindt, 'de onafhankelijke variabele' klinkt meer to the point, dwars door tijd en ruimte heen constant, zijn vertrouwelinge, de enige aan wie hij alles vertelt.

Maar niet dit.

Hóé, terwijl hij nog bij haar vader heeft gezeten en hem heeft aangekeken en wanhopig ter verdediging van zijn eigen vader heeft aangevoerd: 'Hij is chirurg, net als ik, de beste op zijn vakgebied', terwijl Ling op de wc stond te luisteren, op de dag dat hij om haar hand kwam vragen.

Oktober: een klein congres, een glazen appartement, dr. Wei op de lage fauteuil, Ling op de bank, waar ze Olu vasthoudt bij een elleboog, als een bankschroef, de hand met de ring op haar zelfwippende knie. Dr. Wei nipte van zijn thee en keek Olu kalm aan. Olu keek hem recht in de ogen, zoals hij geleerd had in het Beth Israel. ('Je moet een patiënt altijd recht in de ogen kijken,' had dr. Soto gezegd. 'Ongeacht wat je hem te vertellen hebt. Kijk je patiënt recht in de ogen.') Wat Olu hem te vertellen had was dat hij gekomen was om dr. Wei om de hand van Ling te vragen, maar het enige wat de patiënt antwoordde was: 'O. Aha.'

Ze hadden elkaar één keer eerder ontmoet, bij de buluitreiking, waar beiden beleefd hadden geglimlacht, zoals je glimlacht tegen een kind. Mevrouw Wei was er ook, gezond, met de oudere zus van Ling, roepnaam Lee-Ann, geboren Lihúa, en haar man. Olu had Fola eindelijk meegenomen om hen te ontmoeten (de afstudeerdag van Yale had hij niet bijgewoond). 'Fola Savage. Mijn moeder.'

'Mevrouw Savage. Aangenaam kennis te maken.' Mevrouw Wei knikte en glimlachte.

'Insgelijks,' zei Fola. 'Zegt u maar júffrouw Savage.'

'Juffrouw Savage?' zei dr. Wei. 'Heb ik u goed verstaan?'

'Ja, helaas,' lachte Fola. 'Wat doe je eraan?'

De man, wiens naam Olu nooit kan onthouden (een standaard-naam voor een blanke, zoiets als Brian of Tim, een Californiër, beige haar, beige huid, beige broek) barstte in lachen uit. 'Van wat voor origine?' vroeg hij.

'Empire,' zei Fola, nog altijd gniffelend. 'Britse Rijk.'

Brian/Tim lachte, evenals Ling en Lee-Ann. Mevrouw en dr. Wei verstrakten, evenals Olu. Hij spiedde naar de lucht. Begin juni. 'Het is wel warm.'

Twee keer in al die jaren had hij beide ouders van Ling ontmoet, hoewel ze haar hadden grootgebracht in Newton, een busrit van de campus. Dr. Wei woonde nu in Cambridge, met uitzicht op de rivier, in een woning van de universiteit (techniek, MIT). Hij was tenger als Ling, met hetzelfde ranke postuur, niet zozeer broos als wel gestroomlijnd. Ingedikt. Compact. Zestig jaar met hetzelfde glanzend zwarte haar met zilveren strepen tot op de oren. Brilletje zonder montuur. Met geregelde tussenpozen streek hij met een hand over zijn haar, zonder noodzaak, rechts, bij zijn nek, in een kalme beweging, zo langzaam dat de oppervlakkige beschouwer het niet meteen als een dwangmatig trekje zou herkennen. In rust droeg hij een broek, een overhemd en een blauwe sweater met v-hals, en slippers, zag Olu. Olu was op sokken want er was een tekort aan slippers, wegens een tekort aan gasten sinds 'het Verlies', had Ling uitgelegd. Een foto van de Verlorene hing achter haar slanke weduwnaar, het enige wat aan de enige niet-glazen wand hing, de andere drie maakten van de woonkamer een aquarium, een effect dat door het uitzicht op de rivier nog eens werd versterkt.

Een grote Ru-vaas stond op wacht in één hoek, een piano in de andere, even fier en streng; de gele boeken die er in stapels naast lagen, *Schirmer's Library of Musical Classics*, kwamen Olu meteen bekend voor.

Jingdezhen-theeservies.

Er klonk zachte muziek van Mozart. 'Lacrimosa' uit het *Requiem*.

Ling hield zijn arm stevig vast.

'你要发言,' zei ze ten slotte in het Mandarijn.

'In het Engels, schat. We hebben een gast in ons huis.'

'Óns huis,' zei Ling, 'is aan Huntington Avenue.'

'O,' zei haar vader, en verder niets.

Olu schoof heen en weer op de bank. Hij zou wel willen dat Ling hem losliet. Ze hield hem zodanig vast dat hij zich eerder gevangen voelde dan alleen maar opgeëist. 'Ling was ertegen,' zei hij beleefd en met nadruk. 'Maar mij leek het alleen maar juist dat we het zouden vragen, dat ik het zou vragen.'

'De hand van mijn dochter,' zei dr. Wei verstrooid. 'Welke?'

'Van uw dochters?' Olu fronste zijn voorhoofd.

'Van haar handen. Die met de ring lijkt mij al bezet...'

'Ik wist wel dat u dit zou doen! Ik wíst het,' zei Ling woedend. 'En het is niet aan u om daarover te beslissen. Ik heb al ja gezegd. Ik zei het toch?' Ze draaide zich naar Olu toe. Liet hem los.

Olu, losgelaten, voelde zijn maag omdraaien. Dr. Wei streek over zijn haar en zei: 'O. Aha.' Ling stond abrupt op en verliet de kamer, huilend, haar smalle schouders schokten. Ergens knalde een deur dicht.

Toen begon dr. Wei te lachen – het kwam als een schok, een warme lach, een weelderig en diep geluid in de leegte die Ling had achtergelaten. Hij nam zijn bril af en veegde de glazen schoon, de tranen liepen over zijn wangen. Zijn lach rommelde nog even na, toen glimlachte hij. 'Ik lach om mezelf,' zei hij. 'Ik had moeten weten dat dit zou gebeuren. De moeder van Ling zei altijd dat jullie vrienden waren. "Het zijn gewoon vrienden." Vijftien jaar lang? Nee, ik dacht er anders over.' Weer een diepe lach. 'Een mens weet zo vaak wat er aan de hand is zonder het te beseffen.' Hij zette zijn bril weer op en keek Olu nauwlettend aan. Streek weer over zijn haar. 'Olu, ja?'

'Ja.'

'Ik heb een Olu gekend. Oluwalekun Abayomi.' Hij sprak de naam perfect uit. 'Een Nigeriaan. Zoals jij wel zult weten. Verreweg de beste van ons jaar aan de universiteit van Pittsburgh. Het is niet zo dat ik een racist ben. Verre van dat.'

'Meneer...'

'Pardon.' Hij knikte alsof hij het met zichzelf eens was dat hij het woord moest voeren. Hij sloeg zijn benen over elkaar en legde zijn handen kruiselings op zijn knieën. 'Het is waar dat je niet mijn zegen hebt. En die ook niet zult krijgen. Maar niet om de redenen waar jij wellicht aan denkt. En zeker niet om de redenen waar zij vermoedelijk aan denkt. Ling.' Hij wierp een blik op de deur waar zij doorheen was gestormd. Olu schoof opnieuw heen en weer op de bank, maar dat was om er wat beter voor te gaan zitten, de professorale toon van dr. Wei, de cadans van zijn woorden, maakte dat hij alleen maar wilde luisteren. Merkwaardig hoe dat ging, zelfs nu hij in de dertig was: dat hij bij de eerste tekenen van Docent weer Student werd. 'Tijdens mijn studie in Pittsburgh – mooie stad – telde ik nogal wat Afrikanen onder mijn vrienden. Mannen. Allemaal mannen, wat weinig verbazing hoeft te wekken. Techniek. Grote kinderen met speelgoed.' Slokje thee. 'Ze kwamen overal vandaan, sommigen waren rijk, anderen arm, maar ze waren allemaal briljant, louter genieën, die vijf. De hardst werkende mannen van het hele stel, werkelijk waar. Allemaal ongelooflijk goed in wiskunde.' Streek over zijn haar. 'Amerikanen noemen Aziaten de "modelminderheid". Dat waren ze ooit misschien ook wel. In het recente verleden. Maar nu zijn dat de Afrikanen. Ik zie het in de collegezaal. Met de Aziaten is het gedaan. We zijn dik geworden – nee, lach niet. Je zag nooit Aziaten met overgewicht, geen jonge althans, niet toen wij hier kwamen, toen onze dochters nog klein waren. Nu zie ik ze overal, Koreanen, Chinezen, in de metro, op de campus. Het is het begin van het einde. Een dik Aziatisch kind kan misschien winnen met een dictee, maar een science fair? Nee. Tegenwoordig zijn het de Afrikanen. Ik meen het. Je lacht.'

Maar Olu kon het niet helpen.

Dr. Wei lachte nu ook zijn diepe lach, die klonk als een Chinese gong. 'Ik zeg dit om aan te geven dat ik de cultuur bewonder, jullie cultuur, vooral het respect dat jullie hebben voor onderwijs, voor ontwikkeling. Elke Afrikaanse man die ik ooit in een academische setting heb ontmoet was een uitblinker, niet één uitgezonderd. Ik heb hier in veertig jaar tijd niet één luie Afrikaanse student ontmoet, en ook geen dikke trouwens. Ik weet dat het krankzinnig klinkt, we lachen erom, maar geloof me. Ik geef college, ik zie het dagelijks. Afrikaanse immigranten hebben de academische toekomst. En de Indiërs.' Hij zweeg even om zijn thee op te drinken.

Dat alles terwijl Olu daar zat met een glimlach – en wat nog gekker was: hij vermaakte zich met de conversatie van dr. Wei. Ling had hem altijd afgeschilderd als arrogant, stijfkoppig, charmant tot op zekere hoogte maar feitelijk onverschillig. Ze ging in de vakanties nooit naar huis, maar deed dan altijd vrijwilligerswerk in andere landen. Ze was niet naar de bruiloft van haar zuster geweest om haar vader niet te hoeven zien en negeerde zijn telefoontjes als die kwamen, twee keer per jaar, het ene – 2 september – voor een vals 'Happy Birthday', het andere met het Chinese Nieuwjaar voor een 'Kung Hei Fat Choi'. Olu wist wel beter: bijna vijftien jaar had hij nooit één balletje opgegooid, nooit één keer gevraagd: schat, waarom gaan we niet eens bij ze langs in Newton?

Of: wat heeft hij je misdaan? Niet één keer. En Ling ook niet: wat was er met zijn vader gebeurd, waarom waren ze nog nooit naar Ghana geweest (ze waren verder overal geweest), waarom had hij onlangs nog zo gesteigerd toen Fola een mailtje had gestuurd waarin ze hen uitnodigde voor het kerstdiner? Ze hingen er maar zo'n beetje tussenin, in Allston, New Haven, een minuut of tien lopen van waar Olu ooit had gewoond: alle vragen, alle teleurstellingen bleven onbeantwoord, onbehandeld, alles bleef in de lucht hangen en drogen in de stilte en de zon.

Olu was dan ook geschokt dat hij glimlachte, dat hij zich op zijn gemak voelde bij die man die Ling zo haatte. Het had zelfs iets aantrekkelijks, de manier waarop dr. Wei zich opstelde, de moeite die de scrupuleuze wiskundige deed om vrienden te maken. Hoe zelfvoldaan hij ook overkwam, dat telkens over zijn haar strijken verried hem: dr. Wei was verlegen, waarom of waarmee was niet duidelijk. Met het accent, misschien, dat zijn medeklinkers aankleefde, een bedreiging voor zijn vlotte spreektrant, of misschien met de r's? Misschien met zijn tengere bouw, die nog eens werd benadrukt door de nabijheid van Olu's brede bast? Met de droefheid in zijn pupillen, misschien, die evenzeer aanwezig was als de lachrimpels bij zijn heldere ogen? Of met iets anders, iets duisters, Olu zag het niet maar besefte wel dat deze man wist wat schaamte en schande was. En deed net zijn mond open om 'Interessant' of iets dergelijks te zeggen toen dr. Wei over zijn haar streek en zijn betoog voortzette.

'Weet je, ik heb het disfunctioneren van Afrika nooit begrepen. De hebzucht van de leiders, de ziektes, de burgeroorlogen. Dat er in de eenentwintigste eeuw nog steeds mensen doodgaan aan *malaria*, dat ze nog steeds op elkaar inhakken, elkaar verkrachten, elkaars geslachtsdelen afsnijden. Jonge kinderen en nonnen die mensen kelen met machetes, die meisjes in Congo, dat gedoe in Soedan. Als jongeman in China ging ik ervan uit dat het onnozelheid was. Intellectuele onmacht, inferioriteit wellicht. Overbodig te zeggen dat ik het mis had, zoals ik al heb vastgesteld. Toen ik hier kwam, zag ik dat ik het mis had. Goed. Maar die achterlijkheid is toch hardnekkig en weet zelfs nu nog stand te houden. Hoe komt dat? Terwijl Afrikaanse mannen zo intelligent zijn, zoals we al hebben gezien. En de vrouwen ook, begrijp me niet verkeerd, ik ben geen seksist. Maar waarom is Afrika nog zo achterlijk, vraag ik. En weet je wat ik denk? Geen respect voor het gezin. De vaders houden hun kinderen en vrouwen niet in ere. De Olu die ik gekend heb, Oluwalekun Abayomi? Die had twee bastaardkinderen en drie kinderen bij zijn vrouw. Een stel hersens zonder weerga maar geen morele ruggengraat. Dáárom heb je kindsoldaten, daarom heb je verkrachters. Kun je de dochter of zoon van een andere man naar waarde schatten, als je geen enkele waarde aan je eigen kinderen hecht?'

Olu was stil, te geschokt om een woord uit te brengen.

'Nee. Dat kun je niet.' Dr. Wei spreidde zijn handen: bewijs geleverd. 'Neem jouw moeder. Júffrouw Savage. Niet mévrouw. Met een andere achternaam dan jij. Sai. Correct? Ik neem áán – en het is maar een veronderstelling, ik geef het toe – dat je vader je moeder heeft verlaten en dat zij je toen alleen mocht opvoeden?'

Olu bleef roerloos zitten, te kwaad om ook maar een vin te verroeren.

'Precies. En dat is jouw voorbeeld. Je vader. De vader is altijd het voorbeeld.' Hij zweeg even. 'Nu zeg jij misschien: "Nee, nee, ik ben niet als mijn vader…"'

'Nee,' mompelde Olu.

'En dat dénk je ook, maar…'

'Ik ben precies zoals mijn vader. Ik ben trots dat ik op hem lijk.' Niet meer dan een fluistering door zijn opeengeklemde tanden. Dr. Wei, overrompeld, hield zijn hoofd schuin en keek naar Olu – die met bevende handen en borst strak terugkeek. En zei: 'Hij is chirurg, net als ik, de beste op zijn vakgebied', en de rest in een vloed erachteraan, één zachte, kolkende woordenstroom: 'Het probleem is niet dat Ling met een Afrikaan wil trouwen. Het is niet dat ze met mij gaat trouwen, wat ze wel gaat doen. Nee, ú bent het probleem, dr. Wei. Úw voorbeeld. Ú bent het voorbeeld van wat zij niet willen. Allebei niet, Ling en Lee-Ann, en hoe komt dat? Waarom hangen er geen foto's van hen in uw huis? Wat was het, "de vader is altijd het voorbeeld"? Uw dochters geven allebei de voorkeur aan iets anders.'

Ling kwam nu binnen met de jas aan, en die van Olu over haar arm.

Aaaaaa-men. 'Lacrimosa', de gezongen climax.

Dr. Wei schraapte zijn keel, maar voor hij iets kon zeggen pakte Ling Olu bij een arm en ging ervandoor. De deur uit, net zo makkelijk.

Ze lachten samen, een fluit en een cello, autoraampjes open, vogeltjes, een briesje.

'Stond je daar de hele tijd al?'

'Ik luisterde vanuit de badkamer. En Lee-Ann luisterde telefonisch mee. Ik houd zoveel van je.' Ze huilde. 'Laten we gaan trouwen. Vanavond. In Las Vegas.'

'Nu?'

'Ik zou niet weten waarom niet, we zijn al veertien jaar bij elkaar. Zijn we ooit in Nevada geweest? Wacht, waar ligt de Grand Canyon?'

'In Arizona.'

'Naar het vliegveld,' zei ze.

Zes uur later, de Little White Wedding Chapel.

Ling-en-Olu in Las Vegas.

Nota bene.

Nu maakt ze zichzelf wakker met haar gedraai en gewoel. 'Hé,' zegt ze slaapdronken, en ze wrijft in haar ogen. Ze staart naar hem in zijn operatiepak en gaat ervan uit dat hij zijn schoenen net uittrekt. Of aantrekt. 'Kom je net binnen of ga je net weg?'

Betrapt. 'Ik ga net weg,' liegt hij. Hij legt gegeneerd haar T-shirt neer en gaat staan. Loopt naar het bed en geeft haar een kusje. Zegt: 'Ga maar weer lekker slapen', en dat doet ze.

Hij gaat naar de badkamer en doet de deur dicht. Hij gaat op het toiletdeksel zitten, gespannen door zijn eigen leugen. De spiegel toont hem een gezicht, rauw en vaal, ogen rood van tranen en de kou, en een telefoon die uit zijn borstzakje steekt. Hij trekt hem eruit, zucht en toetst een nummer in.

3

En wat was het deze keer dat haar van bed naar kast gebood, jas en korte jurk op jaslengte, naar de straat, naar het grijs van de naderende sneeuw, naar de taxi, naar de Village en (terug) naar zijn bed?

Wat was het deze keer? Slapeloosheid? Een nachtmerrie?

Al middernacht uptown toen ze vertrok: alleen de man en zijn mopshond die zich naar huis haastten zagen haar gaan, en draaiden met hun hoofd toen ze langskwam in haar driekwart bontjas. (Dat doet ze, heeft ze altijd gedaan sinds Alles Anders Werd, van die kleine scènes van de film die ze bij zichzelf opneemt: groggy hoofdrolspeelster betreedt kader, kijkt naar links, kijkt naar rechts, ziet de taxi, springt erin en snelt weg in de nacht.) Ze snelde niet. Het ging langzaam door de nachtelijke straten van New York, die in de kleine uurtjes van de zondagochtend waren dichtgeslibd met zoekenden naar liefde, op naar het oude statige huis van haar oude statige minnaar, waar Taiwo uitstapte en even bleef staan om naar de sneeuw te kijken. Die danste neerwaarts door het zwart en de stilte, het geelgouden lantaarnlicht, naar de grond waar een deel bleef liggen en een deel smolt, grappig eigenlijk, dat iets wat zo zacht was kon blijven, kon duren.

En terwijl ze daar stond keek ze langs de korte rij ramen – sommige zwart, sommige goudkleurig, na middernacht downtown –, zoals ze als kind ook deed, wanneer ze naar huis reden in de Volvo, haar handen tegen het koude glas van de achterruit gedrukt. Die huizen hadden zo indrukwekkend geleken, zo imposant, een eindje van de weg af op lage hellingen en met hekken, bakstenen huizen met zwarte luiken, tudorhuizen met torentjes, tien slaapkamers, minstens, tegen hun vijf. Maar het was niet die grandeur die haar verblufte. Wat haar betoverde waren al die warme vensters. De gloed. Al die warme, rijke mensen daarbinnen naar wie ze gluurde, met hun door kroonluchters goud getinte eetkamers en hun slaapkamers die zacht geel oplichtten tegen het nachtelijk duister, tegen de buitenheid. De gezinnen die daar automatisch bij hoorden. Want hoewel zij daar ook woonden – háár familie, in Brookline, nog geen vijf of tien minuten van waar ze nu reden – had zij nooit ook maar één keer gevoeld wat ze zag in die ramen, die warm-goud-gloeiende-binnenheid van wat een thuis was.

Zelfs in het begin, voor alles als een plumpudding in elkaar was gezakt (voor Kehinde uit de auto was gestapt en was binnengekomen zonder geluid te maken, trap op, overloop over, naar haar kamer waar zij in de vensterbank had zitten kijken en hij ging zitten en begon te huilen), was er bij hen in huis het vage besef geweest van een aanhoudende inspanning, van een opwaartse beweging, iets waaraan gebouwd werd: Een Succesvol Gezin, waar ze zich met hun zessen voor inzetten, alle zes, in een poging het gemeenschappelijke doel te bereiken, wat nog niet gelukt was. Ze waren nog niet zover, ze waren in de repetitiefase, een productie waar nog aan gewerkt werd – iedereen speelde zijn rol met een geveinsd zelfvertrouwen, en voor hen allemaal was de stress die dat met zich meebracht voortdurend aanwezig, een zacht geroezemoes op de achtergrond. Een zacht gezoem.

Daar was 'hij', dagelijks worstelend met zijn rol als Kostwinner, daar was de sterrol van Fola als Huisvrouw, de rol van Olu als kritische en kritiekloos voorgetrokken Oudste Zoon; daar was de Kunstenaar, begaafd, onbeholpen; en de Baby. En dan was zij er nog. Vastbesloten een onberispelijke voorstelling neer te zetten, en onder donderend applaus van het podium te vliegen, Geliefde Dochter van kampioenen, uitblinker op de basisschool, schitterende ster op elke stralende klassenfoto. Niemand heeft haar erom gevraagd. Hij niet en Fola zeker niet. Niemand bracht hun gezamenlijke voortgang naar dat ene doel ook maar één keer in kaart – waren ze er al? hadden ze het gehaald? waren ze een Succesvol Gezin geworden? –, maar ze wist dat ze door moest gaan, moest blijven streven, dat wist ze door het gezoem op de achtergrond.

De gezinnen achter de vensters waren al Succesvolle Gezinnen, hadden de zware weg naar boven generaties geleden al afgelegd, waren niet aan het bouwen of zwoegen, waren zich niet aan het inspannen; het doel was bereikt. Zij konden nu uitrusten, het kalm aan doen. 's Avonds, door hun vensters, zag ze hen daar, klaar, met stilte tussen hen in, geen gezoem, een vreedzaam gezinsleven, in verf gevangen boven schoorsteenmantels, voeten op kussens, tevreden en thuis.

Maar wat moest ze zeggen als Fola het haar vroeg, op het punt om in lachen uit te barsten, altijd weer geamuseerd: 'Waar kijk je toch aldoor naar, lieve schat?'

'De huizen.'

'De huizen? Je hebt een eigen huis.'

Maar geen thuis, was het verschil dat ze zelfs toen al in de gaten

had, turend vanuit de auto, van buiten, terwijl ze er langsreden –
en dat ze nu ook zag, terwijl ze op het trottoir buiten bleef staan.
En een sigaret opstak. Het cliché. Maar geen thuis.

'Ben jij het?'

Hij had de deur boven aan de trap op een kier opengezet en keek
naar beneden. Aanvankelijk draaide ze zich niet om. Ze staarde
naar de verlichte ramen van zijn buren en dacht er ergens in haar
achterhoofd aan hoe ze er in zijn ogen uit zou zien. Driekwart witte bontjas. 'In godsnaam, het is stervenskoud. Waar sta je naar te
kijken?' Hij volgde haar blik langs de gevel. Nu draaide ze zich om.

Daar stond hij, aantrekkelijk, stevig gebouwd, stoer in trainingsbroek en sweater, met een uit de toon vallende sjaal.

'Ik ben het,' zei ze, koket rook uitblazend. 'Heb je me gemist?'
Hunkerend. 'Kom hier.'

En daar ging ze.

Wat was het deze keer, om middernacht, bijna in slaap, dat haar
gebood op te staan, zich aan te kleden en te gaan? Terwijl ze wéét,
denkt ze nu, dat gaan betekent: weer opnieuw beginnen waar ze de
laatste keer gestopt zijn?

Ze zit in de taxi met haar hoofd tegen het raam, haar jas geplet
van die uren dat hij op de grond heeft gelegen, en kijkt naar buiten, naar de Hudson, New Jersey in een zee van lichtjes, en voelt
zich licht in het hoofd, leeg, een raar soort kalmte. En herinnert
zich opeens: middernacht, alleen in haar kamer, vroeg naar bed gegaan, een van die zeldzame vrije weekenden – en plotseling had ze
rechtop in bed gezeten, in het donker, nauwelijks ademend, en was
ze zonder enige aanleiding gaan huilen.

Ze was het vergeten.

Het was zo snel gegaan – dat moment dat ze wakker schoot, de
tranen die zonder aanleiding begonnen en weer ophielden – dat ze
zich niet eens herinnerde, twee minuten later niet en al die tijd

niet, maar nu pas, waar ze wakker van was geworden. Het was geen slapeloosheid, haar levenslange metgezel, en ook niet die 'gevoelens van leegte', zoals dr. Hass altijd zegt (wat niet klopt, zegt Taiwo: er is alleen maar dat ene gevoel, maar één manier om leeg te zijn, één manier om het te voelen). Het was iets totaal anders, wat ze gevoeld had voor ze van huis ging en wat ze zich (te laat) herinnert nu ze weer terugrijdt, die vergeten paar tellen van bizar verdriet, onverklaarbaar intens, een krachtveld van smart. Ja. Dat is waar ze wakker van was geworden. Een krachtveld van verdriet. Maar wat moet ze zeggen tegen dr. Hass, die met een zucht zal zeggen: 'Dus we hebben hem gezien...', maandagmorgen aan Central Park West, de bomen voor het raam met sneeuw getooid, kale bruine takken als benen in een driekwart witte bontjas, met dat ceremoniële gebaar waar de zucht mee gepaard gaat: het optillen van de bril (die misschien wel nep is, denkt Taiwo, een mode-accessoire, rekwisiet van de therapeut) van het puntje van haar neus naar boven op haar hoofd. 'Had hij je gebeld?'

'Nee.'

'Maar je hebt hem gezien.'

'Ja.'

'Jij was degene die hem gebeld had.'

'Ik heb niet gebeld. Ik ben gewoon gegaan.'

Nog meer zuchten. Verwoed gekrabbel. 'En hebt de nacht bij hem doorgebracht.'

'De ochtend.'

'Laten we beginnen met onze beslissing. Weten we waarom we gegaan zijn?'

En wat kan ze daarop zeggen? Waarom hebben 'we' hem gezien? We hadden het gevoel dat ons hele wezen als een adem aan ons ontsnapte en verlangden ernaar om aan te raken en aangeraakt te worden, om contact te maken, en dat hebben we gedaan.

We misten onze vader.

'Wat zei je?'

De taxichauffeur kijkt in zijn achteruitkijkspiegeltje naar Taiwo die zich overrompeld voelt en met haar hoofd los komt van het raam. 'Pardon?'

'Je zei iets.' De chauffeur is een Ghanees. Dat hoort ze aan zijn accent. '"Ik miste mijn vader," zei je.'

'O ja?' Taiwo bloost. De chauffeur knikt, glimlacht. Hun blikken ontmoeten elkaar in het spiegeltje en ze ziet hem reageren: hij kijkt snel weg en dan weer terug, naar haar ogen, als iemand die betrapt wordt op iets wat hij niet zou moeten doen maar waar hij niet mee kan stoppen.

'W-waar k-kom je vandaan?' stottert hij verlegen. 'Wat ben je?' Maar hij bedoelt wat ze allemaal bedoelen. Wat zijn je ogen?

'Weet ik niet.'

'Je klinkt Engels.'

'Ik heb in Engeland gestudeerd.'

'Ik kom…'

'Uit Ghana. Ik weet het. Dat kan ik wel horen.'

'*Ey!* Hoe wist je dat?'

'Mijn moeder is een Nigeriaanse.'

'*Bella naija!*' Hij glundert. 'En die vader die je miste?'

'Heb ik dat gezegd?'

'Je zat waarschijnlijk hardop na te denken.'

'Heb ik dat gedacht?' Ze glimlacht. Haar BlackBerry gaat.

'Je vader!' Hij kijkt lachend in het spiegeltje.

Ze pakt haar tasje en zoekt naar haar telefoon. Het is al opgehouden als ze hem heeft. 'Mijn broer.' Ze fronst haar voorhoofd. Ze houdt de telefoon in haar hand, leunt weer tegen het raam en zwijgt. De radio staat zacht aan, Wagadu-Gu, 'Sweet Mother', de vrolijke Afro-pophit uit Sierra Leone. De chauffeur houdt nu op met lachen en concentreert zich weer op de weg, hij weet als taxichauffeur wanneer hij moet stoppen, wanneer het ogenblik voorbij is, hoe hij zich uit een scène moet terugtrekken: blik op de weg, radio iets harder.

Taiwo leunt met haar hoofd tegen het raampje, uit gewoonte, telefoon in haar hand, 'O. Sai' op het schermpje. Ze is blij dat ze zijn telefoontje gemist heeft, denkt ze (zich pantserend), ze zit op dit tijdstip niet op een preek te wachten, op een vijf minuten durende lezing van Olu over de glorie van de familie Sai, wat Anderen Wel Niet Zullen Denken, o, de schande.

Nee.

Wat wist hij van schande, Perfecte Olu, even keurig, even netjes als die ander ooit was, met zijn kille leventje in het kille Boston, zijn vriendin, hun kilwitte appartement, witte glimlach op de muren, 'Ling-en-Olu doen goed werk bij warm weer', twee robots, academische graden verwervende, beurzen winnende, goed doende androïden, toonbeeld van perfectie, Nieuwe Immigranten Perfectie, van beloonde lafheid, denkt ze (boog gespannen), oude gewoonte, dit, slechte gewoonte, om meteen los te gaan op haar belagers of op wie dan ook maar van wie ze, al dan niet terecht, het idee heeft dat hij of zij het op haar gemunt heeft, waarbij ze al hun tekortkomingen snel op een rijtje zet en hen op die manier in diskrediet brengt. Wat wist hij daarvan?

Ja.

Als je gewoon in die mallemolen was blijven zitten, gouden ringen verzamelend met een glimlach, veilig achteroverleunend, het ene rondje na het andere draaiend, elk van die vier jaar nog eens overdoend, Milton, Yale, de artsenopleiding, een leven op herhaling – (1) wedijveren om toelating op eliteschool, (2) worden toegelaten, (3) hard werken, (4) het goed doen en dan vier jaar later weer bij (1) beginnen – ja, dan zou je misschien inderdaad een preek mogen afsteken over 'schande'. Dan zou je haar een 'mislukkeling' mogen noemen omdat ze gestopt was met haar rechtenstudie, dan zou je haar misschien mogen veroordelen als 'roekeloos', 'een teleurstelling voor mama', genadeklap voor de productie, Succesvol Gezin in puin, doek gevallen, theater voorgoed gesloten. Maar hoe? Hoe moet hij weten hoe het voelt om te worden aangestaard, om over de tong te gaan; erger, om je daar niet druk om te maken, om je gewonnen te geven? Hij die niets weet van opwindende dingen, van foute dingen, van verlies, mislukking, passie, lust, verdriet of liefde? Als zelfs zij het niet kan uitleggen, aan dr. Hass, aan zichzelf, niet weet waar het vandaan komt, die gretige drang om te worden verzwolgen, verteerd, door een heel lichaam heen te gaan alleen om je weer terug te slepen naar de muil van het beest?

Dat kan Olu niet.

Dus ligt hij daar, met pijlpunten doorboord, de kritische, kritiekloos voorgetrokken, keihard onderuitgehaalde Oudste Zoon, terwijl zij met haar hoofd tegen het raam geleund blijft zitten, zowel beveiligd als afgemat door de wrok jegens haar broer.

Het brengt haar geen troost, dat onderuithalen van Olu. In plaats daarvan ziet ze haar eigen gezicht en niet dat van Olu als ze haar geest scherp stelt, haar lichaam, niet het zijne, doorboord met scherp gebeitelde stenen pijlpunten, bloedend in de sneeuw.

'Nee?' zegt de chauffeur.

'Pardon?' zegt Taiwo.

De chauffeur fronst bezorgd zijn wenkbrauwen. 'Je zei net "nee!" tegen me.'

'Ik bedoelde nee, niet over 96th,' liegt Taiwo snel, ontsteld door die nieuwe gewoonte van haar om hardop na te denken. 'Je kunt er beter bij 125th af gaan, dat is sneller. Dan naar Amsterdam, rechtsaf, en dan zijn we er.'

'Oké,' zegt de chauffeur. Hij werpt een blik op Taiwo.

Ze staart uit het raam, en ziet bloed in de sneeuw.

En hoe was het gebeurd?

De dood van de Lieve Dochter. De pienterste van alle leerlingen, die nooit uit het raam staarde, die haar halve leven met haar neus in de boeken had gezeten, Latijnse verbuigingen had geleerd en de juiste antwoorden had opgehoest. Alleen. Ze was nooit intiem geweest met een man, niet sinds Kehinde; haar pogingen om vrienden te maken of te houden draaiden op niets uit: er was altijd de kwestie van schoonheid, in de vorm van jaloezie bij vrouwen, begeerte bij mannen, uiteindelijk niet van elkaar te onderscheiden, lust en afgunst, bloem en blad van dezelfde verwrongen wortel, uit één en dezelfde oorsprong. Maar toen de pers erachter kwam, brachten ze het evengoed als een heel natuurlijk verhaal: een verhaal zo oud als de wereld, schoonheid, macht en seks, de decaan van de rechtenfaculteit en zijn verboden liefde voor de redactrice van Law Review, BEAUTY AND THE DEAN, pontificaal op de roddelpagina's, en de rest. Dat was het ook, in zekere zin; het was ook 'natuurlijk', dat het zo gegaan was, dat het Meisje in de stad met een slaafse verering voor blonde jongens een Jongen had gevonden (tweeënvijftig, nu zilver-en-goud-kleurig maar vroeger blond) in een stad met een slaafse verering voor de jeugd. De pers zei het niet zo. De pers zei dat decaan Rudd, geboren Rudinsky, fondsenwerver pur sang, whizzkid, charmante advocaat, thans wetenschapper en getrouwd met oud geld (te weten Lexi Choate-Rudd, de bekende culinaire critica van *The New York Times*), ooit winnaar van een Marshallbeurs en stagiair in het Witte Huis onder Carter, speciaal assistent van Clinton, Kroonprins van de Liefdadigheid, eindelijk van zijn glans van Golden Boy was beroofd en onmiddellijk zou aftreden en verkassen.

Het doek was gevallen.

Dr. Hass, de psychotherapeut die door de universiteit was aangesteld om hyperprestatiegerichte studenten aan de vooravond van examens tot bedaren te brengen, vond het ook natuurlijk, zij het een stuk interessanter dan de eetstoornissen en angstaanvallen van alledag. Dat was ook de reden, zoals Taiwo al een hele tijd vermoedt, dat dr. Hass erop had gestaan dat ze pro deo verdergingen nadat het schandaal was losgebarsten en Taiwo met haar studie was gestopt, waarbij ook haar medische studentenverzekering met onmiddellijke ingang was opgezegd – en de reden dat ze nu, anderhalf jaar later, nog steeds bezig zijn: dr. Hass hamerde erop dat ze dit moesten afmaken, dat ze 'er helemaal doorheen' moesten. Met nauwelijks verhulde verwijzingen naar stoppen en afhaken: Clara Hass was een dapper toonbeeld van hoe je dat vooral niet moest doen, stoppen en afhaken, met haar buzzcut en hoornen bril en haar stem als van een dj die laat op de avond zijn softrock mag draaien. Verdere verhalen: 'vaderhonger', 'elektracomplex', volkomen natuurlijk.

Maar nooit één woord over de natuur.

Alsof de affaire kon worden verklaard aan de hand van de psychologie, de sociologie, maar niet de biologie, gegeven het verschil in leeftijd en ras, niet aan de hand van de natuur, de grondbeginselen van de natuur, de onbewuste basis van alles, elementaire instant aantrekkingskracht, lust, intuïtieve, fysieke reacties, dat wat soms domweg gebeurt tussen mensen, net als tussen dieren die elkaars pad kruisen in het bos (of de jungle): de een ziet de ander of snuift een geur op en wordt er als een magneet toe aangetrokken, wil die ander bespringen, ermee paren. De pers had dat niet in overweging genomen. En bij dr. Hass wil het er niet in. Dat Taiwo, zonder enige voorgeschiedenis met oudere mannen, gewoon die kamer was binnengegaan en díe oudere man had gezien, die decaan, Rudd, en hij haar, en dat het toen gewoon was begonnen.

'Meneer Rudd, dit is Taiwo.'

De assistente van de decaan, Marissa.

Het interview, maart, de winter buiten op sterven na dood, aan de bomen op het gazon ontloken al bedeesde roze bloesems, de luide protesten van een snijdende, joelende wind ten spijt: vrouwelijke hoofdrolspeelster betreedt kader, blijft abrupt in de deuropening staan, aan de rand van een tapijt in mosterdgele en wijnrode tinten – zo anders toen, jonger, vastberaden, vol vertrouwen in de toekomst, net terug in New York na drie jaar Oxford, nog onder het toeziend oog van de god van de Goedkeuring, die nog troonde op zijn altaar –, en kijkt naar binnen.

Voelt spanning.

In blauwe fluwelen blazer en jurk annex dashiki, ironische dresscode par excellence, half wat-kan-mij-het-schelen, kwart Yoruba priesteres en kwart nuffig Brits schoolmeisje, opgestoken haar waar vlechtjes uit vielen, hoge hakken, en met dat gevoel dat er een overwinning behaald moet worden, een gevoel dat ze soms nog heeft voor ze een kamer binnengaat waar gescoord moet worden, waar moet worden geglimlacht naar mannen en indruk gemaakt op vrouwen, prooi en roofdier ineen, dat voorpoten en kaken rekt. Ze blijft staan, naast Marissa, beiden overrompeld door de spanning, de uitdrukking op het gezicht van de mannelijke hoofdpersoon, die blik in zijn ogen.

Hij bleef maar staren. Marissa bloosde, de aard van zijn reactie was zelfs haar duidelijk. 'Nou, dan laat ik jullie verder maar alleen,' zei ze zonder een spoor van ironie.

Iemand die betrapt wordt op iets wat hij niet zou moeten doen maar waar hij niet mee kan stoppen. 'J-juffrouw Sai,' zei hij, en hij kuchte. 'Komt u binnen. Alstublieft. Sorry.' Hij schraapte twee keer zijn keel. 'Dank je, Marissa.'

Marissa liep weg.

Taiwo kwam binnen.

Liep langzaam over het tapijt, van deuropening naar armstoel, rood leer, bij zijn bureau. Afgestoten en aangetrokken, allebei, alsof ze zich verzette tegen een stroom die haar meetrok, weerloos tegenover zijn blik, azuurblauw in de schaduw van inktzwarte wimpers, een blik die overal doorheen keek, een doorkijkblik. Doorkeken ging ze zitten.

'Aangenaam kennis te maken,' zei hij, terwijl hij ook ging zitten. Ze gaven elkaar geen hand, alsof ze wisten: nog niet. 'Ik hoopte u al persoonlijk te kunnen ontmoeten. Nadat ik uw essay gelezen had.' Hij hield haar map omhoog. 'Ik kan me niet herinneren ooit eerder zoiets gelezen te hebben.' Hij schudde zijn hoofd en lachte. 'U schrijft veel te goed voor een jurist.'

Niet goed wetend waar ze moest kijken – naar zijn ogen, naar zijn glimlach, naar zijn vinger op de map, naar het licht in zijn haar, waar het zilvergoud in glinsterde – keek ze naar haar handen. 'Dank u,' zei ze.

'Doe niet zo mal. Dank ú.' Zoals hij lachte. 'Het enige wat ik u zou willen vragen is of u zeker weet dat rechten iets voor u is. Ik bedoel niet onze faculteit, niet Columbia Law. Het zou ons een eer zijn u erbij te hebben. Maar rechten in het algemeen. Ik weet wat u schreef. Over de beslissing van uw moeder om haar studie rechten op te geven en alles op te offeren voor haar kinderen.'

'Zo erg was het nou ook weer niet. Heb ik daarover geschreven?'

'In schitterend proza, jazeker, Taiwo Sai.' Met het licht dat door het raam achter hem naar binnen viel tussen hen in. 'Mag ik vragen waar die naam vandaan komt, uw achternaam?'

'Jazeker.' Met het licht in haar ogen, in zijn lach. 'Uit Ghana.'

'Uw ouders komen uit Ghana?'

'Mijn vader kwam uit Ghana, ja.'

'O, het spijt me,' zei hij. Kwam, dus dood, dacht hij. 'En uw moeder?'

'Die spijt het niet zo, geloof ik.'

Het begin. Vanuit het niets: iets ongedwongens, een schertstoon, alsof ze collega's waren, al jaren bevriend, en nu meer dan dat: zoals ze lachten en toen stopten, een halve glimlach die hun lippen kleurde, waarna ze naar elkaar bloosden, en wisten. Een uur lang voerden ze, pro forma, een beleefd gesprek (met de gebruikelijke gespreksstof, haar ongebruikelijke verleden, de tweelingbroer die kunstenaar was in Londen, heel indrukwekkend, een Rhodesbeurs, voortreffelijk, dat Grieks en Latijn), en zij schudde het allemaal losjes en luchtig als altijd uit haar mouw, een goed verteld verhaal over een ander, zonder detail, zonder gloed, 'Ik heb dit gedaan', 'Ik heb dat gedaan', met veel flair maar zonder gevoel, zonder waarheid die verder reikte dan de feiten – en hij luisterde aandachtig, terwijl in zijn azuurblauwe ogen het besef brandde dat er niets werd onthuld, dat de feiten een deklaag waren met de waarheid daar ergens onder, een huid die bij een andere gelegenheid moest worden ontbloot.

Een andere gelegenheid.

Regen, november, Barrow Street.

Allebei verlegen – op een of andere manier had het iets verbijsterends, wat de decaan en een student gedaan hadden, nog even afgezien van het blozen en weten wat ze zouden gaan doen.

Ze kwamen van een feestelijke bijeenkomst in zijn huis aan Park Avenue, waar hij haar en drie andere studenten had uitgenodigd, eerstejaars die er begin november al uit sprongen, om aan alumni uit te leggen waarom ze voor hun faculteit hadden gekozen. Na afloop had hij hen mee uit eten genomen naar een Vietnamees restaurant, waar ze met zijn vijven net aan een tafeltje pasten; de andere drie babbelden gretig en welbespraakt verder, tevreden met hun loempiaatjes en lycheemartini's, terwijl Taiwo, vlak naast hem, hem charmant zag wezen met zijn arm op de rugleuning achter haar. Eau de cologne. Het was niet zo dat ze hem fysiek aantrekkelijk vond – hoewel hij dat in zekere zin wel was,

160

voor iemand van zijn gewicht dan, met het magere lijf van een hardloper van middelbare leeftijd, alle strakheid in armen en benen intact, maar niet zozeer de torso, niet lang, hooguit een meter vijfenzeventig, een heel mooie bouw voor een heel mooi kostuum, met een neus die schuin afliep naar een kelk van een mond, een haviksneus, spitse kin, hartvormige mond, smalle wangen. Het was eerder zo dat ze hem fascinerend vond. Een aanwezigheid. Als hij door Greene Hall liep, voelde ze een rimpeling in de lucht. Alsof er zachtjes aan haar getrokken werd. Haar ogen draaiden als vanzelf zijn kant op, zij draaide mee en daar was hij. 'Juffrouw Sai,' zei hij dan met een glimlach.

Na het etentje gingen de anderen nog uit, er begon net een kille regen te vallen en zij verontschuldigde zich: 'Ik ben moe, volgende keer misschien', waarop hij zachtjes zei: 'Laat me op z'n minst een taxi voor je aanhouden', maar er waren geen taxi's. Ze liepen een eindje, samen, steeds dichter bij elkaar zoals mensen doen als het begint te regenen, half op zoek naar een taxi, half op zoek naar een excuus. Over Lafayette naar Washington Square Park.

'Ik heb hier nog gewoond,' zei ze toen ze langs Hayden Hall kwamen.

'Ik ook.'

'Je hebt nooit aan New York University gestudeerd,' wierp Taiwo tegen. 'Het was Yale, toen Yale Law School, toen de Marshallbeurs en toen het Witte Huis.'

'En dat allemaal van Wikipedia?'

'En dat allemaal van je inleiding vanavond.'

'Uiteraard.' Hij bloosde. 'Ik ben opgegroeid in de Village. Toen de Village nog de Village was, Joods en zwart.' Hij pakte haar hand, niet zozeer bij wijze van avance maar meer om zijn woorden kracht bij te zetten. Zonder te kijken.

'Joods en zwart,' lachte ze. Ze hield hun handen in de lucht, verstrengeld, en liet hem toen los. Het begon harder te regenen terwijl ze door het park overstaken. 'Van de Village naar de Upper East Side, *non è male.*'

'Mijn schoonouders hebben ons dat huis na de studie cadeau gedaan. Een huwelijksgeschenk.' Hij grinnikte. 'Ik heb er zo de pest aan.'

'Aan je eigen huis?'

'Nou, aan het huis van mijn vrouw om precies te zijn; mijn huis is nog hier. Een appartementje aan Barrow Street. Mijn moeder heeft het nooit verkocht. Ze was een enorme wietrookster, als ze een baantje had, meestal als serveerster, was dat nooit langer dan drie of vier maanden, maar ze heeft wel dat appartement gekocht, God hebbe haar ziel. Ze verbouwde haar eigen marihuana en rookte het drie keer per dag. Het was rustig in dat huis. Dáár heb ik mijn eerste meisje gekust.' Hij wees naar een bankje. 'Lena Freeman.'

'Keurig Joods meisje?'

'Zwarte Panter om precies te zijn. We hadden elkaar bij een demonstratie hier bij de fontein ontmoet.'

'Je eerste kus was met een zwart meisje?'

'Een vrouw. Achtentwintig.'

'Hoe oud was jij?'

'Zestien.'

'Je liegt.'

'Nu niet, maar toen wel. Ik deed of ik aan Columbia studeerde.'

'En moet je jezelf nou zien!' Ze gaf hem een speelse tik op zijn arm. 'Over thuis gesproken: is het niet allang bedtijd voor jou?'

Hij bleef lachen. 'Ja. Lexi is naar Napa. Ik moet maar een taxi voor je bellen. Laten we eerst even gaan schuilen.'

Waarop ze het kleine eindje naar Barrow Street renden, drie trappen op naar de stilte en het donker, waar ze even vergeefs rondtastten naar het lichtknopje en hun jassen uitschudden, toen ze opeens op elkaar botsten, borst tegen borst.

Niet veel later kusten ze elkaar zoals je dat doet in een donkere hal als je nog drijfnat bent van een sprint door de regen: met je eigen handen en die van de ander natte kleren uittrekkend in een dringende choreografie die zonder woorden is ingestudeerd. Na afloop lagen ze in de oude slaapkamer van zijn moeder, met de stortbui als soundtrack, allebei naakt, op hun rug; hij pakte haar arm, staalbruin in het maanlicht, en kuste die. 'Wat ruik je lekker.'

'Net als Lena Freeman?' En lachte.

Hij tilde zijn hoofd op. 'Ik weet wat je denkt.'

'Daar zou ik pas echt van onder de indruk zijn.'

'Voor het eerst vanavond?' Met geveinsde geschoktheid. 'Ga je me nu vertellen dat je niet onder de indruk was van mijn toespraak? "Het geven is het geschenk"? Mijn pak? Oké. Het strikje was overdreven. Ook een geschenk van mijn schoonouders.'

'Gestrikt door je schoonouders?'

Hij lachte nog harder. 'Touché.' Hij richtte zich op op een elleboog om haar recht in de ogen te kunnen kijken. Droevig: 'Jij denkt dat ik het ergens ben kwijtgeraakt. Dat ik ooit vrijheid heb gekend, dat ik een visioen had, dat ik Lena had, een vriendin die bij de Zwarte Panters zat, een Jewfro-kapsel, dat er ooit een vuur in me brandde, dat ik een besef had van de wereld en mijzelf, brandend in die wereld, van verlangen om op een of andere manier dingen te veranderen, maar dat ik toen ging studeren en Lexi ontmoette, ging trouwen en binnenliep, een goed huwelijk, en dat het vuur toen langzaam is gedoofd, en dat ik nu op zoek ben naar een vonkje, naar bezieling, dat jij een incarnatie van Lena bent, denk je. Maar je hebt het mis. Ik heb nog nooit iemand als jij ontmoet, Lena niet, niemand, waar ook ter wereld.'

'Indrukwekkend,' zei ze.

'Bovendien, jouw haar. Dat van haar' – hij gebaarde – 'was groter. Een wolk. Een sterrenstelsel.'

'Een afro.'

'Een wereld. Dat van jou' – hij raakte haar dreadlocks aan – 'is niet horizontaal.'

'Vind je mijn blankemeisjeshaar niet mooi?'

'Vind ik jou wát niet mooi?'

'Mijn dreadlocks. Mijn blankemeisjeshaar.'

Hij lachte. Hij lachte altijd. 'Komen dreadlocks niet van Jamaica? Dreadlocks zijn toch op zijn minst Afrocentrisch? Noemen mensen dat nog zo? Afrocentrisch?'

'Ja. Blanke mensen.'

'Je bent aanbiddelijk.'

'Je kent me niet eens.'

'Help me dan,' zei hij. 'Ik wil het. Je kennen.'

'Dat kan niet. Ik ben een studente. Jij bent getrouwd.'

Hij was stil. Na een ogenblik: 'Ik weet het.' Hij liet zich weer zakken om haar iets minder recht aan te kijken. Een aantal minuten zei geen van beiden iets. 'Wat denk je nu?' vroeg hij.

Taiwo dacht – voor het eerst in uren, voor het eerst dat ze niet reageerde maar dacht – dat er ergens iets fout was gegaan, dat als je een jonge vrouw uitzocht voor de rol van liefje/leerling van een hoogleraar wiens vrouw op een wijnvakantie was, dat je dan zou moeten zoeken naar een studente die beter was toegerust voor schandaal (of voor de Village of voor Napa of voor de Upper East Side), een van die sexy pillenslikkers bij wie ze op school had gezeten, bijvoorbeeld, met het haar lichtelijk in de war en uitgelopen eyeliner, en niet Taiwo, een strebertje dat alleen maar de verleidster speelde, een braaf meisje op kokette hakjes. Het was theater, haar vintagejurkjes en American Spirits, haar stroom gevatheden en het bijbehorende sexappeal, met ingestudeerde tekst en flitsende outfits en saaie figuranten; ze speelde de sekspoes, maar had geen flauw idee wat liefde was. Er was Wat In Lagos Gebeurd Was, en daarna de talloze confrontaties met mannelijke vrienden die geil waren, maar niet dit, nooit passie (en bewondering), theater dat tot leven werd gewekt, onmiskenbaar vlees werd. Maar wat moest ze zeggen? Ik weet niet waar ik mee bezig ben? En wat moest ze zeggen toen Rudd, de decaan, zich naar haar toewendde, haar wang aanraakte, merkte dat die nat was en zei: 'Taiwo, huil nou niet,' gevolgd door allerlei lieve woordjes van soortgelijke strekking?

Ze stapte abrupt uit bed en liep naar de badkamer. Ze deed het licht niet aan. Ze ging voor de spiegel staan, en daar stond ze, naakt en hunkerend naar goedkeuring: maker van huiswerk en oogster van lof, altijd wanhopig pogend de Snoezigheid te herwinnen waar ze vroeger beoordelaars mee begoochelde, wie het ook waren. Met het lichaam, als altijd, een vreemde, postcoïtus, de lange, slungelige ledematen en aangeboren huidskleur, een goed lijf, had ze gehoord, hoewel ze het niet geloofde, of het niet echt kon zien, zeker niet na de seks. Nu zag het er functioneel uit, een ding, een hulpmiddel. Een middel om een doel te bereiken, hoewel ze niet wist welk. Ze dacht aan haar zuster, die naar dit lichaam verlangde. Moest half en half lachen om het ironische ervan, hoe zoiets in zijn werk ging: dat zij, Taiwo, zonder daar iets voor gedaan te hebben het modelachtige figuur had geërfd en onderhouden waar Sadie zo naar smachtte – van Fola, die, geschrokken van Sadies lage geboortegewicht, de baby had overvoed en haar tot ziek wordens toe had vertroeteld. (De stoornis. Waar niet over gesproken werd. Hoewel ze het allemaal zagen. Als het gekund had, zou ze gezegd hebben: 'Sadie, hier, neem mijn lichaam, ik wil het niet. Ik heb er nooit iets aan gevonden. En ik heb er ook niet om gevraagd.') Gewoon een kwestie van geluk. Een koe werd geboren in India of in Gary, Indiana. Wie kon je dat verwijten? De heilige koe? En toch was dat wat er gebeurde. Het werd haar verweten. Ze werd begeerd, dat werd haar verweten, of althans zo voelde het, en toch bleef ze die begeerte zoeken. Ze dacht aan dr. Hass met haar sjaal van bombayhennep, turquoise vlekken. 'Je hoeft op mij geen indruk te maken,' had ze onlangs gezegd, terwijl ze achterover-leunde in haar stoel om haar bril op te tillen en haar cliënt aan te staren, een vreemde, milde blik.

'Natuurlijk niet,' had Taiwo ad rem gezegd, en ze had erbij ge-lachen, maar het hese geluid van haar lach had zelfs haar vals in de oren geklonken – ze had wat heen en weer geschoven op haar stoel, van haar stuk gebracht door die opmerking, en strak uit het raam gekeken. 'Dat heb ik al gedaan. U behandelt me toch gratis, of niet?'

'Dat is zo,' zei dr. Hass. 'Maar waarom zou ik dat doen, denken we? Om je bijzondere familieachtergrond? Je opmerkelijke pres-taties? Je formidabele intelligentie? Om je adembenemende schoonheid?'

Taiwo lachte weer, maar het deed pijn. Ze haalde haar schouders op en wreef over haar elleboog. 'Oké,' zei ze. Ze keek naar de klok, de ingebouwde boekenplank, de poster van O'Keeffe. *Cup of Silver Ginger.* En weer uit het raam. Een woord kreeg vorm, voor op haar tong, maar de tranen waren eerst en ze slikte beide in. 'Het is tijd.' Stond op.

'Ik voel me betrokken bij je.' Bleef zitten.

'Weet ik,' zei ze terwijl ze wegliep, en ze meende het.

Oplichtster.

Het woord kwam, verlaat, en bleef voor haar zweven, een vorm in de spiegel, een tint in het licht. Ze stak een vinger uit en raakte haar spiegelbeeld aan, haar ogen glansden, vreemd in het donker (een erfenis, die kleur, van haar Schotse overgrootmoeder). Ze streek over de contouren van haar lippen, trompetschelproze, in de spiegel. 'Taiwo, huil nou niet,' zei ze hem zachtjes na. Ze lachte om de opklinkende woorden en liet haar hand zakken. Wat viel er nou te huilen? Hetzelfde als altijd. Het verpletterende ongeloof in de waarachtigheid van hun liefde.

Ze ging terug naar de slaapkamer, bleef op de drempel staan (gepantserd), en nam inwendig nota van zijn tekortkomingen. Torso minder strak dan armen en benen, haar wat dunner op de kruin. Een beter gecaste vrouw zou op dit moment gevraagd hebben of de man het vreemd vond hier in dit huis te zijn, in de oude kamer van zijn moeder (zij het compleet vernieuwd, de woning van zijn jeugd omgebouwd tot vrijgezellenflat), maar dat kwam niet bij haar op, het had iets vaag vertrouwds, een zoon in het bed van zijn moeder. In plaats daarvan pakte ze haar natte tasje van de vloer naast het bed, waar ze het had laten vallen, liep naar de vensterbank, staalbruin, en ging zitten. 'Vind je het erg als ik rook?'

'Vind je het erg als ik kijk?'

Ze lachte nu, en begon, kringetjes blazend, over iets anders. 'Denk er maar eens over na. Afgezien van rastafari's, de echte, de religieuze, wat voor zwarte vrouwen hebben nou dreadlocks? Zwarte vrouwen op overwegend blanke universiteiten. Dreadlocks zijn blanke-meisjeshaar voor zwarten. Een Black Power-oplossing voor het Blauwe Ogen-probleem: het verlangen naar een lange, zwaaiende paardenstaart. Het kost op een gegeven moment gewoon te veel tijd, vlechten, extensions. En je hebt nog altijd geen kapsel om mee door de regen te rennen. Vergeet de geheime voordelen van positieve discriminatie maar: dat is een privilege van blanke vrouwen. Natte haren. Dat het je geen flikker kan schelen dat je geföhnde haar natregent. Ik ben heel serieus, hoor.'

'Je bent heel betoverend.'

'Vind je?'

'Kom hier.'

'Je baby huilt,' zegt de chauffeur tegen Taiwo, de Ghanese manier om te zeggen dat je mobieltje gaat. Ze hebben de snelweg achter zich gelaten en rijden nu door de sneeuw, die hier nog niet geruimd is. 'Dank je,' zegt ze, waarna ze met een zucht opneemt. 'En waar heb ik deze anomalie wel niet aan te danken?'

'Ik ben het, Olu.'

'Ja, Olu, ik weet het. Dat had ik al gezien.'

Hij negeert haar woorden en zegt zacht: 'Je klinkt alsof je huilt.'

Ze registreert haar eigen tranen en zijn stem. 'Jij ook.'

'Wat is er aan de hand?' zeggen ze tegelijk, waarna ze in de lach schieten als een broertje en zusje die na een ruzie opeens weer bedenken dat ze broertje en zusje zijn. 'Jij eerst,' zegt ze, met het aloude argument: 'Jij bent de oudste.' Ze hoort hem nu harder lachen, al klinkt het enigszins gesmoord.

'Weet je nog,' zegt hij, 'als we iets hadden wat we hem moesten vertellen, dat we dan voor de deur van zijn studeerkamer stonden, te bang om naar binnen te gaan, en dat we dan altijd ruziemaakten wie het eerst naar binnen moest, en dat ik dan zei dat jij eerst moest omdat jij het meisje was, en jij dat ik eerst moest omdat ik de oudste was, en dat Kehinde dan gewoon naar binnen ging terwijl wij nog stonden te bekvechten?'

Ze hapt even naar adem. 'W-waar heb je het over?' Maar het is niet haar broer. Ze weet dat ze het dan zou weten. 'Olu, wat is er gebeurd?'

'Hij is vandaag overleden, Taiwo.'

'Wie?'

Het tromgeroffel.

Een krachtveld van verdriet. 'Hoe weet je dat?'

'Mama belde en vroeg of ik jou wilde bellen.'

Boosheid, onverklaarbaar. 'Kon ze me niet zelf bellen?'

'Taiwo.'

Ze reageert niet. Ze kijkt naar buiten. Herinnert zich het sleeën bij nacht, Lars Andersen Park, sterren. 'Waaraan?'

'Een hartaanval.' Hier hapert zijn stem. 'Ik heb het nummer van Kehinde in Londen niet, jij?'

'Nee.'

'Taiwo.'

'Wat?'

'Hebben jullie elkaar niet gesproken?'

'Nee.'

'Al twee jaar niet?'

'Anderhalf.'

'Hij is je tweelingbroer...'

'Dat hoef je mij niet te vertellen. Heb jij zijn nummer? Hij is ook jouw broer. Niet alleen de mijne.'

'Taiwo.'

'Wát?! Zeg mijn naam niet de hele tijd.' Nu huilt ze.

'Niet huilen,' zegt Olu.

'Waarom zeggen mensen dat? "Niet huilen"?' Ze huivert. 'Sorry.'

'Ik kom er wel achter waar ik hem kan bereiken. Maak je geen zorgen. Het komt wel goed.'

'Heb je Sadie al gebeld?'

'Die ga ik zo bellen.'

'Dat zou ik moeten doen.' Ze droogt haar tranen. 'Ik ben het meisje.'

Olu lacht zachtjes, licht snotterend. Ze zeggen geen van beiden iets. Na een hele lange stilte vraagt hij: 'Gaat het?'

'Ik weet het nog niet. En met jou?'

'Ja hoor.'

Ze kijkt naar buiten en ziet dat ze er zijn. 'Nou, ik ben thuis.'

'Dat mag ik wel hopen,' zegt hij. 'Het is twee uur 's nachts.'

Ze negeert zijn woorden en telt het bedrag uit. 'Ik bel je als ik Sadie gesproken heb.'

'Oké.'

De chauffeur tuurt naar achteren in zijn spiegeltje, de motor draait. Ze overhandigt hem het geld, telefoon tussen schouder en oor.

'Ben je daar nog?' vraagt Olu.

'Ja, sorry.'

'Oké, luister. Ze moet naar New York komen. Ik zal proberen voor morgenavond een vlucht vanaf JFK te boeken.'

'Morgenavond?'

'Voor de begrafenis. We moeten er meteen naartoe.'

Hij praat maar door op zijn Olu's, logistiek, administratie, hun plicht om er te zijn voor hun moeder, het weer. Eindelijk een stilte. 'We spreken elkaar gauw weer,' zegt hij.

'Ik hou van je', in koor. Taiwo hangt op.

Ze blijft een ogenblik naar haar flat zitten kijken. Bloeddruppels van licht vallen uit de kransen aan de deuren. De chauffeur beseft dat hij niks moet vragen en houdt zich stil; blijft zwijgend zitten tot ze uitstapt. Ze overweegt hem te vragen om door te rijden en te blijven rijden, maakt niet uit waarheen maar niet hierheen, niet naar dit huis dat geen thuis is, maar waar dan heen? Er is niets. Er is de minnaar die getrouwd is. Er is haar werk, als serveerster bij het Vietnamese restaurant, een grapje, een binnenpretje, een opgestoken middelvinger naar de god van de Goedkeuring; er is haar familie, verspreid, een zootje, min één. Waar zou ze heen moeten? Ze kan nergens heen. Ze lacht. Geen man en zijn mopshond zien haar uit de taxi stappen, met elegante hakken die wegzakken in de sneeuw op het trottoir, die, hoe zacht ook, is blijven liggen, blote benen bibberend van de kou. Ze bedenkt opeens hoe stom ze er wel niet uit moet zien in de ogen van die chauffeur uit Ghana in zijn degelijke jas, die toekijkt en wacht tot ze van zijn taxi naar de deur is gelopen, en veilig naar binnen. Ze wankelt boven aan de trap op haar torenhoge hakken en draait zich om naar de chauffeur, naar de sneeuw.

Die neerwaarts danst en op haar schouders landt, op haar neus, op zijn voorruit, de stilte bij de storm, alle warmtezoekers van de straat geveegd, een wind die zachtjes waait. Ze steekt een hand omhoog.

Ze zijn engelen in een transparante sneeuwbol, beiden zwijgend en glimlachend, twee Afrikaanse vreemdelingen alleen in de sneeuw: gemoedelijke man in een taxi in een enorme beige jas die wuift terwijl hij wegrijdt van de stoeprand en één keer claxonneert, meisje op het trapje voor haar voordeur in een driekwart witte bontjas die zachtjes huilt en hem stilletjes nakijkt.

4

Er bonst iemand op de wc-deur. 'SADIE!'

Ze zit op haar knieën bij de toiletpot, vingers in de keel. Eerst komt de alcohol, gevolgd door de verjaardagstaart, gevolgd door een vingerhoedje dunne, brandende gal. Ze scheurt wat wc-papier af en veegt daarmee haar mond af. Ze luistert even. De iemand loopt weg. Elders in het appartement zwellen de geluiden van het feest aan, ze overlappen elkaar, lachende jongens, gillende meisjes, van een afstand, zoals een kind het hoort op de bodem van een zwembad, waar ze ligt en omhoogkijkt en doet alsof ze verdronken is. Ze tuurt in de wc-pot zoals ze altijd doet op zulke momenten, de patiënt die nu arts is geworden en het voedsel inspecteert. Het is fascinerend, hoe weerzinwekkend ook, haar braaksel. Hoe het eruit komt, met die logica, in omgekeerde volgorde van inname. En het heeft iets ceremonieels, bedenkt ze, dat neerknielen en hetzelfde walgelijke ritueel opvoeren, herhaling en stilte, altijd dat moment van stilte dat er meteen op volgt. Een offer. Slierten bloed. Ze bestudeert haar nagels, pijnlijk kort en nog altijd stinkend naar braaksel –

de stank komt tussenbeide.

Een speld in de zeepbel, een eind aan de stilte, terugkeer naar bewustzijn: ze zit op een koude vloer. En niet in een toestand van verlichting en loutering, maar bij haar eigen uitgespuugde verjaardagstaart. Ze gaat staan. De arts is crimineel geworden. Ontdoet zich van de bewijslast. Ze zoekt in haar tas naar het gebruikelijke gereedschap. Vochtige doekjes, ontsmettingsmiddel, Scope, reistandenborstel. Ze maakt de tegeltjes schoon met de doekjes zoals ze geleerd heeft. (Soms, als ze de vloer niet heeft afgenomen, valt degene die na haar van het toilet gebruikmaakt iets op.) Ze wast haar handen en gezicht, spoelt twee keer door, poetst haar tanden, en poetst ze nog een keer. Gorgelt met Scope. Uit gewoonte, zonder te kijken, doet ze het toiletkastje open. Ze kan dit kastje en zijn inhoud wel dromen. Op het onderste plankje Adderall en Zoloft en Lorazepam; middelste plankje: Kiehl's-reinigingsdoekjes, Molton Brown-lotions; bovenin: zoete parfums en Trish McEvoy-make-up en Vera Bradley-toilettas met vloeitjes en wiet. Ze schudt een Lorazepam op haar hand en slikt het door zonder water. De telefoon weer. 'SADIE!'

'Ik kom!'

Maar ze komt niet.

Dat heeft ze op Milton geleerd, zich verschuilen in een badkamer, een perfecte ruimte eigenlijk, een cocon, een wereld apart. Het unieke isolement van badkamers, een troost. De uniformiteit van badkamers, zachte gelen, blauwen, groenen. En de spullen in een badkamer, vooral die van een vrouw: niet de ogen maar de toiletartikelen de vensters van de ziel. Ze ging na schooltijd naar hun

huizen toe, of in vakanties naar hun zomerhuizen – altijd uitgenodigd, ieder jaar, geliefd bij alle moeders, Goede Invloed op dochters, met goede cijfers en goede manieren, wat een lief kind, zo beleefd! –, en glipte dan op een gegeven moment weg, naar boven,
naar een badkamer, van het vriendinnetje, of van de moeder, nog
fascinerender.

De badkamer van een moeder.

Een verborgen wereld.

Een kamer vol geheimen, onzekerheden, geurtjes, kristallen
parfumflesjes met verstuivers en babyblauwe doosjes, een buitensporige hoeveelheid etiketten in het Frans. Ze draaide de doppen
eraf, rook hier aan, rook daar aan, romige bodylotions, parfums en
schelpvormige zeepjes. Ze waste haar vingers met handzeep (een
openbaring: thuis gebruikten ze zwarte zeep voor het hele lichaam), waarna ze ze afdroogde aan het handdoekje met mono-
gram, of nog beter, aan de handdoek die aan de deur hing.

Ze gebruikte altijd de handdoek die aan de deur hing als die er
was, die rook naar weerloosheid, naar huid, naar een persoon in
een kwetsbare, zoetgeurende toestand, naar een meisje in de morgen, tropisch nepfruit. Soms drukte ze haar gezicht in zo'n handdoek, overrompeld door de geur, en wilde ze opeens huilen. Altijd
gluurde ze in de pedaalemmertjes, de kastjes, de make-uptasjes,
Kaboodle-toilettasjes, en nam ze iets mee: een soort klungelige
kleptomanie, niet half zo professioneel als de boulimia, niet half zo
klinisch uitgevoerd, en niks bijzonders. Een haarscrunchie of oog-
druppels of een bijna lege lipgloss of een proefsachet handcrème
uit een of ander wellnesscentre, en één keer een oorring, tegen haar
gewoonte in, met een diamantje. Tot iemand 'Sadie!' riep of op de
deur klopte.

'Was je verdwaald in de badkamer?' vroegen ze dan, met een
glimlach in de ogen, wachtend wat voor grappigs ze nu weer zou
zeggen, die Slimme Sadie, zo intelligent, zo lief en zo scháttig, als-

of ze helemaal bij de familie hoorde. 'Ik kon de deur niet van het slot krijgen.' Altijd dezelfde leugen. Onbegrijpelijk eigenlijk, dat dat zomaar geloofd werd, maar iedereen geloofde het.

Andere keren zat ze gewoon in de stilte of lag ze in het bad, alleen, in haar kleren, en keek ze naar het plafond of naar de eendjes op het behang, uitgeput van alle moeite die ze deed.

Net als nu.

Ze zit op het deksel van de wc, met haar voeten opgetrokken, haar armen om haar benen geslagen en haar kin op haar knieën. Weer gaat de telefoon, gevolgd door het schelle 'SADIE! TELEFOON!' van een afstand – maar er komt niemand meer aankloppen. Ze telt.

1, 2, 3, 4, 5, 6, 7, 8.

Een spelletje dat ze met zichzelf speelt, of tegen zichzelf. Doel: raden hoeveel seconden het zal duren voor ze merken dat er iemand ontbreekt, dat Sadie er niet is. Ze heeft het spelletje verzonnen in dat eerste huis, in Brookline, met zijn gekke trapjes en geheime doorgangen. Dan verstopte ze zich in de slaapkamer naast die van haar ouders (toen haar ouders nog als zodanig bestonden, in het meervoud) en hoorde ze de anderen een verdieping lager praten in de keuken, hun stemmen een gerommel, een geroezemoes dat door de vloer heen drong: haar vader en haar broer, wiens stem dieper was geworden, de tweeling, die in groep acht zat, met hun ene hese toon, en haar moeder, die altijd lachte, een gestaag vallende regen, tiktiktik, net huilen: een lach vol tranen.

1, 2, 3, 4, 5, 6, 7, 8.

Wie zou het eerst merken dat Sadie er niet was? Het was Olu, meestal Olu, een bastoon in de verte: 'Waar is Sadie?', een vraag die door de vloerplanken heen drong, een opvlammend licht. Maar op een of andere manier hoopte ze altijd dat haar zus het als eerste zou merken en dat zij naar boven zou komen om haar te zoeken. Maar dat deed Taiwo nooit.

9, 10, 11, 12, 13, 14, 15, 16.

Zittend in de badkamer die ze deelt met haar kamergenote, wachtend tot Philae merkt dat ze er niet is.

Philae. 'Als een zus' voor Sadie. Even mager.

Licht van haar leven en doorn in haar vlees, Philae Frick Negroponte, voormalig lievelingetje van Milton, in de tweede klas van Spence in New York gekomen, nu de lieveling van Yale, met haar Griekse magnatenvader en Amerikaanse moeder die nog afstamt van Henry Clay. Philae, wier glimlach en grijze ogen en blonde haar en gebronsde huid en lange benen Sadie liefheeft alsof ze van haarzelf zijn, die op die dag in september de klas was binnengekomen waar ze niemand kende en die naast háár was komen zitten. Uitgerekend naast haar. Een wonder.

'Mag ik hier zitten?'

'Ja hoor, natuurlijk.'

'Dank je.' In een zwarte leren broek, de eerste leren broek die Sadie ooit gezien had. 'Ligt het aan mij, of kijken ze allemaal naar jou?'

'Naar jou. En ik zou niet zeggen kijken. Eerder staren, of aangapen.'

Ze lachte. 'Ik ben Philae.'

Ze was meteen verliefd. 'Ik ben Sadie.'

'Philae en Sadie,' poneerde Philae, met een stralende glimlach. 'Klinkt leuk. En jij bent ook leuk.' En alles wat daarna kwam: films, logeerpartijtjes, vakanties, halskettinkjes met BFF in het Arabisch (cadeautje van Philae uit Dubai), een vroege inschrijving aan Yale, waar de moeder van Philae en haar ooms en grootvader en overgrootvader en de broer van Sadie ook hadden gestudeerd. Philae en Sadie: onafscheidelijk, onoverwinnelijk, de populairste en de beste leerlinge, gouden koppel van de middelbare school, verkast naar New Haven en nu Campuscelebrity en Dierbare Vriendin.

De loyale, de onmisbare, de steun en toeverlaat, etcetera. Een rol die Sadie speelt alsof ze ervoor in de wieg is gelegd: de Nick voor Philaes Gatsby, de Charles voor haar Sebastian, de Gene voor haar Finny: er is altijd de Vriend, weet Sadie, elke eerstejaars die haar klassiekers kent weet dat de verteller altijd de Vriend is.

Toch slaat Taiwo de plank mis als ze de spot met haar drijft omdat ze praat zoals Philae, met een overmatig gebruik van stopwoordjes als 'zeg maar', of omdat ze zich kleedt zoals Philae, als haar maandgeld dat toelaat – en ook als ze beweert dat zij, Sadie, heimelijk blank wil zijn. Het is geen kwestie van 'blank willen zijn', hoewel het waar is dat ze nooit veel zwarte vriendinnen heeft gehad, op Milton noch op Yale, waar ze haar allemaal overdreven burgerlijk lijken te vinden, en van 'heimelijkheid' is ook al geen sprake. In weerwil van alle kouwe drukte om ras, om authentiek zwart (wat volgens haar meer te maken heeft met muzikale voorkeur dan met identiteit), is het Sadie wel duidelijk dat ze hier allemaal die glans van blankheid hebben, of eigenlijk meer van Amerikaanse traditionele burgerlijkheid: of ze nou zwart zijn, latino of Aziatisch, ze zijn allemaal Ivy League-strebers, ze beginnen hun opmerkingen allemaal met een langgerekt 'uuuhm', en ze zullen uiteindelijk allemaal, met een bachelor in de letteren, eindigen bij een advocatenkantoor, een ziekenhuis, een consultancybureau of een bank. Ze zijn etnisch heterogeen en cultureel homogeen: onvermijdelijk gevolg van intensief contact, osmose en adolescentie. En dat accepteert ze zonder moeilijk te doen, dat is de prijs van de toelating. Ze wil helemaal niet blank zijn.

Ze wil Philae zijn.

Of liever gezegd, bij de familie van Philae horen, de Frick Negropontes, met hun portretten aan de muur boven de trap op Cape Cod, moeder Sibby, zuster Calli, Philae, vader Andreas, en hun foto's op internet, Fashion Weeks, gala's. Ze zijn meer dan levensgroot – of in elk geval groter dan haar familie, de familie

Sai, die helemaal verspreid is, vederlicht, diffuus. De familie van Philae is zwáár, solide, een familie van gewicht, het gewicht van al dat geld wellicht, een soort anker? Dat houdt hen wel bij elkaar, hun rijkdom, Sadie ziet dat, hun rijkdom maakt dat ze allemaal deel uitmaken van één solide geheel, geld houdt hen bij elkaar, om te beginnen Andreas en Sibby, dan de Fricks en de Negropontes: een middelpuntzoekende kracht. Het is niet alleen zo dat haar familie armer is waardoor Sadie zich zo aan de Negropontes vastklampt. Het is vooral omdat ze gewichtloos zijn, de Sais, een uit elkaar gedreven vijftal, een familie zonder middelpuntzoekende kracht, zonder banden. Met niet zo iets zwaars als geld dat als fundament zou kunnen dienen en hen naar hetzelfde stukje aarde zou kunnen trekken, geen verticale as, en ook geen wortels die zich onder hun voeten vertakken, geen grootouders die nog leven, geen geschiedenis, geen horizontale as – ze zijn van elkaar weggedreven, her en der verspreid, en het werd nauwelijks opgemerkt als een van hen van de radar verdween.

17, 18, 19, 20, 21, 22, 23, 24.

Het was een idee van Philae om dit feestje voor haar verjaardag te geven. Sadie gruwt van verjaardagsfeesten – ze wordt er altijd misselijk van, die verpletterende druk om vrolijk te doen, om toch vooral een *happy birthday!* te hebben, wat ze zich niet kan herinneren ook maar één keer in haar leven te hebben gehad – maar Philae stond erop, en Sadie heeft zich laten overhalen, en nu is hun appartement één dronken bende. Ze waren om middernacht bij elkaar gekomen om 'happy birthday!' te blèren, en een gigantische chocoladetaart aan te snijden die bij Payard besteld was, heel feestelijk en dramatisch, heel Philae, die haar had omhelsd en haar op de mond had gekust tot grote vreugde van alle aanwezigen. In zekere zin had ze hier zes jaar op gewacht, op dit moment dat Philae haar in haar armen zou sluiten en zo zou kussen (zij het dan misschien zonder de tachtig of meer omstanders die stonden te joelen, lacrossespelers die vrolijk riepen: 'lesbische actie!'), maar meteen erna, toen Philae begon te roepen: 'Ben je een?! Ben je twee?! Ben je drie?!' was Sadie het liefst gaan huilen.

Ze keek naar haar vrienden (of liever gezegd de vrienden van Philae), die in een oranje gloed riepen: 'Ben je zeventien?!', terwijl de vlammetjes van de verjaardagskaarsjes zich in het raam spiegelden. Ze keek naar buiten. Het begon te sneeuwen.

'Ben je achttien?!'

'Het sneeuwt,' zei ze, maar niet hard genoeg; de vrienden bleven schreeuwen.

'Ben je negentien?!'

'Ik ben twintig.'

Ze zit in de badkamer en denkt daarover na. Twintig. Ze voelt zich geen twintig. Ze voelt zich nog vier. Met tranen die opwellen vanuit haar buik, en gebons op de deur. 'Ik kom,' prevelt ze, en ze zet haar voeten op de grond.

En daar is ze, de adembenemende, benevelde Philae, gezicht bleekroze aangelopen. En die glimlach. Ze steekt haar hoofd naar binnen zonder te wachten, alsof ze daar het volste recht toe heeft, ruikend naar Flower van Kenzo en bier. 'Je zus belt de hele tijd.'

'Mijn zus?'

'Ja, Taiwo. Ze heeft wel een stuk of vier keer naar de huistelefoon gebeld. Je mist je feestje. Wacht, waarom huil je?'

'Weet ik niet,' zegt Sadie.

'Dat weet je niet?' Philae straalt. 'Is mijn kleine meisje een vrouw aan het worden? Ben je uit je dak?' Ze klapt verrukt in haar handen. 'Het werd een keertje tijd! Durf drugs te gebruiken, Sadie Sai! Waag het er 's op!' Ze grijpt Sadie bij haar schouders en draait haar in de rondte. Dan slaat ze haar armen om haar heen, abrupt en veel te stevig. Ze fluistert, of brabbelt meer: 'Ik hou van je, S. Niet vergeten, hoor.' En weg is ze.

De telefoon in de hal gaat weer. Sadie dringt zich door de meute heen en neemt op. 'Taiwo?'

'Waar zit je?'

'Je belt naar mijn huis.'

'Ik bel al uren. Wat ís dat?'

'Wat is wat?'

'Die muziek.'

'Een feestje. De examens zijn net afgelopen.' Ze herinnert haar zus niet aan haar verjaardag.

'... slecht nieuws.'

Taiwo praat door, maar Sadie kan haar niet horen. 'Je bent een beetje moeilijk te verstaan. Kun je naar mijn mobiel bellen? Dan ga ik even naar mijn slaapkamer.' Ze meent 'tuurlijk' te horen en gaat naar haar kamer. Ze doet het licht niet aan. Later zal ze de uren terugtellen, terug naar middernacht, de eerste sneeuw in New Haven, de kus, de lippen van Philae op haar lippen, en de tranen in haar buik: zonsopgang in Ghana. Had ze het geweten? Had ze het gevoeld? Het verlies van haar vader, de dood van een man die ze bijna niet gekend had, die vertrokken was voor zij op de basisschool zat, een vreemde? Hoe zou dat gekund hebben? Wat kon zij zeggen dat ze was kwijtgeraakt?

Een herinnering.

Van iemand anders.

De man op de foto, die ene wazige foto van haar en haar vader in die doffe tinten geel en bruin en gebrand oranje die, daar lijkt het in elk geval sterk op, al hun foto's uit de jaren tachtig hebben: van hem op een schommelstoeltje in de couveusekamer van het ziekenhuis, zoals gezien door een verpleegster, hij in zijn blauwe operatiepak en met een stoppelbaard. De Man van het Verhaal. Die nauwelijks enige gelijkenis vertoont met de man die zij zich herinnert, de kaarsrechte, precieze, gladgeschoren, zelfverzekerde man, die altijd wegging, 's morgens, altijd gehaast door de voordeur verdween in een vers gestreken witte jas. Maar de man die ze zich vóórstelt als ze aan 'haar vader' denkt, een tengere, knappe man met de donkere huid van Olu en dezelfde ogen als zij heeft, bijna Aziatisch van vorm en zacht als koeienogen (niet de ogen waar ze naar hunkert, de ogen van de tweeling, exotisch hazelnootbruin, maar zacht donkerbruin), niet heel lang, misschien een meter vijfenzeventig, even lang als Fola, maar groot als alle helden zijn, achtendertig jaar oud.

De Man van het Verhaal.

Hoe hij haar heldhaftig het leven had gered.

Een herinnering van Fola, van Olu, niet van haar – en toch had ze om middernacht gehuild, en was ze van streek geweest door haar eigen droefheid, een pijn zonder oorzaak tot Taiwo haar terugbelt. 'Onze vader is dood.' Maar niet nu. Nu is er niets, nu ze het nieuws aanhoort. Zelfs geen verrastheid. Ze kijkt naar buiten, naar de binnenplaats van Davenport, en er schiet haar een gedicht te binnen dat ze een keer uit haar hoofd heeft geleerd. 'Ik weet van wie die bossen zijn. Zijn huis is echter in het dorp.' '"Dan zal hij me hier niet zien zitten,"' vervolgt ze prevelend. Taiwo heeft het niet gehoord. Ze gaat gewoon door: 'Ik weet dat je hem niet echt heel goed gekend hebt…' terwijl de gedachten van Sadie afdwalen naar kleinere dingen, de oudste dingen, de meest triviale eigenlijk: het besef dat haar zus haar niet mag.

En nooit heeft gemogen.

Het was begonnen in die zomer toen ze terugkwamen uit Lagos, toen Sadie vijf was, bijna zes, en zij veertien. Olu was het jaar daarvoor met zijn studie begonnen, zodat Fola en zij alleen met de tweeling in dat huis zaten, het 'kleine huisje aan de snelweg', zoals Kehinde het noemde, met de achterkant naar de Star Market, gelijkvloers, geen tuin. Het was de bedoeling dat Sadie een slaapkamer deelde met Taiwo, maar haar zus sloop 's nachts meestal over de gang naar de kamer van de jongens (dat wil zeggen die van Kehinde, er lag een luchtbed voor Olu). Ze praatte nauwelijks met Sadie, praatte sowieso nauwelijks. Kehinde bracht zijn tijd voornamelijk door in zijn slaapkamer met zijn discman en oude lakens waar hij op schilderde, Fola kwam meestal laat thuis van de winkel en zij, Sadie, speelde na schooltijd bij vriendinnetjes – maar het was nooit precies duidelijk wat Taiwo deed, waar ze heen ging, overdag, in het weekend, en met wie. Ze had nooit een vriendje, althans niet over wie ze sprak. Ze had wel een paar vriendinnen, maar die leek ze alleen maar vervelend te vinden. Ze speelde buitengewoon goed piano, een gave, maar ze studeerde bijna nooit en hield er op haar zestiende mee op. In die tijd vond Fola ook een keer wiet in de badkamer, waarop Taiwo na een dramatisch pleidooi schuld bekende. Maar vlak na die scène zat Sadie weggedoken onder de vensterbank in haar slaapkamer en hoorde ze Kehinde beneden voor de deur zeggen: 'Bedankt, het spijt me', en Taiwo: 'Zég dat niet. Zeg niet de hele tijd dat het je spijt.' Sadie gluurde naar beneden, naar haar broer en zus, hun ruggen bronskleurig in het licht van de straatlantaarn. 'Hoe dan ook, ze zou toch niet geloofd hebben dat het van jou was.'

Dus blowen deed ze in elk geval niet.

Wat had Taiwo dan gedaan? Hoge cijfers halen, steeds langer worden, aandacht krijgen, boos worden, ruziemaken met hun moeder of vitten op Sadie of dagen achter elkaar geen stom woord zeggen. Kehinde verzekert haar dat hun zus haar niet haat, dat Taiwo 'nou eenmaal zo doet' bij iedereen, maar het is alleen maar logisch dat Kehinde dat zegt, hij speelt alleen maar voor vredestichter. Sadie heeft het idee dat wat Olu zegt waar is. 'Ze neemt het je kwalijk dat jij mocht blijven,' zegt Olu ronduit. 'Zij werden naar Nigeria gestuurd, jij mocht hier blijven.' Misschien. Maar misschien is het ook wel zo dat zij, net als Olu en Kehinde, die ook niet bepaald boezemvrienden zijn, gewoon niet bij elkaar passen:

twee zussen die niet samengaan, de ene plichtsgetrouw, volgzaam, redelijk, zij het innemend. De wind onder de vleugels van de andere, de vogel.

Een snerpende vogel. 'Luister je wel?'

'Ik luister.'

'Zeg dan iets. Ik dacht dat je had opgehangen.'

'Nee, ik ben er wel. Ik ben er nog. Ik ben alleen... stil als ik luister.'

'Ik weet dat dit moeilijk is...'

'Het is niet moeilijk. Het overrrompelt me alleen. Ik luister. Wat zei je?'

Taiwo zegt net: 'Ik zéí, als je geluisterd had, dat we om tien uur onze visums bij het consulaat moeten ophalen, dus je moet zo snel mogelijk een trein naar New York nemen', als Sadie opeens aan Kehinde denkt, aan de kaart. 'Heb je Kehinde al gesproken?'

'W-wat? Nog niet.' De stem van Taiwo stokt even. 'Hoorde je wat ik zei? Je moet hierheen komen.'

'Dat... dat kan niet. Ik moet een essay inleveren.'

'Wat zeg je nou?'

'Ik moet het persoonlijk inleveren.'

'Waarom?'

'Er moet voor getekend worden. Voor de datum, zeg maar.'

'Onze vader is dood.'

'Het is de helft van ons cijfer.' (Daarmee raakt ze een gevoelige plek.)

'Zit je me nou voor de gek te houden?'

Taiwo praat gewoon door met haar gruizige stem, het gebruikelijke gebazel over de waarden van upperclass meisjes, terwijl Sadie, verwoed en zwijgend, in de troep naar de FedEx-envelop zoekt waar de kaart in zat. Ze hoort een korte stilte, dan: 'alweer die stilte', en brengt de telefoon naar haar mond. 'Nee, ik ben hier. Ik ben er nog. En je hebt gelijk. Ik bedacht net iets. Ik kan het naar haar huis brengen.'

'Van wie bedoel je?'

'Van mijn professor.'

'Oké, waar?'

'In New York.'

'Oké, wáár in New York?'

'Ergens in Brooklyn, volgens mij.' (Gekrabbeld op het FedEx-formulier, een adres in Greenpoint.)

'Prima, Sadie.' Taiwo zucht. 'Kom hierheen. Ik breng je wel naar Brooklyn. Wanneer kun je hier zijn?'

'Ik neem de Metro-North. Als ik om een uur of zeven vertrek, ben ik er zo rond negen uur, toch?'

Ze wisselen ten afscheid nog wat beleefdheden uit.

Dan hangt Sadie op.

Stilte. Ze zit in het donker en herhaalt het: 'Onze vader is dood.' Niet eens zozeer een verrassing. Gillen en lachsalvo's van de gang, een meezinger: *Under the bridge down-toooown!'* De sneeuw. 'Jóúw vader is dood,' zegt ze, wachtend op (uitkijkend naar) het verdriet. Nog steeds niets. Ze doet haar ogen dicht. Ze wil iets voelen, een normale reactie, een teken dat het ertoe doet dat iemand er niet meer is, ook al is het dan haar vader die er al zo lang niet meer is dat zijn wegheid volledig voor zijn bestaan in de plaats is gekomen. Ze knijpt haar ogen dicht en stelt hem zich midden op de foto voor, nadat hij net haar leven gered heeft, maar ze voelt alleen af-stand, een steeds grotere afwezigheid als zachte hopen sneeuw tussen toen en nu. 'Je vader is weg,' probeert ze, nog steeds met haar ogen dichtgeknepen – of misschien hoort ze het, herinnert ze het zich, een herinnering die zelden naar boven komt, aan een middag, in de winter, toen ze nog op de kleuterschool zat, haar moeder in de keuken, ogen en stem uitdrukkingsloos.

'Je vader is weg,' zei Fola met zachte stem. Een weekend moet het geweest zijn; Olu was thuis. Ze zaten aan tafel te ontbijten, met z'n vieren, Fola stond aan het aanrecht een ui fijn te snijden. Er lag sneeuw. Niemand vroeg iets, tenminste niet dat ze zich kan herinneren; ze verwonderde zich over de kleuren van haar Lucky Charms. Ze keek naar hun gezichten, naar haar broers en zus, één strak Oyo-masker en twee paar lichtbruine glinsteringen. Taiwo stond op van tafel, zonder iets te zeggen. Fola knikte. Kehinde stond ook op van tafel, zei 'Taiwo', en ging achter haar aan. Olu liep naar hun moeder en sloeg zijn armen om haar heen. Fola zei: 'Ik houd van je,' en Olu: 'Ik weet het.' Olu gaf Sadie een kus op haar voorhoofd en liep de keuken uit. Fola keek naar Sadie. 'Zijn we met z'n tweetjes.'

Nú komt het verdriet, aanzwellend vanuit de stilte. Ze slaat haar ogen op en de pijn stroomt eruit, niet de pijn die ze geprobeerd heeft af te dwingen om het verlies van haar vader, maar verlangen naar Fola. Ze mist haar moeder. Het eenvoudigste van alle gevoelens, een diep kloppend verlangen, hoewel er een paar minuten voorbijgaan voor ze weet wat het is, en nog een paar minuten voor haar adem stokt en ze achterover gaat liggen, huilend, doodmoe, op haar oude kente sprei. (Of eigenlijk Fola's oude sprei – versleten, verbleekt en zacht, de zwarten vervaagd tot grijzen, de roden tot rozes –, maar Sadies meest geliefde bezit, opgediept uit de kelder in Brookline toen ze tussen de oude spullen van Fola naar verkleedkleren zocht. Ze had de kente helemaal om zich heen geslagen en was verrukt naar de keuken gestapt: 'Ik ben een Yoruba koningiiiin!' Fola had haar gezien en haar adem uitgestoten alsof ze een stomp in de maag kreeg. Er stonden tranen in haar ogen. 'Je bent een prinses,' had ze gefluisterd, en ze had haar in haar armen genomen, 'een klein prinsesje,' maar ze had nooit meer gezegd, nooit over haar verleden gesproken.) Sadie ligt op haar rug, met haar knieën tegen haar borst, en de tranen rollen aan weerskanten over haar oren en op het kussen. Haar gedachten gaan verder:

Fola, jaren later.

Die blik alsof ze een stomp in haar maag heeft gekregen.

Het hoefde niet gezegd te worden.

Een ander huis, een andere keuken, twee maanden geleden (nauwelijks, zeven weken, hoewel het voelt als twee jaar, denkt Sadie). Ze was het weekend thuis, Halloween, pompoenen snijden, Fola's nieuwste bedenksel, een doorslaand succes in de winkel: uitgeholde pompoenen vol blad, Cottage Apricot chrysanten, afrikaantjes, Goldsturmen, heide, cranberrytakjes – een rage onder de huisvrouwen van Chestnut Hill dat seizoen, na een stukje in het magazine van *The Boston Globe*. Minipompoenen als bloempot. Honderd procent Fola: iets-uit-niets, er het beste van maken, een ode aan Halloween, haar meest geliefde rite, met geesten in kostuum en het geven van cadeaus. 'Net een Yoruba fetisjritueel, maar dan met snoep,' had ze eens verrukt gezegd. Ze had hun kostuums elk jaar eigenhandig genaaid, elk jaar een *orisha*, half spottend als gewoonlijk, want ze nam nooit iets serieus. Behalve schoonheid. En soms behalve haar, Sadie.

De baby. 'Baby Sadie,' noemt Fola haar (of noemde ze haar), het kind dat het meest op hun moeder lijkt en in zekere zin ook het dichtst bij haar staat, omdat ze tien jaar bij haar in huis heeft gewoond zonder de anderen, alleen zij tweeën, enig kind en alleenstaande moeder, dikke vriendinnen: ze spreken elkaar minstens één keer per dag over de telefoon, zijn elke maand twee weekenden samen, zonder uitzondering, bereiden samen een stoofpot, bakken samen een vruchtentaart, halen elkaars vlechten los, kijken samen naar films over natuurrampen en gaan samen op koopjesjacht. Taiwo zegt dat Fola Sadie als haar lieveling behandelt (waarop Fola zegt: 'Zij is mijn tweede lievelingsdochter; jij bent mijn eerste lievelingsdochter'), maar volgens Sadie is het eerder zo dat Taiwo hun moeder niet begrijpt, terwijl zij, Sadie, haar om een of andere reden wel begrijpt, en accepteert zoals ze is. Haar manier van denken, haar gekke invallen, haar vage, neutrale antwoorden en afwezige lach, de schijn van onverschilligheid en de ondoorgrondelijke stilte – Sadie vindt dat allemaal rustgevend, troostvol. Daar komt bij, Philae zegt dat ze er jaloers op is hoe 'chill' Sadies moeder is en Sadie stroomt zo ongeveer over van trots vanwege die afgunst. Het is het enige wat Sadie wel heeft en Philae niet (denkt ze). Haar moeder. Haar loyale, onmisbare, geheimen bewarende, zwijgzame, onverstoorbare, mooie moeder.

Die ze niettemin, toen ze nog geen twee maanden geleden in de keuken pompoenen stonden open te snijden – terwijl de middag zonder enige haast overging in de avond, met buiten in de tuin een prachtvertoon van bladeren en binnen die merkwaardige laag van stilte die zich tussen hen in vormde, en om hen heen, somber als het licht –, die ze niettemin haar ondoorgrondelijke stilte opeens niet meer gunde. Een knoop in haar maag. Ze legde het mes neer. 'Maar mama…' begon ze.

'Mmm?' zei Fola, zij het afwezig, zonder op te kijken, met vochtige zaadjes aan haar vingers.

De herkenningsmelodie van *All Things Considered* zette in en voorzag de stilte van structuur.

Sadie draaide zich om naar het raam en keek naar het gebladerte in de gloed van de zonsondergang, New England op zijn best in een bescheiden achtertuin in een reeks soortgelijke tuinen die bij deze appartementen hoorden (het derde en laatste waar haar moeder naartoe was verhuisd sinds ze met haar studie begonnen was, een verhuizing die ze binnen een week had gefikst, ze had al hun spullen in dozen verpakt en de dozen in een opslag gezet), nog altijd vreemd, het uitzicht, na drie jaar van weekenden thuis: ze keek weer naar haar moeder en probeerde haar gedachten te ordenen. Wat was het, vraagt ze zich nu af, daar buiten, in die vuurstorm van gelen en bruinen en roden in de zon, net een ansichtkaart, idyllisch Coolidge Corner, in een Indian Summer die lang aanhield dit jaar, wou dat je hier was! – wat was het dat haar zo eenzaam maakte, zo wanhopig eenzaam? Dat haar het gevoel gaf dat hun leven, dat van haar en Fola, een schijnvertoning was? Dat ze helemaal niet bij dat beeld, bij die ansichtkaart hóórden? Dat ze allebei bedriegers waren? Ze weet het nog steeds niet. 'Ik weet wat je schreef over de kerstvakantie, maar vorig jaar was het Boston. Dit jaar is het St. Barth's.'

'Dat weet ik, schat,' zei Fola zonder op te kijken. 'Je kunt volgend jaar de schade weer inhalen.'

Sadie aarzelde. Wat nu?! Om het jaar vierde ze de kerst in St. Barth's, met de Negropontes. Dan vertrok ze op de drieëntwintigste met Philae vanaf JFK en kwam ze de dertigste weer terug om samen met Fola oudejaarsavond in Boston te vieren, de enige familietraditie die ze hadden. Eerst de feestelijke oudejaarsdag zelf, dan uit eten bij Uno's, spinoccoli pizza, daarna naar de haven om af te tellen, de tweeling was daar nooit bij en Olu was altijd bij Ling, ze waren met z'n tweeën en stonden altijd dicht tegen elkaar aan, arm in arm. Maar nu had haar moeder er, om wat voor reden dan ook, op aangedrongen dat Sadie dit jaar óók in Boston was en dat ze allemáál moesten komen, Olu, Taiwo en Kehinde, in elk geval voor de grote dag, voor eerste kerstdag. Met een voor haar volstrekt ongewoon vertoon van emotie en langs de voor haar nog veel ongewonere weg van de elektronische communicatie had ze afgelopen week een groepsmail verstuurd, een bericht van drie zinnen. De boodschap luidde: 'Mijn lieve schatten, ik zou graag willen dat we deze kerst samen waren, met z'n allen. Laat het me alsjeblieft weten. Liefs, jullie moeder.' Een vreemde ondertekening, aangezien ze zichzelf nog nooit moeder had genoemd, hun moeder. Sibby wel: rood aangelopen en snikkend en ziedend onder aan de trap, zwaaiend met haar vuisten, 'Ik ben wel je moeder, jongedame!' lettergreep voor lettergreep, 'Jij doet wat ik zeg!' Snikken en zieden doet Fola niet. Ze praat nooit met stemverheffing tegen hen. Als een van hen tegen haar schreeuwt houdt ze gewoon haar hoofd schuin en wacht. Dat is geen geduld, en ook geen onverschilligheid, maar iets daartussenin, belangstelling voor de benarde toestand waarin de schreeuwer kennelijk verkeert, empathie, zij het van een afstandelijke soort.

'Daar gaat het niet om,' zei Sadie eindelijk, waarna Fola haar ogen opsloeg, waarna Sadie haar ogen neersloeg. Met het aanrecht tussen hen in (en nog hardere dingen). 'Ik wil de kerst met een família doorbrengen.'

Fola glimlachte. 'Jij hebt je eigen familie.'

'Wij zijn geen familie,' prevelde Sadie. Heel snel, heel zacht.

Dat gezicht, alsof ze een stomp in haar maag had gekregen.

'Wat bedoel je daar nou weer mee?' Fola bleef glimlachen. Maar niet van harte. 'Jullie zijn allemaal van mij, hoor.'

'Dat is niet wat ik bedoelde.'

'Maar wat bedoelde je dan wel, baby Sadie?'

Waarop Sadie: 'IK BEN GODVERDOMME GEEN BABY MEER!'

Fola liet geschokt haar lepel vallen. Sadie barstte geschokt in tranen uit. Ze had nog nooit van haar leven tegen Fola gevloekt of geschreeuwd, maar leek zich nu niet meer te kunnen beheersen. 'Mijn baby! Baby Sadie! Baby, baby – ik ben godverdomme negentien! Ik ben geen baby! Ik ben geen kind! En ik ben ook niet jouw plaatsvervangende echtgenoot! Het is al, hoe lang geleden mama, vijftien jaar, dat jij bij papa bent weggegaan, of papa bij ons. Ik bedoel, vind je het niet een keertje tijd worden om te gaan daten, om een éígen leven op te bouwen? Ik ben negentien – bijna twintig. Ik ben het spuugzat hier bij jou te moeten zijn. In het weekend. Met de kerst. Aan de telefoon. Het is te veel. Ik wil mijn eigen leven leiden, ik wil léven!'

Fola hield haar hoofd schuin, wenkbrauwen gefronst, mond in

een omgekeerde glimlach. Maar zei niets. Ze lachte, een geluid dat aan snikken deed denken, draaide zich om en liep de keuken uit.

Sadie wachtte een ogenblik te lang en volgde toen het geluid van voetstappen op hout door de gang, langs de slaapkamer voor de kinderen (één slaapkamer) naar achteren, naar Fola's kamer. Maar ze was te laat, de badkamerdeur knalde dicht en werd op slot gedraaid. 'Mama,' zei ze. Ze klopte op de deur.

'Ga weg,' zei Fola. 'Ga je eigen leven leiden.'

Ze klopte nog een keer. 'Alsjeblieft, mama, het spijt me.'

Maar Fola zei niets meer en kwam niet naar buiten. Sadie ging bij de dichte deur van haar moeders badkamer zitten, die kamer vol geheimen, en wachtte, een uur, misschien langer, terwijl buiten de zon onderging in een vloeiend oranje en de slaapkamer donker werd, waarna de maan naar binnen begon te schijnen, een zacht grijs schijnsel. Eindelijk stond ze op, klopte nog een keer op de deur, zei 'Ik ga', en wachtte tot Fola de deur open zou doen. Maar dat deed ze niet. 'Ik hou van je.' Geen reactie. Knoop in de maag. Ze ging naar haar slaapkamer en ontdeed zich van een late lunch. Toen terug naar de keuken, de plaats delict, waar ze de rommel opruimde. Ze belde een taxi, pakte haar spullen, ging met de taxi naar het station en nam de trein terug naar de campus, nog steeds zonder te weten wat ze bedoeld had met alles wat ze gezegd had.

Fola belde niet die avond. En heeft sindsdien ook niet meer gebeld. Een paar dagen later belde Olu wel, om te zeggen dat hun moeder ging verhuizen.

'Hoe bedoel je, verhuizen?'

'Ze gaat naar Ghana.'

'Wanneer?'

'Ze vertrekt vrijdag.'

'Wát?'

'Dat was het enige wat ze zei. En dat jullie nog steeds niet met elkaar gepraat hebben. Je zou haar eigenlijk moeten bellen.'

'Weet ik.'

Maar dat heeft ze niet gedaan.

Ze zou Fola willen zeggen dat ze van haar houdt, dat het haar spijt, dat ze die vreselijke dingen die ze gezegd heeft geen moment echt gemeend heeft, en dat hoe het ook mag lijken vanuit dat appartement in Coolidge Corner, wat Fola zich daar ook maar in het hoofd mag halen, dat ze niet alleen is – maar dat kan ze niet: twee van die vier beweringen zijn niet waar, en bovendien heeft ze het nieuwe nummer van Fola niet.

Je moeder is weg, denkt ze, ineengedoken op het bed in haar kleren, op een sprei die ruikt naar het verleden, naar een tijd, heel kort, dat ze in een huis woonden met de Man van het Verhaal en dat ze nog heel waren, en ze huilt heel zachtjes om alles wat wel waar is, om het verlies van die man en om het gemis van haar moeder, dat alles zo licht is geworden en dat zij zich zo verloren voelt, dat ze allemaal zo alleen zijn, zo ver van elkaar af staan, zo wijd verspreid zijn. Wat ze Fola niet zou kunnen vertellen is waarom ze de pest heeft aan Kerstmis, waarom ze die week zo graag verdwijnt naar St. Barth's: om de afstand niet te voelen, het hartverscheurende verschil tussen wat ze geworden zijn en wat een Familie zou móéten zijn. In St. Barth's, met de gebronsde Negropontes, blijft de iconografie haar tenminste bespaard: de reclames op de televisie en de etalages in het winkelcentrum en de kerstliedjes en de verkondigingen dat dit de gezelligste tijd van het jaar is. In St. Barth's kan ze tenminste vanbuiten kijken naar het geruzie en gelach, naar een gezin dat leuke dingen doet, een echt gezin, dat niet doet alsof het gelukkig is omdat het kerst is maar dat gelukkig is omdat ze op St. Barth's zijn. Het strand en de zon en de bootjes brengen een akelige waarheid aan het licht: dat het allemaal één grote schijnvertoning is, gepofte kastanjes en arrensleeën. Plus nog een andere waarheid, haar grootste angst: dat ze er niet bij hoort.

Maar dat hoeft daar ook niet echt. Daar niet.

Wat ze Fola niet zou kunnen vertellen is dat het veel minder pijnlijk is om niet bij een familie te horen die niet van haar is, dan om alleen met zijn tweeën in Boston te zitten, met een glimlach om de mond, en telkens opnieuw alle redenen op een rijtje te zetten waarom verder geen van de kinderen thuis is. En ook al zouden ze er wel zijn – Ling en Olu en Taiwo, en Kehinde vanuit Londen – dan nog zou het niet hetzelfde zijn. Fola denkt dat ze er iets aan kan veranderen, maar Sadie weet wel beter, weet dat alles wat ze zouden doen, alles wat ze kúnnen doen, een leugen is. En ze heeft geen zin om te doen alsof er niks aan de hand is, aan tafel in dat appartement waar Fola in een opwelling naartoe is verhuisd, om met haar broer en de tweeling en hun moeder aan die tafel te zitten en de waarheid leugenachtig weg te lachen: want stuk voor stuk voelen ze zich alleen, of ze nou iets Nigeriaans en verrukkelijks eten, dat Fola gemaakt heeft, maar dat op een of andere manier niet op zijn plaats is, bij die boom en de sneeuw, of een traditioneel kerstgerecht dat nog minder op zijn plaats is en niet eens lekker omdat het afhaaleten is. Ze huilt bij de gedachte: het hele stel bij elkaar, een uiteengeslagen vijftal (zes min een) aan de *Boston baked beans*. En huilt zichzelf in slaap, nog altijd met haar kleren aan. Niemand komt haar zoeken, urenlang niet. Ze slaapt ongestoord.

Iemand klopt op de deur van haar slaapkamer. 'Sadie?'

Ze ligt op de kente sprei te slapen, nog in de kleren. Ze slaat haar ogen op naar het grijze schijnsel in haar kamer en tuurt uit het raam: een deken van sneeuw. Zonsopgang, bleekroze, de grote finale van de storm, absolute stilte, de hele wereld is witgewassen. Ze kijkt op haar iPhone. Zeven uur 's ochtends. Ze wrijft in haar ogen, die rauw en opgezet zijn van het huilen. En denkt dat ze het gedroomd heeft – het telefoontje, de kus – als dezelfde iemand zachtjes aanklopt en de deur op een kier openduwt.

Daar is ze. De betoverende, eigenzinnig geklede Taiwo. Haar bruine gezicht is roodachtig aangelopen van de kou, ze steekt haar hoofd de kamer in, er ligt sneeuw op haar dreadlocks en op haar witte bontjas, die zwaar naar parfum ruikt. 'Je bent er,' zegt ze, buiten adem. 'Goddank ben je nog niet vertrokken.' En nog meer, over dat ze zich vergist had, dat ze na hun telefoontje meteen naar Grand Central gegaan was om de trein naar New Haven te nemen, omdat ze opeens beseft had dat ze er helemaal naast zat, het was niet waar dat er niets was, niemand, nergens om heen te gaan, Sadie was er, Sadie werd twintig, baby Sadie, die studeert aan Yale... wat allemaal nauwelijks tot Sadie doordringt omdat ze helemaal versuft is van stomme verbazing en alleen die paar woorden in haar hoofd blijven oplichten. Zodat ze jaren later, als ze terugdenkt aan dit moment – aan haar zus in de deuropening van haar kamer op de campus, met sneeuw op haar hoofd en schouders, op hoge hakken, die de deur achter zich dichttrekt, stilvalt, naast haar komt liggen op het grote bed, en haar armen om Sadie heen slaat als vleugels van wit bont die merkwaardig genoeg naar vader ruiken, iemand die Sadie niet kent –, ze alleen haar eigen stem in haar hoofd hoort, in de stilte: ze is voor mij gekomen ze is voor mij gekomen ze is voor mij gekomen ze is voor mij gekomen.

5

Ze nemen de trein naar de stad. Sadie ligt met haar hoofd op de schouder van Taiwo, Taiwo leunt met haar hoofd tegen het raam. Beiden doen alsof ze slapen. Als ze op het station aankomen vraagt Taiwo of Sadie die professor niet meteen zou moeten bellen, en dat essay nu naar haar toe brengen. Ze zijn hier veel dichter bij Brooklyn, legt ze uit, op Grand Central; ze kunnen er zo met een taxi naartoe en dan terug de metro nemen. Sadie zegt dat het wel een beetje gênant is, om een professor, zeg maar, te bellen, ze kan het essay ook met een briefje erbij in de brievenbus gooien. Ze haalt een grote envelop tevoorschijn waar in schuinschrift een adres op staat: Huron Street 79, Brooklyn, New York. Een norse Russische taxichauffeur stemde er met enig gebrom in toe om hen, tegen contante betaling, over de Queensboro Bridge te brengen, al vroeg hij zich wel af wat een mens op zondagmorgen om tien uur in Greenpoint te zoeken kon hebben, afgezien misschien van Poolse worstjes. Taiwo staart naar buiten, naar de Poolse uithangborden, de witte hekken, de bakstenen, ze is hier nooit eerder geweest. Wanneer ze bij het adres aankomen, fronst ze haar voorhoofd. De chauffeur heeft ook zijn twijfels. 'Negenenzeventig. Hier is het.' Huron Street 79 heeft meer weg van een bunker, een klein pakhuis of een garage, dan van een huis, met zijn enorme rasterwerk aan ramen met industriële kozijnen, te hoog om door naar binnen te kijken, en een roestende voordeur. Taiwo vraagt aan Sadie of ze zeker weet dat dit het adres is; wat voor professor woont er nou in een grote garage? Sadie zegt een professor in de feministische theorie aan Yale en duwt het portier aan haar kant open, maar dan zegt Taiwo, bevangen door het nieuwe gevoel dat ze haar zus moet beschermen, tegen de chauffeur: 'Laat de meter maar lopen,' en duwt het portier aan haar kant open. Sadie, opeens bang, geeft de envelop aan Taiwo. Taiwo, opeens galant, zegt: 'Blijf maar zitten,' en glijdt en hobbelt over de sneeuwhopen die het trottoir aan het oog onttrekken naar de deur van de vreemde garagewoning, en zoekt overal naar een brievenbus als ze het ziet.

De naam bij de bel.

6

Kehinde luistert naar de *Danse Macabre* van Saint-Saëns, het gieren van een ketel en het aanhoudende gezoem van de hitte. Hoewel hij zich later zal herinneren dat hij geritsel hoorde en dat hij op onderzoek uitging, voelt hij (zonder het te horen) dat er iemand voor de deur staat. In zijn borstkas, links, een licht trekkerig gevoel. Hij loopt weg bij het schilderij, de ketel, de hitte, loopt kalm naar de voordeur, door de hal. Niet de postbode, op zondag, denkt hij, maar wie dan wel? De enigen die weten dat hij in Brooklyn woont zijn zijn assistent in Londen en zijn galeriehouder in Bern. (Verder schijnt iedereen te denken dat hij zich schuilhoudt in Mali, of afgaande op de bedragen die zijn schilderijen op de veiling opbrengen, dat hij dood is.) Hij heeft een kwast in zijn hand, Fez-blauw drupt op de vloer, stralend ultramarijn gemengd met wit. Hij heeft aan wat hij altijd aanheeft als hij werkt: een met verf besmeurde trainingsbroek, een New York University-T-shirt en Marokkaanse sloffen. Hij bedenkt dat hij de ketel misschien had moeten uitzetten of de kwast had moeten neerleggen voor hij hierheen liep, dat er meer wit door het blauw moet, dat het koud is in de hal, allerlei losse gedachten, plus die ene vaste, aan haar, als hij de deur opendoet, verstrooid, zonder te kijken, zodat hij zijn zus hoort (zonder haar te zien).

'Ben jij het?'

Ze staat voor zijn deur, op straat staat een taxi. Een portier gaat open en Sadie stapt uit. De ogen van Taiwo, die zijn ogen zijn, lopen vol met tranen, net als de zijne. Ze raakt zijn wang aan, zijn kaak, zijn kin, het dunne baardje wat hij in de zomer heeft laten staan (iets nieuws, en het enige dat zijn slanke gezicht niet háár gezicht maakt, het enige zichtbare van wat er in de maanden dat ze elkaar niet gesproken hebben tussen hen in is komen te staan), ze voelt eraan, maar heel zachtjes, tastend met haar vingertoppen, een pianiste, een blinde vrouw die het in zich opneemt, dit nieuwe verschil tussen hen, die nieuwe afstand, haar ogen wijd open terwijl ze hem aanraakt, maar héél voorzichtig, alsof hij zou kunnen verdwijnen als ze te hard drukt, alsof te veel druk een eind zou kunnen maken aan de illusie dat ze er allebei zijn, nu, hier, na alles wat gezegd en niet gezegd is dat tussen hen in is komen te staan, de illusie dat het enige wat van die afstand over is gebleven wat baardhaartjes zijn – als haar handen beginnen te beven, van de kou, zou hij kunnen denken, ware het niet dat haar vingertoppen gloeien.

Schaamte.

Van haar. Van vreemde origine, nu vertrouwd, onmiskenbaar. Haar schaamte, die hij voelt alsof het zijn schaamte was maar niet is, al stamt hun schaamte van dezelfde tijd en dezelfde plaats, net als zijzelf, verschillende schaamtes om dezelfde plotselinge gedachte. Wij horen elkaar niet aan te raken. Zij denkt het, hij voelt het, zij laat haar hand zakken, hij slaat zijn ogen neer en zegt: 'Ja,' en dan: 'Ik ben het,' tegen zijn met verf besmeurde vingers, waarop zij, ongelovig: 'Is dit waar je wóónt?'

Jazeker: boven het atelier, een twee verdiepingen tellende werkplaats met enorme bakstenen muren, wit geschilderd, dakramen
en negen half afgemaakte portretten tegen de achterwand waarvan hij hoopt dat ze ze niet zullen zien vanaf hun stoel bij de deur,
die blauw is geschilderd, een enorme garagedeur die hij heeft laten
zitten toen hij het pand vorig jaar kocht van de oude Joegoslaaf die
op de hoek woont, en die hier auto's repareerde voor hij ziek werd.
Kleine hal bij de ingang, een 'receptie' voor gasten, mochten die
zich aandienen, met een tapijt, ruwhouten tafel, drie stoelen, Frank
Lloyd Wright-stoelen, geschenk van een inmiddels overleden be-
wonderaar, een criticus, in ruil voor een portret dat hij gemaakt
had. Verder niks. Alleen de verven en het ene werk-in-uitvoering
uitgestrekt op het beton, ruim twee meter lang, een zogenaamd
modderdoek, iets nieuws, weer iets heel anders dan de portretten
die hij van kralen maakte nadat hij naar het buitenland was vertrokken.

Boven aan de trap is een tussenvloer met keuken en badkamer
en een bed vanwaar je uitkijkt over het atelier, een verdieping met
twee witte stenen muren en een raam van vloer tot plafond waardoor je op een dakterras kunt komen. Daar woont hij. Een jaar nu,
ruim, nadat de artsen besloten hadden dat het veilig was – na zes
maanden opgenomen te zijn geweest, zes maanden van gebabbel,
kalmerende middelen en herkauwen van alle redenen dat hij dood
wilde (eentje maar) in een kamer met uitzicht op een tuin, zeer
druilerig, zeer Engels, maar op een of andere manier rustgevend,
onder water, allemaal grijzen en groenen, porseleinen verplegers
en porseleinen servies voor pijnstillers en thee, een halfjaar waarin
hij op die tuin had uitgekeken en hem had geschilderd, terwijl de
littekens langzaam donkergrijs werden en de grijze takken groen –
tot dr. Shipman op een dag in augustus tegen hem zei: 'Je bent
klaar,' zijn borstelige witte wenkbrauwen opgetrokken, 'klaar om te
leven.'

Dit is waar hij toen heen is gegaan. Hij was in augustus uit London vertrokken, de bloemen in de parken werden inmiddels gek van de hitte – hij had Sangna gevraagd om zijn appartement te ontruimen en de inboedel te verschepen, hij kon het zelf niet meer aanzien, de plek waar het gebeurd was. En dat had ze gedaan. Heilige Sangna, zijn assistent annex accountant zonder wie hij zou ophouden te bestaan in de wereld. In gedachten, in zijn huid, zeker, kon hij ook wel zonder haar doorgaan, een geest, slechts op bezoek, een droom op doorreis – maar in de buitenwereld? de wereld der objecten? de kunstwereld? de fysieke wereld? Zonder Sangna? Nog geen dag. Hij zou meteen op drift raken, als de rode ballon, uit zijn lichaam opstijgen, hoger en hoger, door zijn kunst naar de wolken, waar hij stuk zou knallen als Sangna er niet was, het touwtje dat onder hem mee wervelde, zich ontrollend naar de aarde als een vlecht die losraakte. Sanga die door haar familie was gedwongen haar studie industrieel ontwerpen af te breken en naar de London School of Economics te gaan, en die bij een vernissage op hem af was gestapt: 'Meneer Sai, ik ben Sangna. Ik heb een universitaire opleiding business management afgerond en ik kan ook verf mengen.' Hij was zesentwintig, jong en nog niet vertrouwd met geld, nog niet bekend met geld en met roem en met de wereld; zij was dertig, maar zag eruit als twintig, met een lange vlecht en een bril, even mager en gebruind als hij als kind was geweest, geaard en goed onderlegd, staccato accent, Gujarati, nononsens: alle galeriehouders waren bang voor haar, waar ze allebei om moesten lachen, op de vloer in zijn appartement waar ze vaak samen aten, *aloo ghobi* en door haar tantes gebakken chapati's. Sangna, die na een tip van een koper ('er staat een pakhuis te koop'), naar New York was gevlogen, met contant geld naar Greenpoint was gereden, een uur met Hristo had gepraat, duizenden van de vraagprijs had weten af te krijgen en een huis voor hem had gekocht – en die in oktober een keer 's ochtends vroeg vanuit

Londen had gebeld, 'ik heb haar gevonden', stemvast als altijd, 'in New York', met een adres aan Lafayette Street in SoHo, waar hij sindsdien elke avond klokslag negen uur naartoe gaat.

Alleen om haar te zien.

Zestig seconden, nooit langer, vaak korter, alleen om vanaf het trottoir naar binnen te gluren, alleen om haar langs te zien zoeven, bronskleurig geverfde, opgestoken dreadlocks die langs het raam hopten en dansten, alleen om te weten dat ze dichtbij is. Naar binnen gluren en dan weer naar huis. Wonderbaarlijk dat niemand hem heeft opgemerkt of aangesproken, een zwarte bij een raam, met dreadlocks, zonder jas, hoewel hij altijd al de kunst heeft verstaan er op magische wijze te zijn zonder er te zijn, om zijn gedaante te versluieren, zonder enige behoefte om gekend of herkend te worden. Daar leeft hij van. De kunst van het er niet zijn. Terwijl Sangna er gewoon wel is, en betalingen overmaakt naar Yale en vernissages bijwoont en interviews weigert en globaal genomen aan het besturingspaneel zit van het moederschip in Shoreditch (haar loft, voorheen van hem), waar ze schilderijen verkoopt voor gigantische bedragen vanwege de geruchten die de ronde doen als zou hij in bad zijn doodgebloed, tragisch einde van een androgyne topkunstenaar, cynisch commentaar op de aard van de kunstwereld waarin hij bij leven en welzijn furore maakte en waarin niets zo opwindend was als de vroege dood van een kunstenaar.

Maar hoe moet hij nou tegen haar zeggen – die nu voor hem staat, de vlek achter het raam die vlees is geworden, als ze bedoelt: was je hier, zo dichtbij, zonder te bellen, de hele tijd, hier in Brooklyn, aan de andere kant van de brug? – dat het niet zo is, dat hij hier niet 'woont', of misschien wel woont maar niet 'leeft', waarmee hij bedoelt: pijn lijdend en pijn doend; dat dat het enige was wat hij wilde en het enige waar hij naar zocht toen hij in elk van zijn polsen een т sneed: een uitweg uit de pijn, voor haar, die vol leven is, die leeft en altijd ten volle heeft geleefd, op de aarde, in de wereld, en als deel van de wereld, niet geaard maar zelf aarde, niet gegrond maar zelf de grond, zelf het doek?

'Is dit waar je woont?' vraagt ze, langs hem heen turend en hem dan aankijkend.

Hij schudt zijn hoofd. '...' en dan, 'kom binnen.'

Later, binnen, gedrieën blazend in de thee die hij van blaadjes had getrokken (en in andere dingen, ook heet, om de pijn te verkoelen, zoals je een baby troost, *sjjjjj*) – legt Sadie het uit. 'Ik wilde je bellen,' schaapachtig, 'maar ik had geen nummer. Ik had alleen dit.' Ze houdt de kaart omhoog die hij voor haar verjaardag heeft gemaakt, met aan de ene kant een tekening van haar gezicht, vaag en van dichtbij, in eenvoudige pasteltinten, bruin en violet en oranje, en aan de andere kant zijn gelukswens: 'Van harte met je verjaardag, baby S,' een kaart die hij in glassine verpakt met de post had verstuurd. Op het etiket stond het vereiste retouradres gekrabbeld. 'Daarom had ik maar dat verhaal over dat essay verzonnen, of niet verzonnen, we moesten er wel een schrijven in plaats van een tentamen, en de professor heeft wel gezegd dat als we meer tijd nodig hadden, we het bij de conciërge van haar flat in New York konden afgeven, maar ik bedoel, ik heb natuurlijk wel gelogen,' met een snelle blik op Taiwo, 'want ik dacht als ik de waarheid vertelde, ga je vast niet mee,' en met een snelle blik op Kehinde, 'en je bent toch, zeg maar, ondergedoken, en niemand kon je bereiken...' en nog meer in die geest, waar Kehinde geen woord van hoort vanwege de stilte die zijn geest soms over zijn tong en oren drapeert. Als een moeder, die de oren van haar kind beschermend afdekt wanneer iets in de buurt te veel lawaai maakt, of met een even beschermend gebaar zijn ogen afschermt voor de zon. '... ben je boos?' Sadie kijkt met gefronst voorhoofd eerst naar hem en dan naar Taiwo. 'Wat is er met hem?'

'Niks,' zegt Taiwo, die kleine teugjes van haar thee drinkt.

'Ik ben niet boos op jullie,' zegt hij in gedachten.

'Waarom praat je niet?'

'Ik weet niet waarom niet,' zegt hij in gedachten.

'Hij weet het niet.' Taiwo knikt naar Sadie en maakt een gebaar. 'Ga door.'

'En het ergste moet nog komen.' Sadie zucht. Ze kijkt hem vol medelijden aan. Ze lijkt op hun vader. De ietwat naar boven gerichte ogen in valleien van gebeente. Hij heeft haar daar altijd een beetje om benijd, en zijn broer ook, dat ze zoveel gelijkenis vertonen met de mensen uit wie ze zijn voortgekomen, Olu een donkerder uitgave van Fola, klassiek Yoruba, Sadie een lichtere uitgave van Kweku, klassiek Ga. 'Invariabel inheems' noemt hij zulke gelaatstrekken, kenmerk van een volk met een hardnekkig stel genen of anders product van een proces van verfijning en versterking dat zich uitstrekt over eeuw na eeuw van massareproductie. Ethiopische ogen, Indiaanse jukbeenderen, het zwarte haar en de blauwe ogen van de Welsh, Scandinavische huid: het is een weergave van iets, denkt hij, een visuele weergave in de wereld van de geschiedenis van een Volk, hoofdletter V. Dat hij dezelfde hoekige lippen, hoge wenkbrauwbogen en vorstelijke haakneus ziet en kent bij zijn moeder en broer als op de rituele maskers die in de zestiende eeuw uit ivoor werden gesneden, dat het gezicht zich blijft herhalen, dat ene gezicht, telkens weer, door de eeuwen heen, over wereldzeeën, dwars door liefdes en oorlogen heen, als de matrijs van een drukker, een goeie, die het waard is steeds opnieuw gebruikt te worden – dat vindt Kehinde wonderbaarlijk. Hij benijdt hen hierom. Zijn broer en zijn zus behoren tot een Volk, dragen het stempel waaraan te zien is dat ze erbij horen.

Taiwo en hij niet. Hun gelaatstrekken zijn een weergave, dat wel, maar niet van een Volk, geen klassieke uitdrukking van de geschiedenis van een Volk, krachtig en onveranderlijk, maar de kortere, uiterst verwarde, mindere geschiedenis van mensen, met een kleine letter, van twee mensen die toevallig ooit de liefde met elkaar hebben bedreven. Als kinderen hadden ze besloten dat ze van een andere planeet kwamen, of geadopteerd waren, ondanks de grappige foto van hun moeder in de hal (Fola indrukwekkend zwanger naast een glimlachende meneer Chalé en een roze siamese-tweelingtomaat die ze in haar tuin had gekweekt). Het was pas later, op hun dertiende, in Lagos, waar ze net waren aangekomen, en waar ze bij hun oom Femi werden gebracht, dat ze vanaf de drempel van de salon waar ze stomverwonderd bleven staan het gezicht zagen waar dat van hen uit voortkwam, daar, blank, aan de muur.

De vrouw achter hen, tante Niké, duwde hen naar voren. Haar robijnrode klauwen drongen in hun vlees. 'Wat is er?' vroeg ze, of liever gezegd: spuwde ze, vijandige klanken met een vet accent en bijpassende afkeurende blik. Ze liep al te duwen en te trekken vanaf hun aankomst op het vliegveld, waar beiden meteen met stomheid geslagen waren, een stomheid die hun tante voor ontzag hield. Ze had hun koffers meegetrokken, 'deze kant op, schatteboutjes', en hen in de Mercedes geduwd: 'Niet met jullie vingers aan het leer komen, *ehn*, ze zijn vet.'

Lagos, vanuit de auto, was niet zoals hij het zich had voorgesteld, niet weelderig, de tropen, helder geel en groen. Het was grijs, stedelijk grijs, de lucht vervuild, bedompt en vol hoogbouw, een smerig Hongkong. De snelweg vanaf het vliegveld was één opeenhoping van grote vrachtauto's, roestende *okada's* en glimmende Mercedessen, allemaal driftig aan het toeteren, een aanhoudend gejank van ergernis: de hele stad zong hetzelfde nasale klaaglied. De palmbomen stonden er vermoeid bij. De haven was grijs, dezelfde tint als de lucht, en lag vol oude schepen en jachten. Toen ze over de brug reden, van het eiland Ikeja naar het vasteland, La-

gos Island, ving hij een glimp op van een groot bord: DIT IS LA-
GOS. Niet 'Welkom in Lagos, Lagos heet u welkom', maar alleen
DIT IS LAGOS.

'Dit is Lagos,' blies Niké.

Hij vond haar grotesk, die tante Niké van wie hij nog nooit had
gehoord, met haar op chemische wijze tot een flets grijzig beige
gebleekte huid, een geelbruine pruik die sluik tot op haar schouders hing, en lipstick en rouge die haar jukbeenderen en lippen
bloedrood kleurden. Maar haar zwarte ogen verraadden haar –
daar sprak verdriet uit, stil en beheerst, twee stinkende poelen van
droefheid, toen ze zijn wang aanraakte en erin kneep: 'Mooie jongen ben jij, of niet?' en hij niet bang voor haar was, toen niet, nog
niet.

Ze reden door het hek van de flat waar hun oom woonde. Vanbuiten leek het weinig indrukwekkend, vier, hooguit vijf verdiepingen. Pas toen ze de hal betraden, en vervolgens de lift, drong
de omvang van het geheel tot hen door. Het gebóúw was van
hem. Het hele gebouw, vier verdiepingen, was van de oom die
wachtte in het penthouse, werd hun verteld terwijl ze naar boven gingen. Ze duwde hen de lift uit, 'laat je bagage maar voor de
huisknecht staan', met de niet te beteugelen blijdschap van een
kind op kerstochtend, 'naar links, *ehn*, hij wacht', door de enorme
gang naar een open deur waar knalharde operamuziek doorheen
schalde.

Inderdaad, hij wachtte, die oom Femi van-wie-ze-wel-ge-
hoord-hadden, die enige maanden geleden vanuit het niets was
opgevoerd: dé oplossing voor het probleem Waar de Tweeling
Naar School Moest, nu hun vader hem gesmeerd was en het
schoolgeld niet meer op te brengen was. Tot de alternatieven behoorde de zeer chique school waar hun moeder een keer op een
ongelukkig moment was wezen kijken: ze reed net de parkeerplaats op toen een bus een kluwen vloekende en vechtende leer-

lingen uitbraakte. De hatelijkste optie was Milton Academy, de school van Olu, waar ze zou kunnen vragen (of zoals zij zei: 'smeken') of ze in aanmerking konden komen voor financiële hulp – ondanks het complicerende feit dat ze de drie jaar dat hij daar gezeten had het volledige schoolgeld hadden betaald, en dat er niemand bijvoorbeeld overleden was. Toen kwam opeens een oom in Nigeria uit de lucht vallen, bij wie ze misschien zouden kunnen inwonen, en waar ze naar een internationale school zouden kunnen waar ze niet het risico liepen geïndoctrineerd te worden door een 'pathologisch gecriminaliseerde cultuur' – terwijl hun moeder in Amerika het hoofd boven water probeerde te houden als werkende, alleenstaande ouder.

Fola, die het nooit over een broer had gehad, noch over enig ander familielid, noch over enige periode uit haar verleden, had hen domweg aan tafel gezet, hem en Taiwo, in de keuken. 'Ik kan het niet bolwerken,' was ze begonnen, waarna ze meteen was stilgevallen. Ze schudde haar hoofd, deed haar ogen dicht en hield haar hand voor haar mond, alsof ze de pijn binnen wilde houden. Hij voelde haar tranen opwellen, een vloed vanuit de onderbuik, maar zat haar alleen maar aan te staren, helemaal verstard, niet bij machte een woord uit te brengen. 'Hij komt wel terug, mama. Maak je geen zorgen,' had hij willen zeggen. 'Dr. Yuki heeft hem er in zijn operatiepak uitgegooid,' had hij willen zeggen. Maar in de Volvo had hij het beloofd. 'Als je misschien niks zou willen zeggen…' 'Maak je geen zorgen. Dat beloof ik. Ik zeg niks', en hij zei niks.

Fola droogde haar tranen, haalde diep adem en schudde opnieuw haar hoofd. 'Sorry,' zei ze.

'Geeft niks,' zei Kehinde.

'Wát kun je niet bolwerken?' zei Taiwo.

'Jullie vieren.' Met vlakke ogen en een vlakke stem. 'Nu niet in elk geval. Mijn b-broer in Lagos, jullie oom Femi, heeft aangeboden.'

'Heeft wát aangeboden?' hield Taiwo vol.

'Om jullie in huis te nemen. Voorlopig.'

'Hoe bedoel je ons in huis te nemen?' vroeg Taiwo, met stemverheffing. 'In Lagos? Je hebt het nooit eerder over een broer gehad.' En toen: 'Je wilt ons naar een vreemde sturen.' Ze lachte. 'Gaat Olu ook mee, en Sadie, of alleen wij?'

Fola schudde haar hoofd. 'Olu zit al in de bovenbouw.'

'En Sadie?!' riep Taiwo. 'Sadie is jouw lieveling, hè?'

Sadie was in haar pyjama in de deuropening verschenen, bijna geruisloos. Alleen Kehinde keek op. 'Niemand kwam me zoeken,' prevelde Sadie, zachtjes, schattig.

'Het is goed,' fluisterde Kehinde. 'Kom maar hier. We zijn allemaal hier.'

'We zijn níét allemaal hier,' zei Taiwo met bevende stem. Ze was inmiddels gaan staan. 'Hij heeft ons bij háár achtergelaten, en zij schopt ons eruit.' Ze keek naar hun moeder, die uit het raam keek. Kehinde volgde haar blik naar de weg achter het huis.

'Hij heeft het meegenomen, hij heeft het standbeeld meegenomen,' prevelde Fola afwezig.

'Hij zou dit nóóit hebben toegestaan!' schreeuwde Taiwo en stormde de keuken uit.

Kehinde glimlachte lief naar Sadie. 'Maak je maar geen zorgen.'

Fola keek naar Kehinde en haalde haar schouders op. 'Wat moet ik nou?'

'Maak je maar geen zorgen,' herhaalde hij. 'Het is goed, mama. Maak je geen zorgen. Dat was aardig van je broer. Om dat aan te bieden, bedoel ik.'

Hij had zich die broer voorgesteld als een mannelijke uitgave van Fola, een oudere uitgave van Olu. Een Yoruba suikeroom. Maar waar hij nu stond, op de drempel van het penthouse, met verstarde blik en voeten, elke verdere beweging weigerend, zag hij een figuur die niet direct het type was van de suikeroom, slank en losjes onderuit op een waterbed met luipaardmotief. Het absurde van dat beeld – van Femi die daar lag te wachten zoals een vorst ligt te wachten op een hofdame met rijpe druiven, van Femi in een outfit die je eerder bij Fela Kuti op het hoogtepunt van zijn roem zou verwachten, in de jaren zeventig (het was 1994), van Femi in een salon met een oerwoud aan palmbomen in vazen en met zebrahuiden op een witte marmeren vloer – was echter niet aan hem besteed, aan Kehinde, geschokt als hij was door het mistroostige portret dat boven de schouw hing en vandaar op het bed neerkeek.

Hij had de afgebeelde persoon – een vrouw, een jonge vrouw, een adembenemende vrouw – nooit eerder gezien en kon zijn ogen letterlijk niet afhouden van haar ogen, die de zijne waren, en die van Taiwo. 'Wie…? Wie is dat?' Taiwo beefde en stak intuïtief een hand uit naar Kehinde. Hij gaf een kneepje in haar hand. Hij voelde haar geschoktheid en haar angst. Ze stapte dichter naar hem toe en drukte zich tegen hem aan. Ze bleven allebei staan staren zonder zich te verroeren.

De figuur kwam in beweging. Hij ging rechtop zitten en draaide zijn bovenlijf naar het portret om er zelf ook naar te kijken. Een luide hoge lach, zonder vreugde, zonder warmte, verbrak de stilte. Hij klapte verrukt in zijn handen. 'Dat wéten jullie niet?' Hij sprak met een accent dat zeer sterk aan het accent van hun moeder deed denken (veel 'Engeland' en een vleugje 'evenaar'), en heel zachtjes, bijna teder, als iemand die geleerd heeft dat in een land van schreeuwers de zachtste stem het hardste klinkt. 'Niké, wie is dat?' Hij draaide zich om naar zijn vrouw, die hun schouders omklemde alsof ze een stuur vasthield. 'Mmm?' Zijn blik ging naar Kehinde, die de schaduw voelde en zijn blik afwendde van het portret.

De oom was gaan staan en stond nu naar hem te kijken, met een glimlach, maar met een harde blik, een duistere blik, een blik die vloekte met zijn glimlach, wat een vijandig effect gaf, alsof hij een kind lokte dat verdwaald was in een winkelcentrum. Een harde, fonkelende, duistere blik. Zo staand was hij een opvallende verschijning, niet zozeer aantrekkelijk, als wel markant, elegant als een vrouw met lange, slanke ledematen, kaarsrecht en gespierd, op zijn gemak, als een danser, maar helemaal niet knap, niet in het gezicht. Het gezicht was een en al hoeken en ogen met dikke oogleden, wijd open en roodomrand, dofbruin, wipneus, mond laag in het gezicht – de proporties waren het probleem, zijn magere wangen waren te smal voor zulke brede gelaatstrekken. Bijna lelijk, dacht Kehinde, al bediende hij zich zuinig van dat woord, en koesterde hij er hetzelfde eerbiedige ontzag voor als voor het woord 'mooi'. Het was iets waardevols, lelijkheid, bij mensen, in de natuur; dat viel hem altijd op, in treinen, op vliegvelden: dat de meeste mensen er voor het merendeel goed uitzagen (zij het onopvallend), met alle gelaatstrekken min of meer op de juiste plek, waar ze geen aanstoot gaven. Hij had gemerkt dat hij moest zóéken naar lelijkheid, naar natuurlijke lelijkheid, die niet onderdeed voor natuurlijke schoonheid en zelfs nog gecompliceerder was, want hij had het nog niet opgemerkt en bij zichzelf vastgesteld dat iets lelijk was, of hij vond in die lelijkheid al een soort schoonheid. Hij kon naar een gezicht staren zoals je naar een stereogram staart waarin uit twee dimensies een driedimensionaal beeld opdoemt: de schoonheid kwam vanuit het niets opzetten, een vertekening – waarna hij de eerder vastgestelde lelijkheid niet meer terugvond. Hij staarde naar zijn oom, met half dichtgeknepen ogen, in een poging het vast te houden, de wanverhouding van trekken en matheid van huid, maar het ging zoals het altijd ging. De optische illusie. Jimmy Baldwin die overvloeide in Miles Davis.

'En jij. Waar sta jij naar te staren? Vind je het mooi? Mijn outfit?'

Kehinde besefte dat hij stond te staren en knipperde met zijn ogen.

'Kun je niet praten?' Tante Niké, achter hem, schudde hem ruw door elkaar, maar Femi lachte. '*Ehn*, laat die jongen.' Hij negeerde Kehinde verder en kwam op Taiwo aflopen. 'En deze, en deze,' herhaalde hij. 'Dat is zij.' Hij bleef voor Taiwo staan en pakte haar bij de kin, zachtjes, zijn aanraking was minder agressief dan de blik in zijn ogen, maar zijn vingers waren koud, steenkoud, voelde Kehinde. Taiwo huiverde. Femi lachte. 'Kijk, ze is bang.'

'Blijf van haar af,' zei Kehinde.

Een heel zacht geluid, voor allen even verrassend.

Niké drukte haar nagels in zijn vlees en siste: 'Ah-ah! Hoe durf je zo tegen een oudere te spreken?! *Ki lo de ke...*', maar opnieuw werd ze onderbroken door Femi, die het uitproestte.

'Omokehindegbegbon kan praten! Zo heet je. Omokehindegbegbon. Of kortweg Kehinde. Weet je wat dat betekent? "Het kind dat het laatste kwam wordt de oudste."' Tegen Niké: 'God, moet je ze zien. Ze zijn perfect. Zij is perfect. Sprekend haar.'

Waarna ze allemaal als op afspraak weer naar de schoorsteenmantel keken, vanwaar de geportretteerde vrouw naargeestig terugkeek.

Inderdaad, het was waar. Sprekend Taiwo. Taiwo over tien, vijftien jaar, met een lichtere huid, dunnere lippen, steiler haar. Femi richtte een zilveren afstandsbediening als een pistool op het gezicht, fluisterde 'pang!' en de muziek ging uit. Kehinde was bijna bang dat de vrouw dodelijk gewond uit haar lijst op de grond zou vallen. Of wenste het bijna. Terwijl hij naar haar staarde gebeurde er iets anders, de omgekeerde illusie: lelijkheid die zich opeens naar voren drong. Hij vond de vrouw lelijk, akelig lelijk; hij wist dat er vanwege dat gezicht akelige dingen zouden gebeuren; en hij haatte haar, haar voorkomen, haar melkwitte gelaatskleur, hij haatte die vrouw, die Afrikaans was noch blank, die tot geen enkel Volk behoorde, tot geen verleden waar hij ooit van gehoord had, die daar aan de muur hing, kil als de dood, uit ijs gehakt, het enige lid van hun familie op wie ze ooit vaag geleken hadden, een bleke, hatelijke schoonheid, verschanst in bronswerk.

Op dat moment zei Femi: 'Die vrouw is jullie grootmoeder', waarbij dat 'die vrouw' met nadrukkelijke afkeer over zijn lippen kwam. 'De vrouw van mijn vader Kayo Savage, jullie grootvader. De moeder van Fola, júllie moeder, hun kind.' Hij gebaarde naar het schilderij en zijn stem werd zachter en klonk meer afgeknepen, een rasperig geluid dat door zijn tanden werd gezeefd. 'Het hing in de slaapkamer, vlak boven zijn hoofd, en keek altijd toe als hij mijn moeder neukte, zijn hoer. Somayina zijn vrouw. Folasadé zijn dochter. Babafemi zijn bastaard. Olabimbo zijn hoer.' Hij spreidde stralend zijn armen, met bloeddoorlopen, glanzende ogen, en begon te lachen. 'De stamboom van de Savages.'

Niké zoog op haar tanden. 'Femi, alsjeblieft, o...'

'Stil. Ik ben ze een verhaaltje aan het vertellen. Het is duidelijk dat ze het niet weten. Een mens moet toch weten waar hij vandaan komt? Dat is belangrijk. Ze behoren weet te hebben van onze familie, hoe we allemaal ter wereld zijn gekomen.' Hij lachte weer hard en keek abrupt naar Taiwo. 'En nu zijn jullie hier,' en toen naar Kehinde, 'mijn tweeling. Jullie weten wat wij, Yoruba, over ibeji zeggen. Jullie brengen ons geluk en fortuin, jullie tweelingen. En jullie weten wat mijn naam betekent, ja? Femi betekent "houd van mij". Ik wil dat jullie van mij houden, ibeji, hebben jullie dat gehoord?' Hij boog zich voorover en kuste hen nu, langzaam, op het voorhoofd. Zijn handen en lippen waren koud. 'Ik houd zóveel van jullie.' Hij keek naar zijn echtgenote. 'Vrouw, waar sta je naar te kijken?' Niké zoog op haar tanden. 'Laat onze tweeling hun kamers zien.'

Hij wou dat hij op zijn vader leek, denkt hij, terwijl Sadie medelijdend haar voorhoofd fronst. De stilte begint af te nemen. Hij hoort een soort plofgeluidje in zijn oren en dan hoort hij zichzelf zeggen: 'Ik vind je gezicht prachtig, Sadie.'

'Je mag het hebben,' zegt ze.

'Vond je hem mooi? De kaart?' Hij bloost, hij beseft met enige gêne dat zij, Sadie, hem wel gestoord zal vinden.

Maar ze giechelt en loopt dieprood aan. 'Ik vond hem prachtig, echt prachtig. Je had me zo… zo mooi gemaakt.' Ze glimlacht naar haar handen.

'Sorry. Je zei iets. Het ergste. Wat is het ergste? Jullie zijn hier, mijn beide zussen. Dat is niet erg, dat is geweldig.' Hij schuift zijn stoel een stukje naar links, zodat hij tegenover Sadie zit, zoals je doet wanneer je zeggen wilt: ik luister; vertel. Hij is zich bewust van zijn zus, van Taiwo, naast hem, rechts van hem, maar kan haar niet aankijken, niet echt, nog niet. Sadie begint iets te zeggen en kijkt intussen naar Taiwo. Zijn blik is op Sadie gericht, hij kijkt niet naar rechts. In plaats daarvan volgt hij de blik van Sadie die Taiwo volgt, die van haar stoel is opgestaan, geruisloos, en naar achteren loopt.

'Nee!' weet hij uit te brengen, en hij gaat staan om haar tegen te houden. 'Wacht. Taiwo.' Te laat, en te zacht. Ze staat al bij de muur. Ze staart naar de schilderijen, met haar rug naar hem toe, zwijgend, haar vragen een holte, een gat in zijn longen. Hij raakt buiten adem. 'Ze zijn nog niet klaar…' niet meer dan een fluistering. Ze blijft staren, en Sadie staat nu ook op.

'Wat nu weer?' roept ze naar Taiwo, die haar negeert. Haar belangstelling is gewekt. Sadie loopt nu ook naar achteren.

Hij ziet zichzelf in de gebiedende wijs schieten, met allerlei opmerkingen en gebaren die hen terug doen deinzen, terwijl hij de doeken omdraait zodat de gezichten niet meer te zien zijn – maar blijft intussen roerloos staan, niet bij machte in beweging te komen. Hij roept hun toe: 'Nee! Ze zijn nog niet klaar! Het is nog helemaal niks!' – maar kijkt alleen toe, zwijgend, niet bij machte zijn stem te verheffen. Dat is iets van hem, al haat hij zichzelf erom, die sprakeloosheid en roerloosheid waarin hij dan zit opgesloten. Waarom gebeurt dat, had hij aan dr. Shipman gevraagd. Kunt u daar een eind aan maken? Kunt u daar iets aan doen? Ik ben een lafaard, een slappeling. Ik sta in een kamer achter een glazen wand en zie alle mensen langskomen, maar ik kan niet bij ze komen, ik kan niet tegen ze praten, ik kan niet tegen ze zeggen dat ik daar ben; ik kan het glas niet breken, en zij kunnen me niet horen schreeuwen.

'Bescherming,' zei Shipman.

'Bescherming waartegen?'

'Tegen je angst, tegen je pijn, tegen je leed, je woede.'

'Ik ben niet boos,' zei Kehinde.

'Dat ben je wel, en dat moet ook. Laat hem toe, je woede. Erken hem.'

'Maar er is helemaal geen woede. Ik ben niet boos.'

'O nee? Niet op je moeder? Je vader? Je oom? Je zuster? Jezelf?'

'Niet op mijn zuster,' zei hij, maar te scherp, te snel.

De borstelige witte wenkbrauwen gingen de lucht in. 'O nee?' En een ogenblik later: 'Waarom zei je het dan?' Diezelfde ellendige vraag, telkens weer. Een halfjaar met een tuin voor zijn neus, die hij al die tijd geschilderd had, en nog kan hij er geen antwoord op geven. Waarom het woord hoer?

Hij had zich niet boos gevoeld. Hij had geen pijn gevoeld. Ze lagen in een comfortabele kamer in het Bowery Hotel, hij was in de stad voor de opening van een expositie van zijn laatste werken bij Sperone, verderop in de straat, en zij was bij hem ondergedoken. Iemand had haar en de decaan van haar faculteit in een niets verhullende omhelzing gezien en met zijn mobieltje een foto gemaakt die hij naar de kranten had gestuurd, met name naar de krant waar de vrouw van de decaan voor schreef. Zodat Taiwo nu, zoals ze zei, op de campus door iedereen werd aangestaard; ze was gestopt met college lopen en overwoog helemaal met haar studie te kappen. Kon ze bij hem blijven, het weekend, en popcorn eten in trainingsbroek, zonder overal waar ze kwam op journalisten te stuiten? Natuurlijk kon dat, en ook wel langer dan een weekend, hij zou de hotelkosten betalen; of beter nog, ze kon ook met hem mee teruggaan naar Londen. Nee, alleen het weekend, zei ze. Zoals gewoonlijk. Ze zei altijd nee tegen zijn geld, tegen zijn hulp. De laatste tijd was hij ermee opgehouden het aan te bieden, bang dat als hij aandrong, hij de indruk zou wekken haar om te kopen. Alleen dit ene weekend. Een weekend met haar broer. Dat was het enige waar ze behoefte aan had, zei ze.

En daar lagen ze.

In nachtkleding. Ze sliepen bijna. New York, buiten, was een laag zangerig koor van claxons en lachsalvo's. De suite deed op misplaatste wijze (zij het wel troostvol) denken aan een kamer in een huis op Nantucket: beige, bloemetjesbehang en al. Vrijdagavond. Stilte. Toen:

'K...' zei ze nauwelijks hoorbaar.

'Ja?' zei hij en hij draaide zich naar haar om. Zij draaide zich niet om. Ze lag op haar rug met haar voeten bij zijn kussen, zijn voeten bij haar hoofd (zoals altijd als ze een bed deelden). Ze keek naar het plafond en draaide zich niet naar hem toe. Hij wiebelde met zijn tenen bij haar voorhoofd. Ze lachte.

'Ik ben serieus,' zei ze.

'Waarover ben je serieus?' Hij lachte erbij. Ze keek hem nog steeds niet aan. 'Je zei alleen K.'

'Maar dat doe ik altijd als ik iets serieus wil zeggen. Je weet wat mijn vraag is. Je hebt het nog steeds niet gezegd.' Nu was hij stil, zijn ogen waren op het plafond gericht. Hij voelde dat ze naar hem keek. Na een paar seconden liet ze haar hoofd zakken en lagen ze weer zwijgend naast elkaar. 'Zeg het me gewoon,' zei ze toen.

'Wat wil je dat ik zeg?' vroeg hij zacht, maar hij wist het wel, en hij wist ook dat zij wist dat hij het wist. Ze wilde weten wat hij van die foto's vond, van haar naam in de kranten die onder hun deur door waren geschoven, zijn tweelingzus, zijn Taiwo verwikkeld in een 'schandaal', verwikkeld in de Wereld, en niet de wereld in hun hoofd maar de echte, hoofdletter W, waar mensen keihard waren, waar verhalen óver hen werden geschreven, niet dóór hen, waar echte mannen en echte vrouwen motieven hadden, en een lichaam (en seks, wat niet meer bestond in de wereld die zij deelden). Hij begreep de vraag, maar had geen antwoord. Het meisje op de foto's was niet iemand die hij kende, niet zijn zus, niet Taiwo; dat was iemand anders, een ouder iemand, harder dan het meisje dat hij in New York had achtergelaten. Om haar vraag te beantwoorden zou hij díé vraag onder ogen moeten zien, de vraag waarom hij na de middelbare school bij haar was weggegaan: hij had een beurs gewonnen om in Mali te gaan studeren, hij had in de horeca gewerkt in Parijs, hij was begonnen te exposeren in Londen en hij was nooit meer thuis geweest. Ook zij had een beurs gekregen, ze had twee jaar in Oxford gestudeerd, wat niet ver was, maar hij had haar nooit gevraagd een keer langs te komen in Mali, en ook niet in Parijs, hij had niet eens gezegd dat hij daar zat. Ze was weer vertrokken en rechten gaan studeren; hij was nooit bij haar langs geweest. Twee jaar in Londen, en hij had zelden het vliegtuig naar huis genomen. 'Jij bent een wereldberoemde kunstenaar aan het worden,' zou ze tegen hem zeggen, 'maak je geen zorgen.'

Zijn tekst, niet de hare.

Kehinde maakte zich zorgen.

Over wat ze met een studie rechten beoogde, om te beginnen: ze had nooit enige belangstelling getoond voor dat soort werk, of voor een dergelijk leven (dat was iets voor Olu of Sadie, hoge cijfers, chique scholen, topfuncties en dat soort dingen), en nu dit, met die man, die best knap was, maar niet... wat was het woord dat hij zocht? Niet hém. Als Taiwo behoefte had aan gezelschap, of aan iemand om mee te praten, of aan iemand op wie ze kon steunen, had *hij* diegene moeten zijn, dacht Kehinde, hoewel hij gevlucht was, was weggelopen, en op de loop was gebleven. Hij had niet bij haar weg moeten gaan. Hij had die man moeten zijn.

'Ik wil dat je zegt wat je denkt,' zei ze mat.

'Ik had die man moeten zijn,' zei Kehinde in zijn hoofd. 'Wat ik denk waarover?' hoorde hij, terwijl hij naar het plafond lag te staren.

'Wat je érover denkt, K, wat er gebeurd is, over mij.' Ze ging rechtop aan haar kant van het bed zitten om naar hem te kijken. Hij voelde zich raar, zo languit op het bed, en ging ook zitten, en toen staan. Maar het voelde ook raar om te staan, dus ging hij in een stoel zitten. Hij deed zijn benen over elkaar en wiebelde met zijn voet in de lucht. Taiwo – die alle stilte wantrouwde, en bedreigend vond – deed haar armen over elkaar, fronste haar voorhoofd en probeerde hem over te halen iets te zeggen. '"Ik vind het immoreel", bijvoorbeeld,' zei ze uiteindelijk. '"Om met de man van een ander naar bed te gaan. Om te doen wat jij gedaan hebt. Ik vind dat je zijn avances had moeten afwijzen. Ik vind het treurig dat je je zo alleen voelde." Bijvoorbeeld. "Ik vind dat je je gedragen hebt als,"' – ze maakte een gebaar – '"ik vind dat je je gedragen hebt als… als Bimbo… als een…"'

'Hoer.'

Het woord gleed zo snel door zijn hoofd en over zijn tong naar buiten op zijn adem als wrakhout op een golf, dat hij niet eens wist dat hij iets gezegd had tot de stilte weer inviel en het woord in de lucht bleef hangen.

'Een hoer?' fluisterde Taiwo. 'Is dat wat je zei?' Hij wist niet wat hij gezegd had, waarom hij het gezegd had, nog niet. En was blij met het donker, met deze stoel in de hoek, waar de schaduw zijn gedaante en zijn gezicht versluierde. Maar niet het hare. Hij zag haar, ze leek wel elektrisch geladen in het maanlicht – de pijn in haar ogen straalde als een licht dat van binnenuit kwam. 'Een hoer,' herhaalde ze. Ze was gaan staan, bang voor de stilte, en met brekende stem. 'J-je noemde mij een hoer?'

'Nee,' zei hij, nauwelijks hoorbaar. 'Alsjeblieft, Taiwo...'

'Hoe durf je?'

Hij kwam overeind en deed een stap naar voren. 'Alsjeblieft...'

'Dát is wat jij vindt?' Ze huilde, maar geluidloos, tranen zonder respijt, een gestage stroom. 'Is dát wat jij vindt?'

'Het is niet jouw schuld, Taiwo. Het is mijn schuld. Je weet...'

'Is dat wat jij vindt? Dat het jouw schuld is dat ik een hoer ben?'

'Nee. Dat heb ik niet gezegd.'

'Dat heb je wel.'

'Dat bedoelde ik niet...' Hij stak een hand naar haar uit.

'Raak me niet aan!' krijste ze.

Geen menselijk geluid. Dierlijk. Een gerommel uit de diepte, een grommen in het duister. Ze hield haar handen voor zich. 'Raak me niet aan, raak me niet aan, raak me niet aan, raak me niet aan.' Ze liep achteruit, met haar armen voor zich uitgestrekt. 'Ik haat je, raak me niet aan,' snikte ze, ze stikte bijna.

Hij deed een stap naar voren. 'Zeg dat niet,' smeekte hij.

'Raak me niet aan, godverdomme, ik zweer het, Kehinde, bij God, ik vermoord je, raak me niet aan, nu niet,' huilde ze. Ze deed nog een stap naar achteren en liep tegen het nachtkastje aan. Ze schrok en wankelde en begon te vallen. Hij sprong op haar af en pakte haar beet om te voorkomen dat ze met haar achterhoofd ergens tegenaan zou vallen, maar ze stribbelde tegen en begon als een razende naar hem uit te halen en zijn huid open te krabben. *'Laat me los!'*

Hij liet haar niet los. Of kon het niet. Hij kon haar niet loslaten. Hij hield haar vast, steviger dan hij wist dat hij kon. Hij wist dat hij sterk was (elke morgen yoga, zijn grootschalige kunstwerken, het werk dat daarbij kwam kijken), maar had zijn kracht nooit gebruikt als middel om een doel te bereiken, hem nooit ingezet tegen iemand met tegengestelde bedoelingen. Hij voelde haar verbazing over zijn kracht, en haar woede, een fysieke, gelijkwaardige en tegengestelde kracht. Ze sloeg hem en krabde hem en beet hem en schopte hem, alles om zich los te wurmen (en dan was er nog dat andere, razernij, die na veertien jaar tot uitbarsting kwam, razernij om zijn aanraking, ze wisten het allebei). Zo gingen ze elkaar te lijf, lampen vielen op de grond, Jacob die worstelde met de engel, wie van de twee zij ook was.

Ze gilde tot ze buiten adem was en snikte: 'Raak me niet aan.' Hij hield haar vast tot er op hun deur werd geklopt, één keer. 'Ga je nu naar de gevangenis?' siste ze hees. 'Is dat wat je wilt? Nog een Sai in het nieuws?' Hij hield haar armen vast, tegen de muur, en stond tegen haar aan. Voor het eerst in uren (of in jaren) ontmoetten hun blikken elkaar. Ze keek hem aan en knipperde met haar ogen. De tranen stroomden geruisloos. 'Ik ben je zús,' zei ze.

Hij liet los.

Ze vloog naar de badkamer en smeet de deur achter zich dicht.

Klop klop.

Hij deed open, druipend van het zweet en een beetje bloed.

'Goedenavond, meneer Sai,' zei de receptionist, zonder met zijn ogen te knipperen. 'Is alles goed hier?'

'Ja hoor, prima.'

'Uw buren hoorden gebons.'

'Ik zat naar een film te kijken.'

'Mogen we u dan verzoeken het geluid iets zachter te zetten?'

'Hij is al uit.' Hij gebaarde naar de televisie. 'Het spijt me.'

'Het is al goed. In de minibar ligt een verbandtrommeltje.'

'Dank u.'

'Prettige avond verder.'

Kehinde plofte verbijsterd op het bed neer. Zijn handen beefden. De lichten waren nog uit. De douche in de badkamer stond aan. Hij wachtte. Een halfuur, een uur, bleef hij in het donker zitten. Op een gegeven moment liet hij zich achterover op het bed zakken, met zijn voeten nog op de grond. Het bloed op zijn kin was opgedroogd. Toen hij zijn ogen opensloeg was het licht buiten. De douche stond nog aan. Taiwo was weg.

Nu staat ze nauwlettend zijn portretten te bekijken, met haar rug naar hem toe, daar, met al die ruimte tussen hen in – ze had al zijn telefoontjes geweigerd en toen een ander nummer genomen en ze had hem via hun moeder laten weten dat hij haar met rust moest laten, wat hij ook op onomkeerbare wijze geprobeerd had te doen en wat nog bijna gelukt was ook, het scheelde maar een klein beetje bloed, *grâce à* Sangna (die dacht dat hij op vakantie was en die even was wezen checken of hij alle deuren wel had afgesloten). Negen portretten ten voeten uit, de lichamen nog niet af, maar duidelijk haar gezicht, in elk portret net iets anders, en telkens met een ander voorwerp, een lier of een gezangenboek of een potlood, om aan mensen die geen Grieks kenden duidelijk te maken wat dit waren. Bij elk doek ligt een naamkaartje op de grond. Sadie loopt erlangs en leest ze hardop voor. 'Euterpe, Polyhymnia, Terpsichore, Clio, Thalia, Erato, Urania, Melpomene, Calliope.' Ze giert het uit. 'Nee! Calliope! Dat is het zusje van Philae.'

'Je hebt ze onthouden,' zegt Taiwo. 'Groep acht. De muzen.'

'Hé!' Sadie heeft zich omgedraaid naar Kehinde. 'Zij krijgt negen schilderijen en ik krijg een kááртje?'

'Ze zijn nog niet klaar,' prevelt hij, en hij snelt op de doeken af. Hij begint bij Erato, en wil ze allemaal omdraaien.

'Wacht. Wat doe je?' zegt Taiwo.

'Ze zijn nog niet klaar.'

'Wácht,' zegt ze zachtjes, en ze raakt zijn arm aan.

En laat haar hand op zijn onderarm liggen. Hij kijkt haar aan en verstrakt, te verbouwereerd om een woord uit te brengen. 'Hij is dood, K. Hij is overleden. Dat is het erge. In Ghana. Een hartaanval. Gistermorgen, geloof ik.' Hij denkt nog aan de vraag als zij hem beantwoordt. 'We gaan erheen. Olu heeft tickets gekocht. Morgen om zes uur.' Hij kijkt naar haar hand op zijn arm. Ze knijpt nog iets harder. Zijn mouwen zijn teruggeschoven en de littekens op zijn pols zijn te zien. Hij wil zich lostrekken, maar ze houdt hem nog steviger vast, en kijkt hem nog doordringender aan, ze dwingt hem om terug te kijken. Hij kijkt naar zijn zus. Dan kijkt ze naar zijn onderarm. Ze ziet de littekens en laat hem meteen los. 'Het spijt me,' zeggen ze, maar hun stemmen klinken identiek, zodat ze geen van beiden met zekerheid zouden kunnen zeggen of de ander het ook zei.

7

Ling klopt zachtjes op de deur van de badkamer. 'Olu?'

Hij is met zijn hoofd op zijn knieën in slaap gevallen. Hij doet zijn ogen open en blaft, een rauwe hoest. Even weet hij niet waar hij is. 'Ja?'

'Ben je daar? Mag ik binnenkomen?'

'Ja.'

Ze doet de deur open en kijkt om het hoekje. 'Dag, slaapkop. Ik dacht dat je weg was.'

'Nee.'

'Ben je dan al die tijd hier geweest?'

'Ja.'

'Gaat het?'

'Jawel.' Hij staart haar wezenloos aan.

'Je ruikt naar rook.'

'Ik rook niet.'

'Weet ik, schat.'

'Een vrouw in het ziekenhuis was net haar man verloren,' zegt hij, en op even vlakke toon: 'Mijn vader is dood.'

'Lieverd.' Ze slaat een hand voor haar mond. 'Wat erg.' Ze gaat naar binnen en laat zich op haar knieën zakken. Ze legt haar handen op zijn knieën en wrijft erover. Ze slaat haar armen om zijn benen, legt haar hoofd op zijn schoot. 'Wat vreselijk. Wat is er gebeurd?' Ze kijkt hem aan. 'Weet je dat?'

'Een hartaanval.'

'Wanneer?'

'Bij hen in de ochtend. Dacht ik.' Hij spreekt monotoon, zonder enig gevoel in zijn stem. Hij schudt het hoofd, tuurt voor zich uit, probeert door het waas heen te kijken. Maar er is niets dan een dof, loodzwaar gevoel van verlamming. Hij staart naar beneden, naar Ling, en probeert haar te zien, iets te voelen. 'We gaan naar Ghana. Morgen. Met mijn familie.'

'Dan ga ik met je mee.'

Te snel: 'Dat kan niet.'

Het is een klap waar ze beiden van schrikken. Ling staat op, ze verstrakt. Hij recht zijn rug. Alsof hij zeggen wil: schiet maar. 'Hoe bedoel je?' komt haar schot. Hij schudt het hoofd en drukt zijn handpalmen tegen zijn ogen. 'Ik heb de hele week vrij. Ik ga met je mee.'

'Ik weet het. En het is lief van je om het aan te bieden.'

'Het áán te bieden? Jij bent mijn man, weet je nog? Zoiets bíédt een vrouw aan.'

'Doe dat niet, Ling. Doe dat niet.'

'Wat niet, als ik vragen mag?' herlaadt ze.

'We zeiden dat er niets zou veranderen. Geen andere naam, geen ring.' Hij wrijft over zijn hoofd, fronst zijn voorhoofd. Wilde dat eigenlijk niet zeggen, en probeert het uit te leggen: 'We zijn nog wie we waren. Je zei "jij bent mijn man"…'

'Dat ben je ook.'

'Nee, dat weet ik wel. Maar we zeiden dat het niks uit zou maken, dat er bij ons niks door zou veranderen. Die woorden, man en vrouw, dat zijn maar woorden, dat zijn geen mandaten...' Hij stopt en grijpt naar zijn hoofd. 'Ik weet niet wat ik bedoel.'

'Ik denk dat je het wel weet, Olu.' Ze schudt vlug het hoofd. 'Ik ga niet mee.'

Hij kijkt haar aan, gekweld. 'Ik hoor met mijn familie te gaan.'

'Ik dacht dat ik je familie was.'

'Nee,' zegt hij, vertwijfeld, 'jij bent meer dan dat.' Hij knijpt zijn ogen dicht om de tranen terug te dringen. Hij voelt haar kleine handen op zijn wangen. Haar lippen op zijn lippen, de smaak van haar tandpasta. Haar geur, Jergens, Chanel No. 5. 'Ling,' zegt hij. Zijn stem breekt. Ze houdt zijn hoofd zachtjes vast en hij laat het toe. 'Ik wíl geen familie zijn,' zegt hij tegen haar, gemarteld, zoals een kind, de uitputting nabij, kan zeggen: ik wíl niet naar bed. 'Ik geloof niet in familie. Ik wilde helemaal geen familie. Ik wilde dat wat wij hadden meer was dan dat, beter.'

De telefoon in het borstzakje van zijn operatiepak gaat abrupt over. Even negeert hij het, hij wil zich niet verroeren. Hij wil voor altijd hier blijven, in deze houding, zijn hoofd tegen haar borstbeen, haar handen op zijn wangen, in een heel kleine, afgesloten ruimte, zoals een badkamer.

'Moet je niet opnemen,' zegt ze zacht. Zonder vraagteken.

Hij pakt de telefoon zonder te kijken en neemt op. 'Ja, met Olu.'

'Met Kehinde.'

'...' Geschokt.

'Kehinde. Je broer.'

'Ik weet wie je bent.' Hij glimlacht. Hij liegt. Hij weet het niet, heeft het nooit geweten ook. Hij heeft Kehinde nooit begrepen, nooit echt kunnen vatten hoe hij zo losjes door het leven kon gaan, zonder zich ooit overmatig in te spannen. Dat hij zo, op een of andere manier, ook nog eens een opmerkelijk succesvol kunstenaar is geworden vindt Olu alleen maar des te verwarrender. Toch glimlacht hij. 'Daar ben je.' Het zachte stemgeluid van zijn broer, en zijn zachte lach, dezelfde stem en dezelfde lach als die van hun moeder, klinken op een of andere manier troostvol. 'Waar zit je?'

'In Brooklyn. Met Sadie en Taiwo.'

'...' Opnieuw geschokt.

'Hoor je me?'

'Ik hoor je wel,' zegt Olu. Hij knippert met zijn ogen, probeert het te verwerken. 'Je zei dat jullie allemaal daar waren, toch?'

De stem van Kehinde hapert even. Na een ogenblik zegt hij: 'We zijn allemaal hier.'

'Dus, morgen,' zegt Olu. 'Wij komen ook naar het consulaat.'

'Hoe bedoel je: wij?'

'Ling en ik. We gaan allebei,' zegt hij, terwijl ze zijn voorhoofd kust, haar tranen op zijn gezicht.

'Dat is goed om te horen.'

'Ik bel mama wel, dan weet ze vast dat we allemaal komen.'

'Mooi, bedankt alvast.'

'Graag gedaan.'

'Tot morgen dan.'

'Rustig aan.'

8

Fola zit te roken aan de rand van het gazon, op een chaise longue die ze in de schaduw van een palmboom heeft neergezet. Ze weet dat ze dat niet zou moeten doen – ze is getrouwd geweest met een arts en heeft er een grootgebracht; ze weet dat het zacht gezegd dom is –, maar ze zit toch met smaak aan haar sigaret te trekken, in een soort openlijk verzet, of misschien wel bij wijze van aanvaarding, medeplichtig aan het raadsel van de dood. Dit of dat doen of laten teneinde langer te leven, alsof een langer leven wel eens de beloning zou kunnen zijn voor een voorbeeldige gezondheid, dat is pas onnozel, denkt ze. Veganistische niet-rokers worden vast de hele tijd door afgedwaalde kogels getroffen of geschept door auto's.

Het huispersoneel is aan het werk en doet alsof het haar negeert, Ghartey op zijn post bij het dikke metalen hek, het dienstmeisje Amina bij de emmer waar ze kleren in wast en knechtje Mustafah bij de auto op de oprijlaan, ook aan het boenen. Toen ze hier kwam was er ook nog een chauffeur, ene broeder Joshua, heel onhandig, een fanatieke christen met een voorliefde voor de rem, die haar had rondgereden met heftige, schokkerige bewegingen en onophoudelijk schetterende Ghanese gospelmuziek. Die is er niet meer. Toen ze Benson afgelopen donderdag in de MaxMart tegen het lijf liep had ze melding gemaakt van de vacature en hij had gezegd dat hij haar zou helpen, maar ze vindt het eigenlijk wel prettig om te verdwalen, om doelloos rond te rijden met de raampjes open, of langs de oceaan te zoeven. Alleen. Over La-Teshie Road, langs de zwarte schietschijven, het oefenterrein, de galgen van de laatste coup, met een melodramatische oceaan die loom ligt te knabbelen aan het zeewier en het plastic afval op het verwaarloosde strand. Het zou heel mooi kunnen zijn als iemand het eens opruimde en schoonmaakte, als iemand zich erom bekommerde dat hier een oceaan lag. Het zou net zo mooi kunnen zijn als Togo, of Cap Skirring. Maar het is Ghana, gezegend maar onverschillig.

Maar zo vanaf haar chaise longue gezien is het huis veelbelovend: een bungalow op een perceel van tweeduizend vierkante meter, hier een zeldzaamheid, heeft ze zich laten vertellen, een heel perceel. Tegenwoordig zetten projectontwikkelaars zulke percelen vol met eenvormige huisjes. Het probleem is de lichttoevoer.

Er zijn niet genoeg ramen, en de ramen zijn niet groot genoeg en zitten aan de verkeerde kant. De studeerkamer bijvoorbeeld kijkt niet uit op de tuin maar op de tuinmuur waar rollen prikkeldraad op liggen; en de ramen van de slaapkamer zijn hoge, smalle rechthoeken waardoor je tegen de struiken naast het huis aan kijkt. Het hele huis wekt een ineengedoken indruk, alsof het probeert te overleven in een vijandige omgeving, ogen stijf dicht, dromend van zijn natuurlijke omgeving (Aspen), een beboste helling, niet tropisch Accra.

Toch is er best wat van te maken, denkt ze, langzaam aan haar sigaret trekkend en haar ogen half dichtknijpend terwijl ze de rook uitblaast. Als ze een paar muren uitbrak en wat raampartijen liet aanbrengen, grote schuifpuien, zou dit huis wel eens een lust kunnen zijn om in te wonen. Kweku zou het prachtig vinden, denkt ze, zonder waarschuwing vooraf, en ze gaat rechtop zitten, geschrokken van de pijn in haar binnenste. Hij is er niet meer, is de gedachte die erachteraan komt, ook weer een tsunami die in haar opwelt en haar overweldigt. Een beetje zoals weeën. Het komt en gaat. Ze buigt zich voorover, wacht met gesloten ogen.

'Mevrouw, is alles goed?' roept Ghartey.

Amina komt aansnellen met zeepsop aan haar handen. 'Mevrouw, kunnen we iets voor u doen?'

Fola kijkt naar de vrouw, die van dichtbij veel aantrekkelijker is dan ze zich gerealiseerd had. Amina kijkt ingespannen op haar neer, oprecht bezorgd. Fola voelt haar bezorgdheid, ze glimlacht en knikt. 'Ja. Zou je een drankje voor me willen mixen, Amina? Eén deel wodka uit de vriezer, niet van de bar, en drie delen tonic. Vier hele klontjes ijs. Eén schijfje citroen, zonder pitjes. Oké?'

Amina knikt. 'Ja, mevrouw.'

'Dánk je, Amina.'

Amina fronst haar voorhoofd. 'Ja, mevrouw.' Rept zich naar binnen.

Fola leunt achterover met haar hand op haar bekken. Een nieuw ontdekt 'kwadrant', onderin, het vijfde. Een vreemd en diep verlangen daar, hevig bonzend, bijna seksueel – of eigenlijk louter seksueel, merkt ze enigszins geschokt op. En waarom eigenlijk niet, denkt ze, en ze moet lachen, en dan huilen, hij was toch al die jaren haar minnaar geweest, en verdomd goed, als ze eerlijk is, dat was wat haar overtuigd had, de pure wanhoop waarmee hij de liefde bedreef, alsof hij al die uren (en uren: hij deed het met veel zorg, diepgaand en langzaam) ook echt tot de bodem wilde gaan, al die verlangens en behoeftes en inspanningen die ze samen hadden doorgemaakt, alsof hij daar helemaal in wilde duiken, in de diepte, naakt en bezweet, zwevend in de leegte.

Ze zou nog steeds niet kunnen zeggen of hij de bodem ooit geraakt had, of zijn grote teen ooit de bodem van het zwembad gevoeld had, maar hij zweefde de hele nacht, steeds dieper, en zij hield hem vast, ging met hem mee, zocht hem als hij te lang onder bleef. Zoals die ene nacht in Boston, in het kleine huis van Chalé, toen ze hem bij de slaapbank vond, waar hij naar een slapende Taiwo zat te kijken. Ze had heel zacht een hand op zijn schouder gelegd, waar hij toch vreselijk van geschrokken was. Hij hijgde nog na toen ze terug naar bed gingen. Toen hij haar, niet ruw, naar zich toe trok, van achteren, en haar nachthemd met één vloeiende beweging optrok, en bij haar naar binnen kwam, met bonzend hart, haar rug tegen zijn buik, zijn hand op haar gezicht, op haar borst, op haar bovenbeen. Zijn borst bleef op en neer gaan tegen haar rug, één uur, twee uur. Met langzame bewegingen, diep, een zweefduik. Steeds dieper, tot het haar pijn deed. 'Genoeg,' zei ze zacht. Hij kwam klaar, en toen huilde hij.

Dit was een man, was haar gevoel geweest, met wie je kon leven, een leven kon opbouwen, wat dat ook voor inhoud zou kunnen krijgen, 'een leven': die man die alles gaf aan de levenden, met een diepe, bevende ademhaling, die zijn leven gaf om de levenden tegen de dood te beschermen. Hoewel hij wist dat het vergeefs was. Zoals hij de liefde bedreef, alsof nu eeuwig zou duren, doof en blind voor al het andere, alsof ademhaling muziek was, en bouwvallen balzalen waren, en ze alleen maar hoefden te dansen. Het was dat wat haar overtuigd had, ondanks zijn lage inkomen bijna twintig jaar lang, en al het andere: dat haar man de liefde bedreef als iemand die het leven liefhad. Dat hij zich teweerstelde waar zij zich gewonnen had gegeven.

Nu zit ze in haar chaise longue te lachen en te huilen. Ghartey kijkt geschrokken toe vanaf zijn post. Mustafah heeft de auto de rug toegekeerd en staat met open mond te kijken, de tuinslang nog spuitend in zijn hand. Amina komt teruggesneld met een dienblad van aardewerk, met daarop een glas en het drankje in een maatbeker. Fola moet nu nog harder lachen. 'Dánk je, Amina,' zegt ze en zet de maatbeker aan haar mond.

Amina staart haar geschokt aan. 'Mevrouw, maar, het glas.'

'Dit is perfect,' zegt Fola. Ze doet haar zonnebril af en droogt haar tranen. 'Dánk je, Amina.' De telefoon gaat. Amina loopt ernaartoe, en komt nog steeds verbijsterd weer terug.

'De telefoon, mevrouw.'

'Wie is het, Amina?' Ze neemt nog een slok uit de maatbeker.

'Een meneer, mevrouw.'

'O ja? Een meneer met een naam?'

'Nee, mevrouw.'

'Goed dan. Op naar de meneer zonder naam.' Ze staat op, nog steeds lachend, en loopt door de tuin, door de open deur naar de hal. Ze neemt de telefoon op. 'Benson,' zegt ze.

'Mama, je spreekt met Olu.'

Ze richt zich op. 'Olu, lieve schat, hoe ís het met je?'

'Met ons is het goed. We komen morgen. Met z'n vijven.'

'Mooi.' Even valt haar niet op dat het aantal niet klopt. Met z'n vijven. Olu en Taiwo en Kehinde en Sadie. En Kweku. Ze buigt zich voorover. Weer een golf. 'Víér, lieve schat,' fluistert ze. 'Met z'n vieren.'

'Ling gaat ook mee.'

'Natuurlijk.' Ze droogt snel haar tranen. 'Ik zal de logeerkamers in orde maken. Ik heb mijn chauffeur ontslagen, dus ik haal jullie zelf op.'

'Natuurlijk.' Olu lacht. 'We vliegen met Delta.'

'Ik weet het.' Ze lachen weer, samen, en hangen dan op.

Ze staat bij de tafel in de hal aan de kant van de berghelling, met haar hand op de telefoon, en probeert haar ademhaling weer tot rust te brengen. Olu en Taiwo en Kehinde en Sadie. Alle vier, haar hele oeuvre, haar levenswerk. Allemaal hier, in dit huis, met zijn retro houten meubilair. En Ling, denkt ze, met een glimlach; eindelijk neemt hij Ling mee. Haar rijzige, behoedzame zoon die, meer dan de anderen, bang is om lief te hebben, alle liefde in twijfel trekt. En haar baby, die ze niet één keer gebeld heeft sinds oktober, sinds die dag in de keuken, sinds die vreselijke woordenwisseling. Ze had wel gehoord dat Sadie bij de badkamerdeur zat, ze had haar horen zeggen: 'Ik ga', maar ze had niks kunnen terugzeggen. Had daar maar wezenloos naar de bomen voor het raam zitten staren. Het licht in de bladeren was op dat uur net olie, net als het licht op die herfstavond in Brookline, toen Kehinde was binnengekomen en ze geweten had dat er één weg was. En de tweeling. Haar ibeji, die ze jaren en jaren niet meer gezien heeft, die ze niet meer gezien heeft sinds ze met een jas aan naar hun gate liepen, onder begeleiding van iemand van de luchtvaartmaatschappij – Kehinde had zich omgedraaid, en gezwaaid en geglimlacht, maar Taiwo niet, die was zo doorgelopen. De kinderen die maanden later waren teruggekeerd op Logan Airport, inmiddels veertien jaar oud, met een huid die bruin als klei was geworden en die ogen – de ogen van haar moeder, wat ze zo verontrustend had gevonden –, dat waren niet meer dezelfde kinderen geweest. Of eigenlijk helemaal geen kinderen. Allemaal. Komen ze. Samen. Morgen. Ze zou het aan iemand willen vertellen, ze zou het van blijdschap willen uitschreeuwen. Maar ze kijkt naar haar hand aan de oude telefoon en denkt, terwijl ze hem weer loslaat: er is niemand die ik kan bellen. 'Amina!' roept ze. 'We gaan de bedden opmaken.'

Amina komt al aanhollen. 'Ja, mevrouw.'

DEEL III

GA

I

Lamptey slaapt in volmaakt evenwicht aan de rand van de oceaan, nog geen halve meter van de schuimende vloedlijn, benen gekruist en ogen gesloten, handpalmen op zijn knieschijven, rug recht. De zwerfhond ligt ernaast en wacht, geduldig, blik op het water gericht, kin op de pootjes. De oceaan deint, heel langzaam, naar voren en naar achteren, uitvloeiend tot een punt vlak voor zijn pootjes maar niet dichterbij, een centimeter of tien, hooguit vijftien, aan nettobeweging, besluiteloos, hij trekt zijn grenzen telkens opnieuw maar trekt zich steeds weer terug. Wil het water niet verder komen, niet meer land veroveren, meer strand bezitten? Meer vochtig zand onderwerpen? Kennelijk niet. Naar voren, naar achteren, per saldo een centimeter of tien telkens, terwijl de wolken die kijken zich vervelen en beginnen te gapen.

Licht sijpelt naar binnen, zwak, vaal, kleurloos, het onderscheidt zich slechts in zoverre dat het geen donker is. Een ster, langzaam knipperend, een levendig contrast, wijst de hond, die ligt te wachten, erop dat dit het ochtendgloren is. De hond springt op, strekt zijn poten in een zonnegroet en wekt de man door omstandig aan zijn voetzolen te likken.

Op zijn schaduwen na is de tuin leeg. Hij hoort wel, maar ziet niets, de ogen laten het afweten. Het probleem is de staar, dat weet hij, zonder zich er druk over te maken. De chirurg maakt zich er vreselijk druk over en heeft aangeboden hem te helpen. (Een vriend, een operatie, kosteloos voor Lamptey. De chirurg is dwaas, zij het vastbesloten en vriendelijk. Een ongewone combinatie, vriendelijkheid en vastbeslotenheid. Een ongewone man, de chirurg.)

De vogels.

Ze zitten met z'n allen in de fontein, het standbeeld gaat nagenoeg schuil onder de vogels. Ze koeren zachtjes en klapperen met hun vleugels. Tien vogels, twintig misschien, dertig. Een vergadering. Hij loopt de tuin in en hoort ze eerst, alvorens ze te zien.

'Goedemorgen,' zegt hij, en hij maakt een beleefde buiging naar de vogels. Ze koeren zachtjes en klapperen met hun vleugels. 'Echt waar?' zegt hij, treurig en een beetje geschrokken.

De hond jankt mistroostig en gaat aan zijn voeten liggen.

Een licht flakkert aan in het huis-met-een-gat-erin. Een gedaante achter het raam, traag en rond. De vrouw, jong, mollig, haar gezicht net een kussen, haar ogen de knopen, alles even prettig en zacht. Hij mag haar, die vrouw. Ze is louter innemendheid. Meestal vindt hij het wel prettig als er iets is om afkeer van te hebben, alleen maar innemend vindt hij saai, maar hij heeft er de leeftijd niet voor, hij is te oud om zich in te spannen en te jong voor lusteloosheid. Als hij negentig is, zal hij een hekel aan haar krijgen. Dan zal hij de spot drijven met haar beroerde Engels en haar semiautonome billen die los van elkaar bewegen; dan zal hij zeggen dat het land nooit vooruitgang zal kennen zolang de gewone man zich op die manier voortbeweegt. Zonder lijn. Onambitieuze dijen en voorover rollende schouders, aan alle kanten rond, als een eeroude levensvorm. Als de oceaan. Hij ziet hoe ze door de schaduw zweeft en voelt iets voor haar wat even zacht is als haar gedaante.

Ze loopt naar de keuken waar ze een ander licht aanknipt. Een ogenblik blijft ze staan, een wolk achter glas. Ze komt naar de deur van de zonnekamer en blijft staan, doet dan de deur open en komt naar buiten met een glas melk met Milo. Ze huilt, dat kan hij zien bij het maanlicht, haar borsten beven zachtjes onder het satijn, en ze lijkt geen oog te hebben voor de vogels in de fontein, noch voor de man bij de mangoboom, blote voeten, saffraangele lendendoek. Ze gaat weer naar binnen en doet de lichten uit, in de keuken, in de slaapkamer, een schaduw van licht.

Hij rolt zijn matje uit aan de voet van de mangoboom en gaat zitten. *Padma asana.*

Vijf minuten over vier.

II

Ze vliegen het luchtruim van Ghana binnen, het hoofd van Taiwo op Kehindes schouder, het hoofd van Kehinde op het hoofd van Taiwo, tot ze wakker worden en zich van elkaar losmaken. Olu zit rechtop, zijn armen op de leuningen, zijn been lichtjes wiebelend, een hand van Ling op zijn bovenbeen. Sadie, achter hen, met niemand naast zich, hoofd tegen het raampje, benen opgetrokken op haar stoel, staart lusteloos naar de wolken, die al even lusteloos zijn, de zonsopkomst een vlakke lijn, helderrood in het zwart.

III

Fola haalt haar oogst binnen, van de tuin naar de keuken, waar het nog donker is: ze kon niet slapen, ging hier en daar wat bloemen snijden, sponzige grond, vochtig van de dauw, druipende bloesems en aarde, legt de takken op het aanrecht, veegt haar handen af. Ze vult vier vazen met net genoeg water, zet in elke zes takken en zet er twee in elke kamer. Op elk nachtkastje een, heel precies. En wil alweer teruglopen als het bij haar opkomt: er zijn niet genoeg kamers meer.

Er zijn alleen deze twee kleine kamers, afgezien van haar eigen slaapkamer, een tekort dat ze nu pas opmerkt, ze had altijd gedacht (of liever gedroomd) dat als ze allemaal kwamen, de meisjes het tweepersoonsbed zouden kunnen nemen en de jongens het lits-jumeaux. Nu Ling er ook bij is doet zich een etiquettekwestie voor. Ze weet dat ze al volwassen zijn, en ze zit er eerlijk gezegd ook in de verste verte niet mee, zou het zelfs wel mooi vinden als ze enig respijt van alle treurnis zochten door 's avonds in bed nog een dans op te voeren op het ritme van hun ademhaling, maar hij is altijd zo strikt, Olu, zo netjes, hij bidt voor het eten, gaat 's zondags naar de kerk en zo (niet dat zij een heiden is, goeie vriend van haar, Jezus, maar een tot wie ze zich ook zo richt: als tot een vriend, een wijze, blijmoedige vriend met iets gereserveerds in zich, niet de strenge Jezus van Olu met zijn lange gezicht en dito haar), en ze wil hem geen ongemakkelijk gevoel geven, hij moet zich niet verlegen voe-len met de situatie, temeer daar hij Ling nog nooit mee naar huis heeft genomen. Olu zou beter af zijn met Kehinde op één kamer, dat zou tegen bedtijd minder gêne en minder gestuntel geven, maar dan blijft de vraagt waar ze Ling moet laten, want ze kan een gast toch moeilijk op de bank laten slapen. Haar bij Taiwo laten slapen zou bijna harteloos zijn, aangezien Taiwo andere meisjes niet altijd even leuk behandelt (niet dat zij het er zoveel beter af-brengt met haar eigen sekse: vrouwen schijnen haar altijd afstan-delijk of trots te vinden, niet hypocriet genoeg, terwijl zij gauw haar buik vol heeft van hun tragedies, hun cosmetica, hun roman-ces, lange gezichten, lange haren), en ze wil graag dat Ling het ge-voel heeft dat ze ook bij de familie hoort, wat 'de familie' in hun geval ook moge betekenen. Ze kan beter bij Sadie op de kamer, in het grote bed – Sadie houdt van meisjes die mager en mooi zijn als Ling; en van meisjesachtige dingen, dezelfde zeep gebruiken en elkaar geheimen vertellen –, maar dan zou Taiwo, bedloos, het ge-voel hebben dat ze werd buitengesloten. En zou Sadie zich dan misschien niet opgelaten voelen, verlegen, om het ene bed te de-len met zo'n vrouw, terwijl ze in haar gedrag steeds meer op Olu is gaan lijken, puriteins, en ze er nog niet eens aan toe is gekomen om te zeggen wat iedereen wel kan zien? Niet dat het haar ook maar iets kan schelen van wie ze houden – of waar ze dat doen, logeerbed of bank –, zolang ze maar gelukkig zijn, of niet te ongelukkig, in de toestand waarin zij ze op de wereld heeft gezet, etcetera, niet minder. Als baby Sadie van meisjes houdt, of van dat ene meisje, die Philae (die vrolijk en naïef genoeg lijkt om een hart niet al te pijnlijk te breken), dan is dat zo, dan is dat prima, maar wat betekent dat voor de indeling, vraagt ze zich af. Kan ze haar met een gerust hart in één bed leggen met een vrouw? Of zou ze dat uitleggen als commentaar op wat Fola weet? Of liever wat Fola denkt? Misschien ként ze baby Sadie niet, niet echt, misschien moet ze haar dochter geen 'baby' noemen. Ze is al twintig, zoals ze zei, sinds…

'Gisteren.' Zegt ze hoorbaar, met een steek, linksboven.

Gisteren was ze jarig.

Ze is de verjaardag van Sadie vergeten.

Ze slaat een hand voor haar mond en schudt het hoofd. Uitgerekend de verjaardag van baby Sadie. Ze lacht omdat ze niet weet wat ze anders zou moeten en gaat terug naar de keuken.

Nou ja, laat maar. Sadie kan bij haar in het grote bed slapen; Olu moet maar kijken hoe hij zijn probleem met seks oplost. Ze wil Amina al roepen, maar bedenkt: te vroeg. Ze pakt het bakmeel voor een taart.

IV

'Waarom is je moeder naar Ghana verhuisd?' vraagt Ling. 'Ik dacht dat ze uit Nigeria kwam.'

Olu dacht dat ze sliep. Hij glimlacht tegen haar en gaat even verzitten. 'Ze wou gewoon iets anders.'

Achter hen Sadie, die luistert, sotto voce: 'Dat was vanwege mij.'

Taiwo, die aan het gangpad zit, tuurt uit het raampje. 'Je bent niet meer terug geweest,' zegt Kehinde, die ook naar buiten kijkt.

'Zei ik dat hardop?' zegt ze snel, en ze leunt met een ruk weer achterover. Het was niet zijn bedoeling haar lastig te vallen. Hij schudt zijn hoofd. 'Dat doe ik tegenwoordig af en toe,' mompelt ze, en ze fronst haar wenkbrauwen en wrijft over haar voorhoofd.

'Ik kan horen wat je denkt,' zegt hij in zijn hoofd.

'Nee, je kunt mijn gedachten niet lezen,' voegt ze eraan toe. Ze buigt zich voorover om het schermpje voor het raam te trekken en doet haar ogen dicht.

v

Een vliegtuig in de lucht.

2

Fola gaat langs de MaxMart om kaarsjes te kopen. De bediende glimlacht minzaam. 'Ja, mevrouw. Die liggen hier.' Ze kijkt naar de kaarsen en moet lachen. 'Nee, niet zulke. Van die kleintjes, voor een verjaardagstaart.'

'Dit zijn de enige die we hebben.'

Ze rijdt naar het vliegveld. De stilte maakt haar onrustig. Ze doet de radio aan, maar die lijkt het niet te doen. Dan knalt opeens de gospel van Joshua door de ruis heen, vals en troosteloos, als een schrille kreet om hulp. Ze zoekt een ander station op. Evangelische mormonen. Verder. De BBC, een en al slecht nieuws. Ze doet de radio uit en tuurt naar het verkeer. De gebruikelijke drukte op de nieuwe Spintex Road. Ze draait het raampje naar beneden en tuurt naar de kruising, waar een agent het er niet beter op lijkt te maken met zijn geschreeuw, '*Bra, bra, bra*, stop', en zijn tegenstrijdige gebaren, terwijl het net geïnstalleerde verkeerslicht het ook laat afweten (geen stroom). Ze doet het raampje weer dicht en neuriet, zonder erbij na te denken, 'Great Is Thy Faithfulness', twee maten, en dan valt ze stil. Waar kwam dat vandaan, vraagt ze zich af. Ze fronst en drukt op de claxon. Dat zong hij altijd voor hij naar zijn werk ging, perfect op toon, hoewel hij, als ze er iets van zei, van zijn zangstem, altijd alleen maar zijn hoofd schudde en wat lachte: 'Het zijn maar geluidsgolven, hoor', waarna hij niet meer verder zong.

In de aankomsthal krioelt het van de mensen die terug zijn gekomen voor de kerstdagen, ze komen in jassen gehuld uit het vliegtuig, met tonnen aan ruimbagage. Ze dringt zich tussen de wachtenden door naar voren, niet ruw, maar resoluut, in de Nigeriaanse traditie. En blijft daar staan. Ze is te vroeg, dat weet ze, een half uur, maar ze zag er tegen op om alleen in huis te gaan zitten wachten, bij die taart op het aanrecht, die klaar was en die er ook bij stond alsof hij ergens op wachtte. Hier is het beter: nabijheid van mensen, gedrang, tantes die beginnen te loeien als verloren zoons met slaperige hoofden tevoorschijn komen en zich naar voren dringen om te grijpen, te omarmen, te snikken, te verwelkomen: het betraande en theatrale gedoe van oude vrouwen die hun geluk niet op kunnen. Hier is het beter, bezweet, door stemmen omringd, het lage, gestage kloppen van harten die wachten, honderden, allemaal in collectieve afwachting van een geliefd iemand die weer thuiskomt. Lichamen. Vertrouwd. Ze heeft hem nooit verteld hóé vertrouwd, denkt ze, en haar gedachten slaan op drift zoals gedachten doen in de hitte, wanneer je roerloos staat te wachten en de tijd stil lijkt te staan, een ruimte om je heen waar het Verleden, dat zijn kans schoon ziet, naar binnen glipt. Een gebaar, een beweging, hoe gering ook, weg van het moment, en daar ga je, daar gaan je gedachten, van deze dag naar die dag:

naar het vliegveld, hetzelfde vliegveld:

'Uitkijken, we zijn hier in Ghana!'

'Ik kom uit Lagos, vriend.'

En ik ben hier eerder geweest.

Waarom had ze hem dat niet verteld? Het was geen geheim. Hij wist dat ze bij het uitbreken van de oorlog gevlucht was, dat ze op een of andere manier uit Lagos vertrokken was om haar studie af te maken en dat ze in een spijkerbroek met wijde pijpen op Lincoln was opgedoken, maar hij had nooit gevraagd hoe, hoe ze in Pennsylvania was beland, alsof haar leven begonnen was waar hun gezamenlijke leven begon, en ze kwam ook nooit met antwoorden, 's nachts, in het donker, nadat hij in het diepe gedoken was en zich tegen haar aan had gedrukt, nat. Toen had het normaal geleken om daar naast hem te liggen, levend in het heden en dood voor het verleden, met de man in haar bed, in haar hart, in haar lichaam maar niet in haar herinnering, en zij niet in de zijne. Het was bijna alsof ze een eed hadden gezworen – niet alleen zij, maar hun hele kring op Lincoln die jaren, pientere kleinkinderen van bedienden, intelligente uitgeweken immigranten –, een eed ter bekrachtiging van hun gedeelde recht om te zwijgen (om níét hun eerdere zelf te blijven, het gebroken, mishandelde, verwarde zelf dat in verhalen had geleefd en in stilte was gestorven). Een eed tussen slachtoffers. Maar ook tussen geliefden?!

Ze weet het niet. Misschien. Er was zoveel dat ze hem nooit gevraagd had. Zoveel dat ze hem nooit verteld had. De pijn bijvoorbeeld. 'Genoeg,' zei ze dan, wat hij uitlegde als 'stop', en dan stopte hij ook: dan kwam hij langzaam weer bovendrijven en dacht dat zij uitgeput was, hoewel eigenlijk het tegendeel het geval was: ze vreesde juist dat hij uitgeput was. Terwijl ze hunkerde naar meer. Meer, altijd meer, meer van hem, van alles – ze had zich geopend, hij had haar geopend, en ze wilde alleen maar gevuld worden, maar dat zei ze nooit, ze hield hem alleen maar vast, lag daar te zwijgen terwijl hij lag te slapen: hij voldaan, zij leeg. Waarom had ze het niet tegen hem gezegd? Dat niet, en andere dingen ook niet. Waarom ze nooit ja zei als hij haar vroeg mee te gaan naar die feestjes in Cambridge, met collega's in kakibroeken, blokjes kaas aan prikkertjes, dienstmeisjes uit vreemde landen en het obligate kind dat na de drankjes kwam opdraven om heel bekwaam 'Für Elise' te spelen, waarna het naar bed ging. Ja, die feestjes waren saai. Maar des te hartverscheurender was het om toe te kijken hoe hij in zijn eigen gestreken kakibroek naar de goedkeuring hengelde van mannen die veel minder voorstelden dan hij, zijn blik vol hoop dat hij zich snel ook zo thuis zou mogen voelen in de wereld. Waarom had ze het niet tegen hem gezegd? 'Jij hoeft geen indruk te maken op die mensen,' had ze kunnen zeggen, 'het ontgaat echt niemand dat jij briljant bent.' In plaats van: 'De afwas moet nog gedaan worden', of 'Sadie heeft een voorspeelavond', of 'Olu heeft hulp nodig bij zijn natuurkundepresentatie'. In plaats van stilte, beschermend, vernietigend, als mijten die zich tientallen jaren onopgemerkt te goed doen aan een daglelie. Ook het belangrijkste had ze verzwegen. Wat eraan vooraf was gegaan. Hoe ze in Pennsylvania terecht was gekomen.

Hoe ze haar spullen had gepakt en was vertrokken.

Hoe: ze lag daar in die slaapkamer in Lagos, niet in staat zich te verroeren of na te denken of adem te halen met haar hoofd onder de dekens, haar handen op haar ribbenkast, haar borst helemaal leeg, tot het nacht werd. Het dienstmeisje kwam zoals elke zondag terug, zoals gewoonlijk via de achterdeur, waar ze een sleutel van had. Ze had het avondeten al klaar en de tafel gedekt toen ze opeens bedacht dat het vreemd was dat het zo stil was in huis. 'Meneer!' riep ze, naar boven, door de gang. 'Meneer, bent u daar? Juffrouw Folasadé? Ah-ah.' Pas toen was Fola uit zijn bed gekomen, helemaal bezweet, en had ze bibberend de lift genomen naar de keuken op de eerste verdieping. 'Ik ben hier.' Mariana, het dienstmeisje, greep naar haar voorhoofd toen ze haar zag. 'Koorts, u hebt koorts, waar is uw vader?' riep ze.

Fola haalde versuft haar schouders op. 'Die is naar Kaduna.'

'Nee!' riep Mariana, waarop ze in elkaar zakte.

Hoe: ze hadden daar maar gezeten, zonder te spreken en zonder te eten, aan een eettafel die gedekt was voor twee, en gemaakt voor veertien personen. De Nwaneri's keken vanaf hun portret op hen neer, zwarte John ook op een stoel, blanke Maud ernaast met haar hand op een epaulet van haar man. Het eten stond op tafel, Fola's lievelingsgerecht, *egusi*, maar ze raakten het geen van beiden aan; na een uur was het koud. Na twee uur stond de collega van het advocatenkantoor van haar vader, Sena Wosornu, voor de deur. Hij belde lang en aanhoudend aan. Fola keek naar Mariana. Het dienstmeisje beefde, ze zat met de armen over elkaar hoofdschuddend heen en weer te wiegen en prevelde aan één stuk door een gebed. Fola legde haar hoofdschudden uit als 'niet opendoen' en bleef zitten. Mariana durfde de bel niet langer te negeren. Ze strompelde naar de deur, van waar Fola eerst gefluister hoorde, toen opeens gesnik en meteen daarna de hoge stem van Sena. 'De baby hoort je nog,' zei hij berispend. De baby. Zoals haar vader haar altijd noemde, zelfs toen nog, en zijn vrienden dus ook.

Later die avond kwam Sena naar haar slaapkamer. Hij klopte aan en kwam naast haar op het bed zitten. Ze lag op haar rug, met haar voeten tegen de muur, tegen een poster van John Lennon; haar hoofd hing over de rand van het bed naar beneden.

'Fola,' zei hij. 'Ik moet je iets vertellen.'

Ze tilde haar hoofd niet op. 'Ik weet het, ik weet het, ik weet het.'

Sena boog zich met ondersteboven gekeerd hoofd naar haar toe.

'Je vader...'

'Niet zeggen,' zei ze. Ze ging rechtop zitten.

Hij zei dat ze moest pakken. Ze zouden in de ochtend vertrekken. Zijn ouders woonden in Ghana. Bij hen zou het voor haar veiliger zijn. Als er ooit iets gebeurt, neem de baby dan mee naar Ghana, laat haar niet hier in Nigeria, had haar vader gezegd. Ze pakte een gouden *aso-oke*, een verjaardagscadeau, platen, zijn dikke kente deken en een spijkerbroek met wijde pijpen. Ze pakte geen foto's of jurken of teddyberen. De details kwamen later. Ze vertrokken voor het licht werd.

Hoe: op dit vliegveld, veel kleiner, even vol, landden ze, midden in de zomer, juli 1966; alle kleuren waren hier anders dan in Lagos, er waren meer gelen, en de geur deed denken aan de geur van een kleipot die stuk was gevallen. Ze werden verwelkomd door een man met een grijs afrokapsel, een enorme witte baard, stralende ogen en lachrimpels. 'Jij moet Fola zijn!' Hij schudde haar de hand. Zij schudde haar hoofd. Ze wist niet meer wie ze moest zijn. 'De mensen noemen mij "dominee". Dominee Mawuli Wosornu, de vader van Sena,' zei hij, hoewel hij daar veel te jong voor leek.

Het huis stond aan een straat met aan weerskanten bomen, een brede straat met witte huizen voor vrienden van de Britten, en een enkele Libanees. Ze brachten haar naar een slaapkamer die roze was geverfd, een ongewoon roze dat ze tientallen jaren later weer tegen zou komen toen ze in een bouwmarkt naar muls zocht. (Ze kwam langs een schap met blikken verf en zag het opeens, van een afstandje, op een poster waar alle kleuren met naam en toenaam op stonden. Onschuld, heette de tint. Ze moest er hard om lachen en kocht vier grote emmers voor de kinderkamer van het kind dat na de tweeling komt.) Ze stond op de drempel en keek naar de kamer. Dominee Wosornu, achter haar: 'En dit is je slaapkamer.' Ze liep naar binnen en ging op het smalle bed zitten, de harde matras;

ze staarde naar de zuurstokroze muren. Ze keek naar de man in de deuropening, zei 'dank u wel', ging liggen en viel in slaap. Ze sliep drie dagen aan één stuk, zonder te eten. Op de vierde dag kwam de vrouw, Vera Wosornu, bij haar kijken. Mevrouw Wosornu leek ouder, óúd (vierenvijftig). Een dikke vrouw, afgetobd, geen licht in haar ogen. Ze droeg een zwarte pruik die achterover zakte, zodat haar grijze haren te zien waren. 'Tijd om op te staan,' zei ze. 'Kom, ontbijten.' Toen Fola zich omdraaide was de vrouw weg.

Het ontbijt bestond uit cacaobrood, papaja, eieren en koffie. Mevrouw Wosornu maakte nogal wat geluid bij het eten. Dikke, beboterde lippen. Dominee Wosornu nipte van zijn koffie en luisterde aandachtig naar de radio. 'Nog steeds pogroms in Nigeria.' Hij zette de radio uit. 'Sir Charles Arden Clarke is een vriend van de gemeente. Weet je wie dat is?'

Fola schudde haar hoofd van nee.

'Eten,' zei mevrouw Wosornu.

'Voormalig gouverneur van Goudkust. En oprichter van de Internationale School van Goudkust.'

'Tegenwoordig Ghana,' bitste mevrouw Wosornu. 'Eten,' bitste ze tegen Fola.

Fola pakte haar vork. De bevelen van de vrouw waren autoritair, bij het tactloze af; maar het was bijna een opluchting om te horen te krijgen wat ze doen moest. Ze stopte een stukje papaja in haar mond maar kon er niet op kauwen. Ze liet het over haar tong heen en weer gaan tot het was opgelost.

'Ze hebben met je toelating ingestemd,' zei dominee Wosornu enthousiast. 'In tien jaar tijd hebben ze er echt een uitstekende school van gemaakt.'

'Jij gaat daar je diploma halen en daarna ga je studeren in Amerika.'

'Ja, mevrouw.'

'Je moet me moeder noemen.'

'Ja, moeder,' zei Fola. Het klonk haar vreemd in de oren. Leeg.
'Dat klinkt beter.'

'Ik ben gewoon "dominee". Niet vader, nog niet.'

'Over vaders gesproken, jouw vader was heel goed voor onze Sena.'

'Vera,' zuchtte de dominee, maar zijn vrouw liet zich niet door hem tegenhouden.

'Hij kan geen kinderen krijgen, onze Sena. Zo jammer. Onze enige zoon. En je weet wat ze in het dorp zeggen.' Fola wist niet wat ze in het dorp zeiden. De uitdrukking werd met een mond vol ei opgezegd. 'De vrouw die maar één kind heeft, heeft geen kind.'

De dominee bleef glimlachen. 'Kindersterfte,' legde hij uit.

Hoe: ze had haar school afgemaakt, zelden iets gezegd en nauwelijks gegeten. Toen de volgende zomer de oorlog kwam, maakte zij zich daar niet druk over. Ze bladerde de plaatselijke kranten door, zag de foto's, hoorde de geruchten (afgeslachte burgers, uitgehongerde kinderen, Duitse huurlingen, Welsh), maar dat 'Nigeria' waar ze het over hadden was haar onbekend, dat was niet het land waar ze vandaan kwam, geen land dat ze voor zich zag, het was zo onecht. Ze viel te veel af en blonk uit in haar schoolwerk, dat ze in Lagos allemaal al gedaan had met haar toenmalige privéleraar. Haar klasgenoten noemden haar de 'Biafraan', maar het klonk jaloers. Ze benijdden haar om haar haar, haar prachtige cijfers, haar tragische bekoring. Uit verveling liet ze zich door een van hen betasten. Hij woonde een eindje verderop, in East Cantonments. Yaw, heette hij. Hij was eigenlijk best knap, een atleet, en later soldaat, maar bescheiden in zijn ambities (hoe: Kweku was haar eerste). Ze deed eindexamen en eindigde als beste van de klas. Ze knipte haar haar af, het borstelen beu. Een studiebeurs werd geregeld door andere vrienden van de gemeente aan Lincoln University, waar Nkrumah ook heen was gegaan. Ze had eigenlijk naar

King's College gewild, net als haar vader, maar maakte geen bezwaar.

Weer naar het vliegveld.

Hoe: ze liep over de landingsbaan naar het vliegtuig met de geur van drijfnatte avond in haar neusgaten, zwaar van de regen die op komst was. Ze draaide zich niet om naar de terminal om te glimlachen of te zwaaien of nog even te kijken, naar de dominee, die ze heel aardig had gevonden, of naar Vera, die ze gehaat had. En zag hem dan ook bijna niet aan komen rennen in zijn driedelige pak. De passagier achter haar moest haar een tikje op de schouder geven. 'Juffrouw?'

Het was de mollige Sena, zijn jasje wapperde achter hem aan als de rafelige mantel van een tovenaar. 'Fola, wacht!' Fola wachtte. Hij hijgde toen hij haar had ingehaald. 'Goddank dat ik je nog even zie. Hoe gaat het met je?'

Ze haalde haar schouders op.

'Ik was de hele tijd al van plan om te komen. De firma bestaat nog en heeft nog werk, het is bijna niet te geloven, in Lagos.'

Ze haalde haar schouders op.

'Maar ik had eerder moeten komen, ik weet het.' Hij sloeg zijn armen om haar heen en drukte iets tegen haar aan. Een envelop. 'Dit heeft hij nagelaten. Maak hem nog niet open. Ik was bang dat mijn moeder hem af zou pakken, daarom heb ik gewacht.' Hij hield haar in zijn armen tot ze de envelop had aangepakt en weggestopt, toen draaide hij zich om. 'Ga nu maar.'

Hoe: toen ze in Amerika aankwam maakte ze de envelop open. Amerikaanse dollars, kraaknieuw, in bundeltjes. Genoeg om opnieuw te beginnen, om in Amerika te blijven, genoeg om geen dikke vrouwen te hoeven zien eten of om haar hand te moeten ophouden of om ooit honger te hoeven lijden of weer terug te moeten gaan naar dat vliegveld in Ghana.

Een passagier achter haar tikt haar op een schouder. 'Mevrouw?'

Ze schrikt en draait zich om. De passagier wijst.

Daar staan ze, met z'n allen, ze kijken naar haar, afwachtend, hier, weer terug op dit vliegveld in Ghana.

II

'Ze lijkt niet echt blij ons te zien,' zegt Sadie.

'Ze is vast nog in shock,' zegt Kehinde. 'Wees maar niet bang.' Maar hij trekt zelf de mouwen van zijn sweater naar beneden om zijn polsen te bedekken, bang dat Fola de littekens heeft gezien.

'Je kent mijn moeder nog wel,' prevelt Olu tegen Ling, terwijl het hem opvalt dat het vliegveld wel heel erg veranderd is sinds die keer dat hij hier was.

Ling fluistert, vol ontzag: 'Wat is ze móói, Jezus.'

Taiwo voelt een onverklaarbare boosheid.

Ze zijn allemaal blijven staan en staren elkaar aan. Iemand zou iets moeten doen, denkt iedereen. Kehinde stapt naar voren om zijn armen om haar heen te slaan maar Fola, helemaal van de kaart, neemt zijn gezicht in haar handen, zodat een eventuele omhelzing van zijn kant moeilijk wordt. 'Een baard,' zegt ze lachend.

'Huil maar niet,' zegt hij zachtjes.

'O, huil ik?' Nog steeds lachend droogt ze haar tranen.

De anderen komen nu ook naar voren, ze kruipen allemaal bij elkaar en omarmen en begroeten haar om beurten. 'Ling,' zegt Fola met een zucht. 'Ik ben zo blij dat je mee kon komen', terwijl Sadie erbij staat en probeert niet al te boos te kijken.

Ze kent dat moment. Die hartelijke glimlach. Die vederlichte uitdrukking van oprechte warmte die alleen bestaat voor mensen die net-als-familie zijn. Voor feitelijke leden van de familie is er een serieuzere verwelkoming. 'En Sadie,' zegt Fola, haar beide handen uitgestoken, haar mond in een omgekeerde glimlach, hoofd een tikje schuin. Sadie schuifelt naar haar toe, opeens nerveus met alle anderen eromheen, ze had eigenlijk een kalme, heel volwassen omhelzing bedoeld, en een stijf 'mama, fijn je te zien', maar de geur is overweldigend, ze voelt al haar weerstand verschrompelen en begint wanhopig te snikken.

De geur van haar moeder – onmiddellijk vertrouwd, de geur van baksels en Dax Indian Hemp, al twintig jaar Fola's haarproduct, groen met bruine spikkels, als iets wat ze ook in de tuin gebruikt – en hoe ze aanvoelt, zo onwaarschijnlijk meegevend, de huid van haar armen en handen net die van een kind, alles bij elkaar is het een te warm welkom, te puur en te open voor Sadie om te verdragen, om het gevoel te hebben dat ze het verdient. Ze verbergt haar gezicht in de zachte schouder van haar moeder en houdt haar stevig vast om haar middel. 'Het spijt me,' brengt ze nauwelijks verstaanbaar uit.

Fola lacht zachtjes en strijkt over de vlechtjes van Sadie. Olu kijkt toe en wou dat ze dat thuis deden. Althans niet met Ling erbij, die opgelaten naar haar sandalen kijkt – zo verbaasd dat de resten van haar glimlach na het 'zo blij dat je mee kon komen' op haar gezicht zijn verstard. Fola, nog altijd met Sadie tegen zich aan, kijkt op en gebaart dat de anderen zich bij hen moeten voegen in hun omarming. Olu kijkt naar Taiwo, die onverklaarbaar boos kijkt, en is bang dat ze het zachte 'kom' van Fola zal negeren. Om het goede voorbeeld te geven zet hij een stap naar voren en slaat een lange arm om het lange lijf van Fola. Kehinde komt er ook bij staan, achter Sadie, en drukt zachtjes tussen haar schouderbladen om haar te kalmeren. Ling raakt nu ook Olu aan, maar ze houdt enige afstand, ze geeft hem snel een kneepje in zijn elleboog en laat dan weer los.

Taiwo kijkt toe, ze heeft het idee dat ze erbij zou willen gaan staan, om zich nu eens een keer deel van het geheel te voelen, en het gevoel te hebben dat ze er op een of andere manier bij hoort, hoe vrijblijvend en misplaatst die collectieve omarming verder ook aanvoelt. Maar ze kan het niet.

III

Ze passen niet allemaal in de Mercedes. Taiwo en Kehinde rijden in een taxi achter de anderen aan.

IV

Ze zit met haar gezicht naar het raam en haar rug naar Kehinde, en herinnert zich dat ze Lagos voor het eerst zag: de grijzigheid, de grauwsluier en de chaos, de weg vanaf Ikeja, de straatverkopers met hun prullen en levende maar ten dode opgeschreven kippen, de manier waarop Femi in zijn handen klapte toen ze op de bovenste verdieping aankwamen, zijn cocaïnekoude lippen op haar voorhoofdsbeen, zijn lach, hoe haar broer daar stond, en kouder en harder oogde dan ze hem ooit had gezien, behalve als hij sliep...

als haar herinnering opeens een dramatische sprong maakt naar Barrow Street, november, waar ze naakt in de vensterbank zit en rookringen blaast...

en dan verder naar het eind, zonsopgang, eind van de zomer, zijn vrouw in Apulië op zoek naar natte kaas: hotelletje aan de kust, ideaal voor eindes, de krant tussen hen in, de stilte een doodsklok.

Het was altijd de kust waar ze in de weekenden heen gingen. Hij noemde haar zijn 'watermeisje', wat heel toepasselijk was: ze was gelukkiger naarmate ze dichter bij het water was, vooral de oceaan, hoewel de Hudson ook goed was. (Kwestie van astrologie, zegt hij, ze is een schorpioen, en dat is een waterteken. Onzin, zegt Taiwo, slaat nergens op. De schorpioen is een landdier, zou Schorpioen dan een waterteken zijn? En de Waterman een luchtteken? De logica ontbreekt.) Een zeewind woei over de veranda waar ze zaten, ze snoof de zilte lucht diep in zich op.

'Ik stop met mijn studie,' zei ze op haar uitademing.

'Nee. Dat kan ik niet toestaan.'

'Ik heb geen zin om advocaat worden,' zei ze, met enige vinnigheid. Ze ging met haar middelvinger langs de aanklacht waar de krant mee opende: *Beschuldigingen van ontrouw bezoedelen decaan rechtenfaculteit*. 'Jij vond dat ik niet eens op de rechtenfaculteit thuishoorde.'

'Twee jaar geleden, Taiwo. Je bent de beste van je jaar.'

'Ik ben altijd de beste van mijn jaar,' bitste ze snel. 'Is het ooit bij je opgekomen dat het allemaal bullshit is, dat "jaar"? Wat is dat, een "jaar"? Niet meer dan telkens weer hetzelfde stelletje lafaards dat troost zoekt in schoolwerk. Hoe intelligent is dat?'

Een hulpeloze lach. 'Je bent meedogenloos.'

'Ik ben eerlijk.'

'Dat is hetzelfde. Ik kan je niet zomaar laten ophouden.'

'Nou, je kunt me ook niet dwingen om door te gaan.' Ze ging demonstratief staan en liep het trapje voor de veranda af. 'Taiwo!' riep hij, maar hij ging niet achter haar aan. Ze liep en holde en sprintte toen naar de vloedlijn en bleef daar alleen over de Atlantische Oceaan zitten uitkijken. Wat heerlijk zou het zijn om de zee in te lopen, dacht ze, om gewoon het pad van de zonsopgang over de golven te volgen, het rozig gele pad, op haar slippers en in het wollen vest van haar minnaar, en dan gewoon door te lopen, door te lopen, onder water, weg van hier. In plaats daarvan bleef ze daar zitten, een uur, misschien langer, net lang genoeg om hem pijn te doen, om er zeker van te kunnen zijn dat hij pijn voelde. Ze was niet speciaal boos – althans niet op haar minnaar; ze was nu al meer dan vijftien jaar boos op het lot dat haar getroffen had – maar ze wilde dat hij leed, en niet door de schande, maar door het besef dat hij jegens haar gefaald had. Of dat zij door zijn toedoen gefaald had.

Waarom wilde ze dat?

Hij heeft haar nooit misleid. Geen van beiden heeft de ander achternagezeten, zich aan de ander vastgeklampt, of te veel aangedrongen. Het was hun domweg overkomen, in een oogwenk. Ze waren bezweken voor de neerwaartse kracht en verdronken. Nu werd er gefluisterd, en deden foto's en geruchten de ronde, een soort van discours dat ze tot op heden niet gekend had – alsof een of andere goed getrainde robot verhalen uitspuwde over bepaalde feiten van haar leven maar niet over háár. Dat was niet zijn schuld. Hij was onhandig en stapelverliefd met bescheiden hoeveelheden van wat misschien macht genoemd zou moeten worden; hij was in staat geweest haar mee te nemen naar adresjes waar niemand hen kon zien, maar niet in staat weerstand te bieden aan zijn behoefte met haar gezien te worden. Na twee jaar seks in een kamer in de Village en in charmante hotelletjes her en der aan de kust was hij gaan verlangen naar publiek om voor hem te applaudisseren, om zijn grote verovering te zien, om zijn grote vreugde te kennen. Een etentje was hun fataal geworden. Er waren vrienden van zijn vrouw daar, en vrienden van zijn vijanden uit zijn tijd in Washington. Binnen een maand lag er een schandaal in het verschiet. Het college van bestuur van de universiteit was ingelicht. Half augustus hadden ze hun toevlucht genomen tot Cape May om over de capitulatie te onderhandelen. Einde scène.

Ze waren nog bondgenoten, geliefden. Er was geen reden tot boosheid. Ze had er nooit om gevraagd noch ooit gewild dat hij het tegen zijn vrouw zou zeggen of bij haar zou weggaan. Ze had geen speciaal belang bij een huwelijk, om voor de hand liggende redenen, en al helemaal niet met hem. Maar ze wilde dat hij leed. Dat hij wist dat hij tekort was geschoten jegens haar. Ze was vastbesloten met haar studie te stoppen, opdat hij zou weten dat ze gefaald had; zodat iedereen die het hoorde of zag verbaasd zou staan, en zich op gedempte toon zou afvragen hoe het kon dat uitgerekend zij, zo'n uitblinker – summa cum laude, NYU! PPE, Magdalen College, zomerstage, Wachtell! –, in haar eigen zwaard gevallen was, waarop het antwoord zou komen, zo niet voor hen die het zich afvroegen, dan toch in elk geval voor hem:

omdat hij het heeft laten gebeuren.

En hij niet alleen.

Er was nog die andere, de eerste, die ze hadden uitgewist, de man die achteruit een door de zonsondergang verlichte oprit was af gereden terwijl zij toekeek vanuit het raam, onder dekking van de duisternis, nadat ze met het licht had gespeeld om Kehinde naar binnen te lokken: eerst uit, toen aan, uit, aan: net donker genoeg nu om in de auto te kunnen kijken, om het gezicht van de man door de voorruit te kunnen zien, zacht, smalle ogen die nog smaller werden, die vochten tegen, en toen volliepen met tranen – maar resoluut.

Hij moest het ook weten, vond ze, terwijl ze daar zwijgend zat zoals je op stranden zit: knieën voor de borst, kin op de knieën, wind in het haar en de smaak van tranen die het zout van de wind in zich dragen. Ze zou hem opzoeken en het hem vertellen. Hij was ergens in Ghana (volgens Olu); ze zou erheen gaan en hem opwachten. Ze zou bij hem voor de deur zitten als hij thuiskwam van zijn werk, in een Volvo, zoals ze het voor zich zag, zonsondergang in volle glorie. Hij zou haar zien vanaf de oprit en remmen met zo'n blik op zijn gezicht als je zag in films waarin een man die op de vlucht is thuiskomt en de huurmoordenaar op zijn gemak op hem ziet zitten wachten, gewoon in het zicht, met zijn laarzen op de balustrade en een pistool in een van zijn laarzen, waar de man op de oprit het gewoon kan zien. Precies zo. Hij zou stilstaan, de motor uitschakelen en vanuit de auto naar haar staren, hun blikken zouden elkaar ontmoeten, ze zou niet met haar ogen knipperen, en zijn ogen zouden vollopen, want hij zou in haar gezicht kunnen zien dat er een licht was gedoofd en zou zonder woorden weten dat zijn dochter dood was, dat het meisje dat hij in een huis in Noord-Amerika had achtergelaten niet hetzelfde meisje was dat hier bij hem op de stoep zat in West-Afrika, met haar laarzen op de balustrade en een pistool in een laars: dat ze was doodgegaan omdat niemand haar wilde redden. Zeker. Ze zou stoppen met haar rechtenstudie en als serveerster de duizend-en-nog-wat dollar bij elkaar verdienen om naar Accra te vliegen (ondanks haar eerdere mening dat een dergelijke prijs onrechtvaardig was, een belediging aan het adres van immigranten die de reis naar het oosten wilden maken), opdat ook hij zou weten, en zou lijden aan de wetenschap dat hij te zwak was geweest om haar te beschermen.

Of liever gezegd: zo had ze het gepland.

Ze had eerder moeten gaan.

Ze lacht en kijkt naar buiten, naar de straten van Accra. Twee jaar had ze zich de uitdrukking op zijn gezicht voorgesteld. Nu is ze hier, en nou is haar vader er niet meer.

V

Hij zit met zijn gezicht naar het raam en zijn rug naar Taiwo en kijkt naar buiten, naar de weg vanaf het vliegveld, naar Accra, dat op een of andere manier anders is dan hij verwacht had, anders dan Mali of Lagos, minder betovering, meer orde. Een voorstad. Met stof. Er zijn de standaarddingen, Afrikaanse dingen, straatverkopers in de berm, de kleur van de gebouwen: hetzelfde verschoten beige als de lucht en het loof; in felle kleuren bedrukte stoffen; nooit voltooide gebouwen (flats, hotels), die de hele boel het aanzien geven van een huis dat eindeloos wordt verbouwd, een project dat eeuwig halverwege is: de mannen zijn gaan lunchen, de nieuwe verf is al aan het afbladderen en verbleken in de zon, alsof het eigenlijk nooit iets heeft uitgemaakt wat voor kleur het nou moest worden; overal stapels betonblokken, als soldaten die op bevelen staan te wachten; staal van allerlei sluimerende apparaten in het groen. Dat is vertrouwd.

Wat hem treft is de beweging: lethargisch noch nerveus, een soort middentempo, niets van de oudheid van Mali noch van de ambitieusheid van Nigeria, maar alleen een gestage voortbeweging naar hij zou niet weten wat. Langs de weg staan dezelfde grote borden die je over de hele wereld ziet, bewijs van 'ontwikkeling' zoals hij het woord zo vaak heeft horen gebruiken, alsof een land ontwikkelen betekent het veranderen in een soort Californië, met supermarkten, suv's, palmbomen, smog en de hele zooi. Kinderen in t-shirts met de enorme hoofden van rappers erop komen naar hun taxi hollen om met van alles en nog wat te leuren: stapels importappels, kauwgum, bananen, dagbladen, halve scrubsponzen, lucifers. De waren zien er aanlokkelijk uit in hun primaire kleuren, geïmporteerd uit China, Zuid-Afrika, allemaal plastic, allerlei soorten plastic en cellofaan en ander verpakkingsmateriaal, alsof de armen niets liever hebben dan als cadeautjes verpakte kitsch. Een man zonder benen laat zich door een jongen zonder schoenen voorzichtig tussen de auto's door naar de taxi duwen, waar hij op het raampje klopt en een hand waar een paar vingers aan ontbreken ophoudt voor wat muntgeld.

'Weg, weg, weg,' roept de chauffeur, opeens geagiteerd. Hij draait zijn raampje naar beneden en begint in grof Twi te schreeuwen.

Kehinde kijkt uit het raampje naar beneden, ziet de man en

voelt zich opgelaten. Hij zoekt in de zak van zijn sweater naar bankbiljetten. 'Wilt u alstublieft niet tegen ze schreeuwen?' zegt hij tegen de chauffeur. De chauffeur kijkt naar hem, bezweet en sprakeloos. Kehinde draait zijn raampje naar beneden en steekt vijf dollarbiljetten naar buiten. 'Hier,' zegt hij. 'Voor jou.' De chauffeur zuigt op zijn tanden. De jongen zonder schoenen pakt een van de biljetten aan. De man zonder benen glimlacht, een glimlach zonder tanden. 'Neem de rest ook maar,' zegt Kehinde, maar de jongen hoort het niet en het stoplicht springt op groen. De taxi rijdt weer verder.

'Het zijn dieven,' zegt de chauffeur. 'Ze komen uit Mauritanië. Ze stelen van de toeristen.'

'Wij zijn geen toeristen,' zegt Kehinde.

De chauffeur begint te lachen, één gouden tand glinstert – het is alsof hij zeggen wil: alleen toeristen geven Amerikaanse dollars aan bedelaars. Maar hij herstelt zich snel, draait zijn raampje dicht en vraagt tussen neus en lippen door: 'Waar komen jullie dan vandaan?'

Kehinde kijkt naar Taiwo, die geen aandacht aan hen besteedt, en dan weer naar de chauffeur, die niet veel ouder is dan zij. Hij bespeurt bij de man een heel speciale soort agressie, een toenemende agressie, die hij kent van Lagos en Londen en New York en die te maken heeft met het feit dat zij allebei mannen met een bruine huid zijn, maar zonder veel overeenkomst in wat die bruine huid allemaal aan gevolgen met zich meebrengt. Hij zou liever een gespannen, blond stelletje in zijn taxi vervoeren dan hen – bruin, goed gekleed, van dezelfde leeftijd. Hij houdt hen voor Amerikanen en gaat ervan uit dat ze rijk zijn, althans rijker dan hij, door een wrede speling van het lot. 'Bent u ooit eerder in Afrika geweest?' vraagt hij op aanmatigende toon.

'In Nigeria en Mali.'

'Maar niet in Ghana,' dringt hij aan.

Kehinde schudt zijn hoofd en de chauffeur kijkt tevreden. Kehinde voelt de behoefte om er iets aan toe te voegen. 'Onze vader komt hiervandaan.' Hij heeft het nog niet gezegd of hij heeft al spijt, want nu voelt hij wat hij de hele tijd onderdrukt heeft in de vorm van een felle hoofdpijn opkomen, een plotselinge, schroeiende pijn tussen zijn wenkbrauwen, zo hevig dat hij bijna fluisterend uitbrengt: 'Kwam hiervandaan.'

Dat laatste hoort de chauffeur niet. 'Waar is "hier"?' vraagt hij uitdagend.

'Ghana,' prevelt Kehinde. Het klinkt als een leugen.

'O ja? Waar in Ghana?' vraagt de chauffeur met een aanstellerig lachje.

'Weet ik niet,' zegt Kehinde, die nu zijn ogen dichtdoet.

'U weet niet waar hij vandaan komt, uw eigen vader,' zegt de chauffeur. Hij zuigt op zijn tanden en werpt een blik op Taiwo, die nog steeds niets zegt. 'Waarom vraagt u het hem niet?'

Als het eindelijk tot hem doordringt zegt Kehinde: 'Hij is overleden', en schrikt meteen als hij gelach hoort.

Hij heeft geen flauw idee wat zijn zus grappig vindt, maar het lijkt erop alsof ze lacht, openlijk, met haar rug naar hem toe. 'Taiwo,' fluistert hij, in de veronderstelling dat ze misschien wel huilt, maar ze draait zich met droge ogen naar hem toe.

'Hij is er niet meer.' Ze schudt het hoofd. Ze blijft lachen.

De chauffeur kijkt ongelovig. 'Vader overleden en zij lacht erom,' schimpt hij. Maar hij zegt verder niks, hij zet alleen de radio aan (troosteloze gospelmuziek) en kijkt recht voor zich uit.

3

Taxi en Mercedes rijden de oprit op, waar het personeel keurig op een rijtje staat te wachten. Sadie heeft de hele twintig minuten dat de rit duurde geslapen en doet nu haar ogen open. 'Waar zijn we?' vraagt ze. Olu en Ling, samen achterin, kijken zonder iets te zeggen of zich te verroeren naar buiten, naar het huis. Fola zit ook te kijken, met beide handen aan het stuur, alsof ze zich afvraagt of dit wel het juiste adres is. Eén zucht, dan komt ze in beweging. Ze trekt het sleuteltje uit het contact en doet haar zonnebril af. 'We zijn er, thuis, als ik het zo noemen mag.'

Het personeel treedt naar voren zodra de portieren opengaan. Iedereen stapt uit en gaat naar het huis staan kijken (behalve Kehinde die – tot ergernis van Taiwo en verwarring van Olu – naar Ling gaat staan kijken). Dan volgt de combinatie van wanorde en vastberadenheid die altijd komt kijken bij de aankomst van een groep mensen bij een huis of hotel: de ene helft komt driftig in beweging en gaat met koffers slepen, de andere helft kijkt ongemakkelijk om zich heen, een beetje misplaatst, en probeert te helpen, zich nuttig te maken zonder degenen die wel weten waar ze heen moeten en wat ze moeten doen voor de voeten te lopen. Alles met de lichtelijk uitzinnige energie waarmee mensen een vreemde omgeving tegemoet treden, zonder dat iemand weet wat hij moet zeggen of tegen wie, zonder glimlach of wat ook, heen en weer drentelend en slappe opmerkingen makend. 'Waar is het toilet?' Een plotseling verlangen om even alleen te zijn.

Fola houdt schouders vast en stuurt deze en gene door de hal. 'Dat is de kamer waar jullie met z'n tweeën slapen.' Ze duwt Olu en Kehinde naar binnen en vervolgt: 'De meisjes hier', en ze duwt Taiwo en Ling de volgende kamer in. 'Baby...' Ze valt opeens stil. 'Sadie slaapt bij mij. Ik stel voor dat jullie allemaal even gaan slapen. Om halfzes gaan we eten.' Vragen? Geen vragen. 'Goed. Welkom in Ghana.' Ze neemt Sadie mee naar haar slaapkamer en laat iedereen slapen.

II

Sadie ligt naar het schrootjesplafond te staren, alleen in een kamer, apart van de anderen.

'Die stomme airco heeft het vanmorgen begeven...' had Fola gezegd, en ze had zich voorovergebogen alsof ze misselijk werd en verder niets meer gezegd.

'Mama, ben je ziek?' had Sadie gevraagd, en ze was naar voren gestapt, maar Fola was weer rechtop gaan staan, had haar vraag weggewuifd en het hoofd geschud. 'Het komt en het gaat. 't Is een aflopende zaak,' was haar cryptische, nietszeggende antwoord geweest. Ze had de ventilator aangezet, de kamer verlaten en de deur achter zich dichtgetrokken.

Nu staart Sadie naar de ventilatorbladen in de schaduw, net vleermuizen onder het plafond. Het blijft te warm. Door de dunne wanden hoort ze andere stemmen, maar ze kan niks verstaan, het blijft bij een zacht geraas. Olu, misschien Kehinde. Telefoon in de gang. Het mooie meisje, Amelia of zoiets. 'Alstublieft, mevrouw. Telefoon.' Geruis van voetstappen en dan de stem van Fola, gruizig, niet te verstaan. Er lacht iemand. Haar moeder, beseft ze na een ogenblik. Maar hoger dan normaal, een uitbarsting, onecht.

Ze gaat op haar zij liggen en vangt dan, in het schijnsel dat door de houten jaloezieën naar binnen dringt, een glimp op van een foto. Ze heeft nog maar net de gezichten kunnen onderscheiden, en de plaats waar de foto gemaakt is, of het schiet haar te binnen – dat was de reden dat Greenpoint haar zo bekend voorkwam: dat vreemd ogende pakhuis aan Oak Street in Newton, het befaamde onderkomen van Paulette's Ballet Studio. Winter. Haar familie staat in jassen weggedoken op de stoep, de voorstelling is net afgelopen. De Man van het Verhaal draagt haar op zijn schouders; ze heeft haar balletpakje nog aan, rode lippen, tutu van roze tule, vierjarig buikje dat zich ongegeneerd aftekent onder de roze huid van haar tricot pakje. Ze lacht. Taiwo en Kehinde hebben dezelfde rode oorwarmers en kijken geen van beiden naar de camera. Fola kijkt naar haar. Olu lijkt heel klein in een enorme bruine jas. Een vreemde, een andere ouder, zal de foto wel gemaakt hebben.

Ze vraagt zich af waarom Fola, van al haar foto's, juist deze in een lijstje op het nachtkastje heeft staan. Het lijstje is te groot, zodat de foto een beetje schuin hangt, hij is niet scherp en de voorstelling was alleen voor ouders, een voorstelling waar verder niets van afhing. In haar tweede studiejaar was ze trouwens met ballet gestopt, in het eerste semester, ondanks haar grote talent en nog grotere 'toewijding'. Ze hield het voor gezien. Ze kon met haar grote teen haar voorhoofd aanraken, ze kon met haar gespierde benen een spagaat maken, ze had haar platvoeten met spitsen in de vereiste vorm gewrongen, ze kon alle pasjes in haar slaap maken, foutloos, maar die dag in september had ze in een rij aan de barre gestaan en het kleurenpalet gezien, de witten en de rozen, lichtbruin haar, lichtbruin hout, heldere, strakke lijnen in het zonlicht, en toen had ze zichzelf bekeken, lang noch recht noch licht, en had ze in één oogopslag gezien wat er met die toewijding bedoeld werd: ze was goed in ballet, maar ze was geen ballerina. (Philae had geopperd dat ze wel teammanagement kon gaan doen om aan de eisen voor naschoolse sport te voldoen, en ze had er inderdaad een pervers behagen in geschept om, terwijl ze intussen de statistieken bijhield, naar haar lichtbruinharige studiegenootjes te kijken die elkaar grommend – gele gebitsbeschermers ontbloot en op gebruinde benen de aarde omwoelend – tegen de blote benen mepten met hockeysticks, ijshockeysticks, lacrossesticks, tot bloedens toe, een orgie van geweld. 'Bloed is de beste gazonmest!')

Ze gaat op haar andere zij liggen maar heeft het gevoel dat de fotogezichten haar aanstaren. Ze legt de foto met de voorkant plat op het nachtkastje. Dat lijkt beter.

Ongezien en zonder te zien. Ze gaat op haar buik liggen, met haar gezicht in het kussen. Eerst voelt het troostvol – de verhevigde stilte en het absolute donker passen bij de gelegenheid. Ze weet niet goed wat ze zou moeten voelen, maar dit lijkt haar de gepaste houding, geveld door verdriet (dat maar niet wil komen) om haar vader en schuldgevoel om dat gedoe met haar moeder, wat ervan over is. Als ze iedereen op het vliegveld met die scène in verlegenheid heeft gebracht, heeft ze in elk geval een deel van de pijn afgewenteld. Misschien dat ze later nog wat meer zullen praten. Waarschijnlijk niet. Dat is niet Fola's ding, iets 'uitpraten'. Waarschijnlijker is dat ze zullen doen alsof het nooit gebeurd is, niet in de laatste plaats omdat er nu dat diepere verdriet is waar de anderen niet over willen praten, waar op het vliegveld geen woord over is gezegd en in de auto ook niet, alsof het niet echt waar is, alsof het gewoon toeval is dat ze met z'n allen in Ghana zijn – waar niemand van hen ooit geweest is behalve Olu, zei iemand, vlak na zijn geboorte –, alsof ze hier voor de kerst zijn, een kerstvakantie met de familie, en niet voor hun vader, over wie niemand iets zegt en die er niet meer is.

De troost slaat om in paniek, ze ligt nog steeds met haar gezicht in het kussen, maar het sloop en de hitte benemen haar de adem. Ze draait zich op haar rug en merkt dat haar tranen geen verhevener oorzaak hebben dan het gevoel te worden buitengesloten. De anderen zijn ergens anders, het hele stel, in gesprek met elkaar, maar zij kan er niks van verstaan door die ventilator waar ze in haar eentje onder ligt, de enige die niet als de anderen is, met haar gevoel dat ze inferieur is, een gevoel dat ze altijd heeft als ze met z'n allen thuis zijn. Als er maar een van hen thuis is (of twee op z'n hoogst, de tweeling bijvoorbeeld), kan ze meestal nog wel boven zichzelf uitstijgen, maar niet als ze er alle drie zijn, alle drie zoveel ouder en groter dan zij, zo onverklaarbaar veel groter, en zelfverzekerder, en opzienbarender, schitterend, stuk voor stuk.

Schitteren doen ze, haar broers en haar zus. Olu, Taiwo en Kehinde. Ze schrijden altijd op schitterende wijze een ruimte binnen, vol zelfvertrouwen, met hun indrukwekkende prestaties en Taiwo met haar schoonheid; hun talent straalt van ze af, ze sprankelen van vernuft. Olu met zijn kalme briljantheid, zijn beheersing van de bètawetenschappen, zijn diepe, sonore stem, waar de overtuiging in doorklinkt dat hij alles weet. Taiwo met haar duistere genie, haar hese, verleidelijke fluisterstem, met een flonkering van dure woorden en zo af en toe een zinnetje in het Frans; dat heeft ze haar hele leven al gehad, zo lang als Sadie zich kan herinneren, dat enorme air van mysterie, van moeiteloze gratie, zoals alleen vrouwen hebben wier schoonheid gegeven is, niet open voor interpretatie van de beschouwer, maar een feit. Kehinde met zijn pure talent, de gave van de verbeelding, dat kalme vertrouwen waarmee hij kijkt alsof de hele wereld overdekt is met een onbeschrijflijk mooi en zinvol patroon, een raster, en als jij het maar net zo duidelijk kon zien als hij, zou jij ook met je penselen voor een leeg doek gaan staan, net zo vanzelfsprekend als dat je naar een film kijkt, of naar het nieuws, zonder rechtstreekse betrokkenheid, maar ziend en begrijpend wat je ziet. En dan heb je haar ook nog. Baby Sadie. Een tiental jaren later nog eens ter wereld gekomen, midden in de winter, een vrolijk ongelukje, met haar grabbelton aan competenties – fotografisch geheugen, *battement développé*, *lanyards* maken –, maar volstrekt gespeend van echte gaven.

Fola is ervan overtuigd dat het er wel is, maar latent; al jaren zegt ze nu: 'Wacht jij maar af. Het komt er vanzelf uit.' Er is niks uit gekomen. Ze heeft al haar huiswerk gemaakt en ijverig gestudeerd, dus op school heeft ze het goed gedaan, niet zoals Olu of Taiwo, maar zo rond de 85ste percentiel; ze is op Yale aangenomen (van de wachtlijst, maar toch); doet het goed, met uitstekende cijfers, en leidinggevende dan wel vertegenwoordigende taken in teams en studentenraden; koestert zich in de aandacht die ze via Philae van vlasblonde corpsstudenten krijgt die op haar vlechtjes vallen – maar nog altijd is er geen gave aan het licht gekomen die haar eindelijk naar het niveau van haar broers en zus zou kunnen tillen.

Paniek. Langzaam opkomend vanuit haar buik, waar dergelijke paniek op momenten als dit ligt te wachten. Ze snelt van het bed naar de aangrenzende badkamer en knielt bij het toilet neer om het eruit te gooien. Daar komen ze, de pinda's en de cola en de zes broodjes die ze in het vliegtuig achter Olu en Ling gegeten heeft – het brood dat ze met muizenhapjes naar binnen had gewerkt, terwijl de anderen een voor een in slaap vielen.

III

Taiwo en Ling in de slaapkamer met het tweepersoonsbed.

Beiden met enige gêne doende alsof ze een begin maken met uitpakken.

Ling ziet de vaas op het nachtkastje staan. 'Jullie moeder ziet er fantastisch uit.'

'Mmm-hmm,' zegt Taiwo. Ze zit op haar hurken bij haar koffer en zoekt een beetje halfslachtig naar een hemd voor het familiedutje. Achter zich voelt ze Ling proberen een gesprek aan te knopen alsof ze kamergenoten zijn op hun eerste dag op de campus, afwisselend zenuwachtig en opgewonden bij de stellige mogelijkheid dat deze onbekende wel eens een vriendin voor het leven zou kunnen zijn. Ze hebben elkaar wel eerder ontmoet – op feestjes van Olu, vooral verjaardagen, dagen waarop de familie naar Yale reed in de kleine blauwe auto, volgepropt met bloemen, baby Sadie nog op school en zij net terug uit Afrika – maar dat was in de jaren dat Taiwo geen woord uitbracht, dat ze zwijgend bij Sally's zat te eten: het was pas later, na hun afstuderen, dat ze daadwerkelijk wel eens met Ling in gesprek was geraakt, en ze haar enigszins had leren kennen.

Het was toen dat ze ontdekt had dat Ling, net als Olu, er vreselijk op gespitst was dat alles altijd goed ging en dat ze dan ook niet stil kon zitten, ze holde heen en weer, hierheen, daarheen, en lachte aan één stuk door, alsof ze een strandbal probeerde hoog te houden. Daar kwam bij dat ze alles er maar uitflapte. Er was geen enkele rem op wat ze zei, ze zei wat ze dacht en lachte vervolgens ontwapenend om haar eigen woorden (wat heel vermoeiend was, puberaal). Als ze niet zo mooi was, zou ze irritant zijn. Maar nu was ze schattig.

Dat is wat Taiwo nog het meest aan haar stoort, dat Ling zo schattig is, met haar hooguit één meter vijftig en haar dunne zwarte paardenstaart die meedanst als ze naast Olu loopt, met twee danspasjes tegen elke pas van hem. Ze vindt schattige vrouwen onbetrouwbaar, schattig en volwassen gaan niet samen. Een schattig meisje is één ding, een schattige volwassene is iets heel anders. Zulke vrouwen lijken altijd iets te verbergen te hebben, die spelen hun hulpeloosheid en verhullen wat ze echt willen. In hun snoezige, onschuldige ogen ziet ze altijd hetzelfde smeulende verlangen dat ook schaamteloos in haar eigen blik fonkelt, zo niet meer, heel doortrapt, veel doelbewuster eigenlijk, maar verhuld door dat meisjesachtige en vals tot op het bot. Vrouwen in de meest ware zin des woords zijn het, vol zachte kracht – en altijd doen ze alsof ze niet weten wat ze willen, alsof ze niet weten dát ze willen, alsof dat ongepast zou zijn, een tekortkoming die handig gemaskeerd wordt door een schijn van zowel hulpeloosheid als tevredenheid.

En altijd is zij degene die in hun aanwezigheid tekort lijkt te schieten, die zich op een of andere vreemde manier al te aanwezig voelt, kwetsbaar, maar ook venijnig, bijna bedreigend, te veel vrouw, te nadrukkelijk vrouwelijk, een duistere aanwezigheid, een zwarte zwaan. Terwijl Ling lacht en van de ene gedachte naar de andere springt, als een erudiete Tinkerbell met ADHD (en met verlostang), tekent Taiwo zich massief en loodgrijs af, bikkelhard, als iets wat op de aarde is gevallen. Ze wil nu dat Ling datzelfde drukkende gevoel krijgt, diezelfde opgelatenheid omdat het niet lukt een gesprekje op gang te brengen – ze geeft het zoeken naar een hemd of T-shirt op en gaat op haar rug aan haar kant van het bed liggen, met haar kleren nog aan, geeuwt luid en legt een arm over haar gezicht ten teken dat ze elk moment in slaap kan vallen.

Ling ziet het niet, ze is met haar rug naar Taiwo druk bezig kleren op te vouwen. 'Volgens mij mag je broer me niet,' lacht ze op een gegeven moment.

'Ach, zo is Olu gewoon,' mompelt Taiwo. Maar ze glimlacht wel. Betekent dit dat Olu niet langer de schijn ophoudt dat hij verliefd is op zijn beste studievriendin? Zeker, alleen gekken en dwazen hebben vliegende haast, maar dit gaat alle perken te buiten: vijftien jaar bij elkaar en nog geen trouwplannen. Haar broer kust Ling nooit in het openbaar, noch raakt hij haar onopzettelijk aan als ze een jas aantrekken; hij liet haar toen ze hier aankwamen bijna buiten staan; toont ook niets van de aanhankelijkheid die met hartstocht samengaat. Taiwo vermoedt al heel lang iets van een dekmantel (voor aseksualiteit, een abortus tijdens de studie, zoiets) en stelt zich voor dat ze, gedwongen door de tragische omstandigheden, nu misschien eindelijk van plan zijn open kaart te spelen.

Maar Ling zegt: 'Kehinde. Hij kijkt zo raar naar me.'

Bij het horen van zijn naam verstrakt Taiwo, de oude reflex, alsof het háár naam was die gevallen is en niet die van haar tweeling-broer. Ze haalt haar arm van haar gezicht en kijkt boos naar Ling. 'Hoe bedoel je, raar?' En zonder een antwoord af te wachten: 'Het is een moeilijke tijd voor ons...'

'Natuurlijk.'

'Dus als Kehinde ráár naar je kijkt,' met nadruk, alsof ze geen Engels spreekt, 'is dat niet omdat hij... naar jóú... kijkt.'

'Ik bedoelde niet...'

De zinspelingen blijven in de lucht hangen.

'Ik ben moe,' zegt Taiwo, alsof Ling er iets aan kan doen. Ze draait zich om naar het raam. Haar hart bonst, van de leugen, van de opwelling van agressie die ze nog in haar keelgat voelt, een oud gevoel dat bovenkomt, vanuit de diepte: troebel, onverklaarbaar, abnormaal dat zij zich jaloers zou moeten voelen.

IV

Intussen liggen Olu en Kehinde naar het plafond te kijken.

'Wel vreemd,' zegt Olu, 'om zo te slapen.'

'Net als vroeger,' zegt Kehinde, om iets te zeggen. Stilte. Ze lachen zacht, en spreken daarmee stilzwijgend af om het er verder niet over te hebben.

Olu vouwt zijn handen op zijn buik, zijn ogen zijn open. Hij bedenkt dat de geur vertrouwd is, hoewel vreemd, een zware/zoete combinatie van sappen en vocht en branderig zweet en donkere, roodachtig bruine olie. Hij herkende hem zodra hij uit de Mercedes stapte en hem opsnoof, op het grind van de oprit, en had hem bijna al thuisgebracht ook (Accra 1997) toen hij zag dat Kehinde naar Ling stond te staren.

Te staren, niet te kijken, zich er niet van bewust dat hij staarde, zodat hij echt stond te turen, zijn lippen getuit alsof hij naar het juiste woord zocht tot Olu zei: 'Zullen we?' en een koffer pakte waarmee hij naar de deur marcheerde, terwijl Ling achterbleef. Hij had zijn broer nog nooit enige interactie met een vrouw zien vertonen en had ergens altijd het vage idee gehad dat Kehinde homo was, niet zozeer geïnteresseerd in mannen als wel niet geïnteresseerd in vrouwen, zelf bijna vrouwelijk, als een balletdanser, dat haar. Hij schrok er dan ook van dat hij zich bedreigd voelde, beledigd, door de wijze waarop Kehinde op Ling reageerde. Dat gevoel, net als de geur, was zowel vreemd als vertrouwd, een oud gevoel, dat roestte en knarste omdat het al zo lang was weggebleven. De laatste keer dat hij zich zo had gevoeld zullen ze kinderen zijn geweest, hij veertien of vijftien en zijn broertje nog geen tien, toen een of andere vriend van hun ouders, meer achteloos dan harteloos, zei: 'De ene knap vanbuiten, de andere knap vanbinnen.'

Dat was niet de eerste keer dat het hem was opgevallen dat mensen anders op Kehinde reageerden dan op hem. Ze waren uitzonderlijk mooi, zijn jongere broertje en zusje, en een tweeling ook nog; ze waren met z'n tweeën, wat het nog uitzonderlijker maakte. Het was volkomen logisch dat mensen grote ogen opzetten, een kwestie van natuurwetenschap, van oorzaak en gevolg. Oorzaak: de zeldzaamheid in de natuur van groenig gouden ogen in combinatie met een diepbruine huid, en van twee-eiige tweelingen in Amerika (in tegenstelling tot, zeg, Nigeria, waar tweelingen de norm waren). Gevolg: de sensatie van de schok, een nooit verwachte clou, de plotselinge aanblik van dat tweetal. Zo hij er al iets bij voelde, dan was het de behoefte om zijn broer en zus te beschermen, al was het maar vanwege hun relatieve afmetingen. In zijn ogen waren ze frêle, niet alleen jonger maar ook zwakker, met dunne polsen en dito middel, zijn broer nog meer dan zijn zus. Vergeleken bij hem, met zijn atletische en stevige lijf, had zijn broer iets breekbaars. Het tegenovergestelde van een bedreiging.

Toen werd Sadie geboren en werd alles anders. Hun vader verdween voor vier, bijna vijf dagen. Olu wist waar hij was – verderop in de straat, in het Brigham – maar kon de angst niet van zich afzetten dat zijn vader weg was, weggegaan, weggeroepen naar een ver slagveld, terwijl moeder en kinderen zichzelf maar moesten zien te redden. Het zou nog één ding geweest zijn als Fola er gewoon geweest was. Hij was heel dik met zijn moeder, niet gewoon meer. In die tijd gingen ze elke vrijdag ijs eten, bij Carvel, met zijn tweeën, Rocky Road met koekkruimels, waarna hij op de korte weg terug naar huis honderduit praatte. In de weekenden, als zijn vader naar gelegenheden van collega's was, nam ze hem mee naar het winkelcentrum op Chestnut Hill om daar bij Legal's vissoep te gaan eten, terwijl Taiwo en Kehinde thuisbleven onder het wakend oog van de vriendelijke Chalé. Olu was er in stilte trots op dat hij op zijn moeder leek; bijna iedereen viel het op, en zij glimlachte als dat gebeurde. Daar kwam bij dat zijn vader vol ontzag naar haar kon kijken en Olu meende af en toe ook een smeulend restje ontzag in zijn ogen te zien als hij naar hém keek, een zweem van ontzag, in het ziekenhuis bijvoorbeeld, toen de baby geboren werd.

Maar Fola was er niet echt. Ze was afwezig. Bezorgd en buiten zichzelf. Het grootste deel van de dag zat ze in de kinderkamer uit het raam te staren, in een versleten rieten schommelstoel die ze van de veranda hadden gehaald toen het te koud werd om buiten te zitten. Met de verwarming meedogenloos hoog. Ze maakte geen ontbijt klaar. Ze liet ze gewoon naar tekenfilms kijken. Ze kookte geen avondeten. Ze pleegde geen telefoontjes. Zat alleen maar naar buiten te kijken, naar de traag vallende sneeuw.

Olu zette het ontbijt voor zichzelf en zijn broertje en zusje klaar. Die keken verwachtingsvol naar hem, peuzelend van hun toast.

Vier amberkleurige ogen waarvan de vonken op zijn voorhoofd spatten. Ze kwamen hem opeens weer vreemd voor, beangstigend bijna.

'Wat is er met mama?' vroeg Taiwo aan hem.

'Dat weet ik nog niet.'

'Weet je het dan binnenkort?'

Olu fronste zijn wenkbrauwen. 'Ik weet het niet. Ze maakt zich zorgen over de baby.'

'Maar papa is bij de baby.'

'Ik weet het.' Olu stond op maar wist niet waar hij heen moest. Hij liep naar de gootsteen en waste zijn handen, die niet vies waren.

'Maak je geen zorgen,' zei Kehinde. 'Hij zal haar wel redden.'

'Wéét ik. Dat is de vraag niet.' Ze wachtten op de vraag. Hij droogde zijn handen af en voelde zijn ogen vollopen met tranen. Met het kriebelige vaatdoekje veegde hij ze heimelijk weg waarna hij zich de keuken uit haastte, de hal door en de voordeur uit.

Hij ging in zijn schooljasje in de tuin staan. Daar was het te koud voor traanvorming. Hij keek naar de stationcars die naar de tunnel reden, langzaam – onder de grijsbruine smurrie lag ijs – maar vastberaden, leek het, om van Boston naar Brookline te komen (waar hij ook met de bus heen werd gebracht als hij naar school moest). Het was nog geen drie kilometer naar het bord waar op stond dat je Brookline binnenreed, een wit bord met zwarte letters in gezaghebbend font – maar het leek nog altijd een hele afstand van deze naar die postcode: meer bomen, Carvel Ice Cream, lichtjes opgehangen door de gemeente. Hun straathoek leek wel bijzonder lelijk die ochtend, bomen en huizen allebei van leven ontdaan, een dun laagje vuil op alle sneeuwbanken, een eenzame pitbull die aan één stuk door blafte, een baslijntje ergens. De enkele plastic kerstman en de halfhartige kerstverlichting die hier en daar over de takken van een boom gedrapeerd was, als snoeren met nepdiamanten, maakten het er alleen maar erger op. Het was tevergeefs. Het was zinloos. Het grijs deed alle schijn van feestvreugde teniet.

Waarom wonen we hier, vroeg hij zich af, opeens kwaad, in zo'n grijze wereld – als schaduwen, als poppetjes van as, met broze dromen van rijkdom die bijna bezwijken onder de vage angst dat het hele bouwwerk op een dag wel eens gewoon in elkaar zou kunnen klappen? Hadden ze iets wat hen in een soort voorgeborchte hield, in weerwil van hun intelligentie en al hun harde werken? En zo ja, konden ze hun positie dan niet gewoon accepteren en zich hier, te midden van de waardige armen, eens thuis gaan voelen? Hij dacht aan zijn klasgenoten, de rijke in Brookline, de arme in Metco, en hij ertussenin, op een of andere manier klem, zonder de geneugten van het horen-bij-een-groep, beschaamd en bang. Hij wist, hoewel ze het verborgen hielden, dat zijn ouders geleden hadden, en misschien nog wel leden, op een of andere onzichtbare manier; dat het hun last verlichtte om te bedenken dat hun kinderen niet zouden hoeven te lijden – en toch, daar stond hij. De beste van zijn klas – op een school die hij nog het meest haatte vanwege de schoolbus waarmee hij werd aangevoerd, als een immigrant, een vreemdeling, vertrouwd met een hoge intelligentie maar onbekend met privileges, met de bus aangevoerd en ook weer afgevoerd. Formidabel atleet: die competitie verafschuwde, die er helemaal misselijk van was als hij moest aantreden, hoewel hij het verborgen hield, de paniek, de zuivere wanhoop die hem als een katapult naar de overwinning schoot, voortdurend ademloos van angst. Toen hij begrepen had dat zijn vader spaarde voor zijn verdere opleiding, had hij het vaste besluit genomen om zijn gaven zo goed mogelijk te benutten en er alles uit te halen wat erin zat (want als hij maar kon leven waar hij leerde, als een soort kostganger met een verblijfsvergunning, door groen omringd, kon hij het grijs dat aan zijn eigen hoekje kleefde, zijn plekje in de schaduw tussen twee werelden, van zich afschudden).

Hij dacht aan schaduwen toen hij opkeek en haar voor het raam van de kinderkamer zag zitten, zelf een schaduw. Het leek erop of ze hem niet kon zien. Of hem wel zag, maar door hem heen keek, alsof hij deel uitmaakte van het grijs, alsof hij een geest was. Hij zou graag gezien hebben dat ze geglimlacht had, of het raam had opengedaan om hem te vermanen dat hij in zo'n dun jasje in de kou stond, maar Fola staarde alleen maar, schommelend in haar stoel. Hij ging weer naar binnen, naar de kinderkamer (voorheen inloopkast).

'Mama?' zei hij zacht.

Ze bleef schommelen. Ze trok aan haar sigaret. 'Kom binnen, schat,' kwam er met een rookwolk uit. Hij liep naar de stoel en bleef onbeholpen bij haar staan, er niet zeker van of hij haar nou moest aanraken. Ze keken naar de sneeuw. 'Vind je het mooi? De kleur?' vroeg ze na een korte stilte.

'Het grijs?'

'Hier. Het roze.'

Hij nam de muren op. 'Lijkt mij prima voor een meisje.'

'Voor een meisje.' Ze moest lachen. 'Ja. Ik had een kamer met dezelfde kleur muren.' Toen abrupt, zonder samenhang: 'Je kunt niet blijven verliezen en de verliezen aanvaarden, want wat heeft het dan voor zin? Ik weet het niet. Dat is de vraag. Als ze maar blijven doodgaan – mijn baba, mijn baby – waarom dan nog liefhebben?' Ze keek hem uitdrukkingsloos aan. 'Begrijp je wat ik bedoel?'

Hij had niet het flauwste idee wat ze bedoelde.

'Kijk nou toch. Je staat helemaal te beven,' zei ze. 'Staat de verwarming wel aan?'

Het was snikheet in het kamertje, de verwarming stond op de hoogste stand. 'Ik zal wel even kijken,' loog hij, zodat hij weer snel weg kon. 'Moet u nog iets hebben?' vroeg hij.

'Mijn dochter. Levend.'

Zijn vader kwam terug, en zijn moeder kwam er weer bovenop, maar er was iets veranderd, het was nog moeilijk te zeggen wat. Fola was volledig in beslag genomen door 'Sadé' de pasgeborene, en Kweku door de aankoop van een huis met vijf slaapkamers – hij had zijn opleiding net afgerond en werd nu betaald als chirurg; het nieuwe huis was enorm, een holte. Hol. Het zwaartepunt van het gezin was verschoven, hoewel hij de enige leek te zijn die het in de gaten had: in plaats van Kweku en Fola om wie alles draaide, een zachtjes pratend, zachtjes lachend tweetal, samen aanwezig, samen thuis, was er nu een kleine open ruimte die in hun afwezigheid ontstaan was; zij ging op in de baby, hij in zijn werk. En in die open ruimte waren hun Dromen voor de Toekomst verdwenen, hun droombeeld van hun leven over een goeie tien jaar, als hun afzonderlijke projecten verwezenlijkt zouden zijn (opgegroeide kinderen, eigen praktijk) en zij weer samen konden smelten. Dat was nu de kern van het veelgeroemde nucleaire gezin – de Toekomst –, met kringen die zich vanuit het midden naar alle kanten uitbreidden, een nieuwe orde, los zand, ieder voor zich, ieder alleen met zijn eigen pogingen de berg te beklimmen. Weg was zijn plek tussen de tweetallen, de Oudste, tussenpersoon tussen ouders en tweeling; hij leek geen speciale plek meer in te nemen bij Kweku en Fola, als hun eerstgeborene, hun paradepaardje, en zijn band met de tweeling verslapte ook.

Nu de kern was opgelost, weggevallen, hadden die twee de gelederen gesloten en waren ze naar binnen gekeerd. Als autonome eenheid wekten ze niet langer een kwetsbare indruk. Ze fluisterden en gniffelden, en wisselden samenzweerderige blikken. Ze hadden geen bescherming nodig. Ze hadden hun broer niet nodig.

En misschien omdat die broer veertien was en net een groeispurt had gehad en zijn oude stem kwijt was en hij met een akelige schop onder zijn kont zijn jongensjaren uit was getrapt en hij

267

was blijven hangen in de antichambre van Onbeholpen maar Nog Niet Knap, viel het hem opeens op dat hij niet mooi was, althans niet zoals zij, geen mooie jongen. Dat was het privilege van Kehinde: schoonheid en jeugd, twee staten die hij nooit eerder echt had opgemerkt maar die hij vreselijk miste nu hij wist wat hij niet was. Het was in die tijd dat iemand, die hen net had ontmoet, opmerkte: 'De ene knap vanbuiten, de andere knap vanbinnen', een vergelijking met een > in plaats van een =, wat te zien was aan de reactie (klopjes op schouders, geforceerde lachjes, en snel over iets anders beginnen), terwijl Olu er glimlachend bij stond, rood aangelopen van het schrijnende besef: dus het is waar, ik ben minder dan... Jaloers op Kehinde.

Een jaar of twintig later kwam het gevoel terug: datzelfde knagende, schrijnende gevoel, toen ze op de oprit stonden en hij het gevoel te worden bekeken terugbracht tot zijn broer die naar zijn vriendin stond te kijken, met getuite lippen. Ling zou Kehinde kiezen, was wat hij vervolgens dacht, en meteen was hij het spoor naar het verleden kwijt, die geur van sappen en vocht en branderig zweet en donkere, roodachtig bruine olie – terwijl hij zelf rood aanliep. Als het er ooit van zou komen, zou Ling Kehinde kiezen; elke vrouw bij haar volle verstand zou dezelfde keuze maken. Hij was aantrekkelijk en beroemd en rijk, een kunstenaar, en Olu was arts-assistent. Oorzaak en gevolg. Hoewel hij het niet zou kunnen verdragen, haar kwijt te raken, denkt hij, met zijn handen op de schrijnende plek en zijn blik op de ventilator en zijn broer pal naast hem, zo stil en roerloos als een bedreiging kan zijn. Of liever gezegd: haar óók kwijt te raken.

V

Kehinde voelt dat zijn broer niet slaapt, misschien zijn zijn ogen zelfs nog open (en lopen ze vol tranen), maar hij ligt daar zonder iets te zeggen, verlamd door het gevoel dat hij al heeft sinds ze hier aankwamen en uitstapten. 'Hij is overleden,' had hij gezegd, met pijn in het hart, waarop zij was begonnen te lachen en het gospelkoor had gebruld ('geen schaduw van omkering') – en toen waren ze er: voor een huis dat deed denken aan Colorado, met een huisknecht die aan kwam zetten met geld voor de taxi. Een zeer aantrekkelijk dienstmeisje was zenuwachtig op Fola afgekomen, de anderen waren uit de stoffige Mercedes gestapt, de huisknecht had hun bagage uit de kofferbak van de taxi getild en het portier had geknarst toen Taiwo uitstapte. Hij duwde zijn eigen portier open en stapte ook uit, langzaam met zijn ogen knipperend, overweldigd door het licht en geprikkeld door haar lach en de gedachte: ze had gelijk, hoewel ze het zei om hem te kwetsen, hoewel hij het vroeger wel kon:

hij kan haar gedachten niet lezen.

Jarenlang had hij dat wel gekund. Had hij haar gedachten gelezen – of liever gezegd: gehoord. Alsof het met haar stem gesproken woorden in zijn hoofd waren, fragmentarisch maar duidelijk verstaanbaar. En de gevoelens die met de gedachten gepaard gingen waren nog ondubbelzinniger; hij kon voelen wat zij voelde.

Hij weet nog steeds niet wanneer hij die ontvangst verloren was. Niet in Nigeria, alle gruwelijkheden ten spijt. Na de studie of de laatste keer dat hij haar gezien had, of eerder? Als hij probeert terug te denken, vertrouwt hij zijn geheugen niet. Zijn zelfmoordpoging, het doorsnijden van zijn polsen, heeft zijn herinneringen door elkaar gegooid, ze helemaal opnieuw gerangschikt. De archieven zijn er nog wel, maar de orde is zoek. Hij zou niet kunnen zeggen hoe oud hij was toen dit of dat gebeurde; zou niet kunnen zeggen in welk jaar hij in welk land was. Hij weet alleen dat er op een gegeven moment ruis op de lijn is gekomen en dat de verbinding vervolgens stukje bij beetje is weggevallen. Hij voelt zijn zuster nog wel – ervaart haar aanwezigheid nog altijd als een vinger die door de ruimte tussen twee magneten gaat –, maar kan haar niet horen, en kent haar dus niet meer.

Radiostilte.

'Hij is overleden': zij moest daar om lachen, maar waar ze dan precies om lachte ontging hem.

Hij knipperde met zijn ogen tegen de tranen toen hij uit de taxi stapte en even bleef staan om zijn evenwicht te hervinden. Schuin invallende stralen van de zon schenen hem in het gezicht en zijn zicht werd bij die overvloed van licht even wazig. Hij wilde net een hand naar zijn ogen brengen om ze af te schermen toen hij zich een beetje afwendde en hij een glimp opving van het gezicht van Ling. Ze leken niet op elkaar. Het was gewoon een kwestie van vertekening, een vertekend beeld, door het gezichtspunt, het zonlicht, het verdriet, de schaduw – maar daar, naast Olu, leek ze op dat moment precies op ene dokter Yuki.

VI

Fola blijft even in de hal tussen de slaapkamers staan, om te luisteren of ze achter de deuren ook stemmen hoort. Zelfs in de stilte voelt ze de lichamen, maar hun aanwezigheid is even vreemd als ooit hun afwezigheid. Ze herinnert zich de eerste keer dat ze die gewaarwerd, op een ochtend, een verder onopvallende ochtend als ze eraan terugdenkt (hoewel dat altijd zo lijkt bij openbaringen, dat de banaliteit van de context even opmerkelijk is als het geopenbaarde zelf):

zomaar een maandagmorgen in Boston, in april, die maand met

die vreemde naam, een misleidende naam, in zekere zin, alleen de klank al, april, open, een pasteltint die de waarheid van de meedogenloos grijze regens versluiert. Haar man had vanaf een openbare telefoon in Baltimore gebeld met de mededeling dat hij weg was en niet meer thuiskwam (eind oktober); ze had die avond in hun slaapkamer op bed gelegen en zich herinnerd hoe hij die dag de keuken uit was gelopen. Ze stond aan het aanrecht ontbijt klaar te maken voor de kinderen en zag vanuit een ooghoek dat hij de keuken uit liep, maar ze had hem nog wel vanuit de hal horen roepen: 'Tot vanavond!', gevolgd door: 'Ik hou van je!' Ze had in het Yoruba teruggeroepen: 'Mo n mo', 'Weet ik'. Zijn telefoontje om middernacht kwam zo onverwacht, zo volledig vanuit het niets, dat ze niet goed kon nadenken. Niet kon luisteren, niet kon redeneren, alleen maar kon liggen huilen, en terugdenken aan die morgen, en aan zijn stem vanuit de hal. Tegen de tijd dat ze de volgende morgen wakker werd, met opgezette ogen, waren haar traanbuisjes droog en was haar verdriet koud geworden. Weg, hij was weg, ook goed, gewoon doorgaan, je kon in een mensenleven niet alles betreuren; ze zaten aan de grond, had ze ontdekt, dus ze had het huis verkocht (winter) en was met de kinderen in een huurhuis getrokken aan de rand van een terrein met uitzicht op een snelweg, maar in elk geval nog in hetzelfde schooldistrict, met twee slaapkamertjes – zij sliep op de bank; ze had schulden afbetaald, een advocaat gevonden en was gescheiden (begin van het voorjaar); had de tweeling naar het vliegveld gebracht en Olu naar Yale (eind van de zomer); wazige herfst, Kerstmis, Sadie en zij, nieuwjaar, sneeuw die langzaam overging in regen...

tot ze op een dag in april, op een morgen als alle andere, naar de keuken was gelopen om thee te zetten, nadat ze de baby met laarzen aan naar de bus had gebracht, de radio stond zachtjes aan en het regende nog zachter – en ze in het halletje tussen de twee slaapkamers was blijven staan en het tot haar doordrong dat het stil was. Dat ze alleen was. Weg, ze waren weg, alle stemmen, de lichamen, één minnaar, vier kinderen, hun hartenklop, het gegons, warmte en beweging en geroezemoes, kolkend en kabbelend, een rivier die was drooggevallen terwijl zij huilde. Zij was gebleven. Daar stond ze, een overblijfsel, even nadrukkelijk alleen als iets wat op het strand is blijven liggen terwijl de zon al onder is, zich opeens bewust van de stilte, het nieuwe, het vreemde, het gelúíd van haar eenzaamheid: helder en absoluut.

Even vreemd als die stilte, als hun afwezigheid die morgen, is wat ze nu voelt: dat ze niet alleen is. Ze staat in de hal tussen de twee slaapkamers en is zich van hen bewust, voelt hun aanwezigheid. Ze zijn stil maar nog niet in slaap. Ze grinnikt bij zichzelf. Ze vertrouwt het niet helemaal, dat gevoel. Ze gaat terug naar de keuken. Is ze misschien iets vergeten? Ze zet de radio uit om Sadie niet wakker te maken; de muren van die slaapkamer zijn zo dun. Iets anders misschien? Het telefoontje van Benson, die komt eten. Amina die om vier uur de egusi moet maken.

Er hoeft niks te gebeuren.

Ze zit met haar gedachten opgescheept.

Ze gaat weer terug naar de stoel in de tuin om een sigaret te roken.

Het is al te dwaas, ze weet het, om zich er op haar leeftijd mee bezig te houden, om het toe te laten als een volledig gevormde gedachte, maar de gedachte vormt zichzelf, hoe dan ook; ik was eenzaam, denkt ze, en ze lacht van verbazing om de tranen die opwellen. Het zou misschien niet als zo'n schok moeten komen, zo'n openbaring, het lijkt zo vanzelfsprekend nu ze de waarheid onder ogen heeft gezien, maar toch doet het pijn: een doffe pijn, als een knagende honger, honger naar iets wat ze bijna vergeten was.

Bijna, maar niet helemaal.

Ze doet haar ogen dicht, legt een arm om haar middel en blaast de rook uit. De smaak van gezelschap vermengt zich met de smaak van nicotine, en met een schrijnend geluksgevoel dat ze ze allemaal thuis heeft.

4

Eten. Ze schuiven stoelen naar de tafel – een verandering van lucht: ze zijn zich allemaal bewust van het gewichtige van de situatie, de Reden Dat Ze Hier Zijn begint bij iedereen te dagen nu ze zo bij elkaar komen, als collectief, en er is een gedeeld besef dat ze ook verplicht zijn samen te treuren, en zich samen bewust te zijn van alles wat er aan betekenis kan opbloeien in een lange stilte, in een blik die wordt afgewend, in elk moment van gêne verhuld als beleefdheid – wanneer zich opeens iemand aandient.

De bel, vanuit het niets; een geluid dat niet in de context past; zelfs Fola is even vergeten dat ze iemand verwacht. Het geschuif van stoelpoten valt even stil, met hun handen op de rugleuningen blijven ze een paar seconden staan wachten of iemand iets gaat zeggen.

'Mevrouw,' zegt Amina vanuit de toegang naar de eetkamer, drie traptreden van hier die naar beneden naar de studeerkamer leiden. 'Alstublieft, een gast.'

'Wie is het?' zegt Fola.

'Een meneer alstublieft.'

'Waar is hij?'

'Buiten alstublieft.'

'Laat hem dan op zijn minst binnen, zou ik zeggen.' Maar ze heeft geen gezelschap gehad sinds ze in Ghana is aangekomen en weet dat het personeel nog geen protocol heeft. Ze is nog altijd min of meer geschokt door hun inspanningen die ochtend: ze waren allemaal met een soort herboren doortastendheid in actie gekomen zodra ze op de oprit waren verschenen, vijf vreemden en zij (nog altijd de vreemdste) – zonder ook maar één vraag te stellen. Misschien geven ze hier wel de voorkeur aan, een huis vol mensen, in plaats van alleen Fola in korte broek met een snoeischaar. 'Kom,' voegt ze er op iets mildere toon aan toe, en ze loopt met Amina mee. Buiten, voor de deur, staat Benson te wachten.

Met een fles en bloemen. 'Gecondoleerd,' prevelt hij, en hij stapt naar voren om haar te omhelzen.

Even deinst ze terug. De fluwelen basstem en de geur van zwarte zeep en eau de cologne vormen een te krachtig, te vertrouwd mengsel: een golf rijst op en trekt weg. Ze houdt zich vast aan de deurpost, zwaait met haar hand en lacht: 'Met mij is alles goed, hoor, echt. Maar dánk je, en welkom.' Ze steekt haar handen uit naar de bloemen om een tweede poging tot omhelzing voor te zijn. 'We beginnen net.'

'Ik stoor toch niet? In Ghana is het niet beleefd om te vroeg te komen.'

'Goddank. Zes uur is een onchristelijk tijdstip voor het avondeten, ik weet het, maar ja…'

'Jetlag…'

'Precies.'

'Natuurlijk.' Hij slikt moeizaam en knikt. 'En hoe ís het met de kinderen?'

'Dat kun je geen kinderen meer noemen.' Ze lacht. 'Ze zijn er allemaal, we zijn er allemaal, hier, door de studeerkamer.' Hij loopt achter haar aan naar waar ze allemaal staan, met hun handen op de stoelen, blikken op zijn gezicht. 'Lieve schatten, dit is Benson. Een vriend van jullie v… van de f-familie,' hakkelt ze. 'Van Hopkins.'

'Hallo.' Hij heft de fles en glimlacht droevig naar hen. 'Leuk jullie te ontmoeten. Gecondoleerd met het verlies.'

Ze staren hem wezenloos aan, de uitdrukking vóór koel, zelfs Ling, alsof hij de oorzaak van dat verlies is, want hij zegt er als eerste iets over, in deze stilte, waarin de waarheid nog niet verder was gekomen dan het puntje van ieders tong. Benson voelt het aan en voegt er tegen Fola zacht aan toe: 'Jullie zullen allemaal wel in shock zijn. Dat ben ik ook.'

Fola houdt de bloemen omhoog, met een gevoel dat ze in geen tientallen jaren gehad heeft, een bezorgdheid of vreemden haar kinderen wel gemanierd vinden. 'Zijn ze niet schitterend? Gardenia's.' Ze glimlacht met zoveel aandrang dat ze allemaal terug glimlachen. Ze zet het boeket, dat bedoeld is voor op een schoorsteenmantel, midden op de tafel; het past niet goed. De decoratieve varenbladeren bungelen in de pan met rijst en de bloemen rijzen zo hoog op dat ze het zicht belemmeren. Als iedereen weer gaat zitten – zoals ze nu doen, daartoe opgedragen – kunnen ze degene die tegenover hen zit niet meer zien, door de bloemen.

Benson neemt de lege stoel en glimlacht naar Olu. 'Ik wist wel dat je iets bekends had,' zegt hij, terwijl hij aanschuift. Zijn stem is zo laag dat de anderen hem niet horen, en Olu zo zwart dat zijn blos niet te zien is, maar hij schudt stijf het hoofd, naar links, naar rechts, één keer, snel, en Benson knikt één keer terug – op, neer, op (hij heeft op een of andere manier begrepen dat hij het onderwerp verder moet laten rusten, zoals mannen dat soms na de geringste hint al kunnen: een snel knikje, een snel fronsen van de wenkbrauwen, een duistere kunst, bam! zonder van toon te veranderen wordt er over iets anders begonnen). 'De laatste keer dat ik jullie zag, waren jullie nog in de luiers.' Hij glimlacht naar de tweeling, wier gezichten achter de bloemen schuilgaan. 'Mijn laatste jaar in opleiding. En jullie zijn nu, hoe oud, dertig?'

'Negenentwintig,' zeggen ze in koor, met dezelfde omfloerste stem.

'Oktober,' helpt Kehinde. 'In oktober worden we dertig.'

'En jij.' Hij wendt zich tot Sadie, die naast Kehinde zit en beter te zien is. 'Jij… was nog maar een sprankje…'

'In mijn eierstok,' zegt Fola. Om andere toespelingen voor te zijn. 'Om precies te zijn.'

'Dat is obsceen,' zegt Sadie. Dit is waar ze het bangst voor is: dat de vreemde naar hun leeftijd gaat vragen, iets wat ze altijd doen. Ze voelt het aankomen als een verandering in toonsoort wanneer een popsong onafwendbaar de brug nadert, en kijkt quasizielig naar de man aan het hoofd van de tafel, zich afvragend wat hij hier doet zonder zich er al te druk over te maken. Met een gast erbij is er tenminste een kapstok voor het verdriet dat tot nog toe in stilte boven hun hoofden hing, dubbel zo zwaar omdat het ongenoemd bleef, niet erkend werd: een enorme wolk én zijn schaduw, een vlek. Nu kunnen ze hun droefheid stuk voor stuk ophangen aan Benson, die de stoel heeft genomen waar ze geen van allen op wilden zitten en die zei wat niemand anders wilde zeggen en die het macabere beeld met zijn bloemen doormidden heeft geknipt. Hij is de reden dat ze allemaal zo rechtop zitten, zo zachtjes praten, zo beleefd glimlachen: er is immers een Gast, evenzeer genesteld in het drama waar familiebijeenkomsten mee gepaard gaan (zelfs zonder dode in de familie) als zij zelf, maar een bezoeker, die onschuldig is, en hulp verdient. Zij moeten er met z'n allen voor instaan dat de Gast zich op zijn gemak voelt. Ze glimlacht flauwtjes naar hem. 'Klopt. Ik ben later geboren. Ik ben Sadie.'

Ling draagt haar rinkelende lach bij. 'Eierstokken zijn niet "obsceen".'

Olu richt zich snel tot Benson. 'Zij is verloskundige. Ik heb orthopedie gedaan.'

'Twee artsen!' roept Benson uit. 'Dus het zit in de familie. Ik heb je naam niet goed verstaan.' Ling zegt hoe ze heet. 'Nou, Ling. Ghana zit te springen om voortreffelijke artsen, vooral in de verloskunde en in de zorg voor moeder en kind. Ik heb zeven jaar geleden hier in de stad een klein ziekenhuis geopend. En we hebben nog altijd een wachtlijst voor consulten.' Hij lacht. 'Chirurgen zouden we ook goed kunnen gebruiken,' met een gebaar naar Olu, 'en je vader kennende weet ik dat jij ook goed moet zijn.' Hij zwijgt even. Allen zwijgen mee. Ze kijken waar hij heen gaat, of de Gast niet is blijven steken, maar hij lacht alweer zacht en vervolgt met nadruk: 'Hij was de beste van ons jaar op Johns Hopkins, hij stond fier bovenaan. Niemand kon aan hem tippen. En dan heb ik het niet alleen over de Afrikanen. Níémand was zo goed als hij. Ze kwamen niet eens in de buurt. Ik weet nog, toen hij kwam, dat ik dacht: wie is die boerenpummel? Lincoln University?! Nooit van gehoord. Dat lag aan mij, ik weet het. Mijn god. Kwame Nkrumah. Maar ik had nota bene in Polen op school gezeten. Rare tijden waren dat. Koude-oorlogbeurzen voor Afrikanen. Je kon in Warschau studeren zonder een cent te hoeven betalen. Ik kwam met een Oostblokaccent in East Baltimore aan. Volgens mij dacht iedereen in het begin dat ik doof was.' Nog een lach. 'Maar we rooiden het. We sloegen de handen ineen. Iedereen wilde bevriend zijn met jullie vader. En Kweku was...' Hij valt weer even stil, en kijkt met een glimlach naar Fola. Als hij haar gezicht ziet, wendt hij zich weer af. 'Hij was verlegen. Een slome duikelaar, als we eerlijk zijn. Maar knap, en zo nauwkeurig. Alle meisjes hielden van hem. Maar hij hield maar van een.'

'Benson,' zegt Fola, 'ik denk niet...'

'Ga door,' zegt Sadie, niet al te hard. 'Hij hield maar van een?'

Benson kijkt naar Fola, die haar hoofd schuin houdt en zucht. Hij wendt zich weer tot Sadie en beantwoordt haar droeve glimlach. 'We waren met z'n vieren. Afrikanen – nou ja, vijf als je Trevor meetelt. Die kwam uit Jamaica...'

'Trinidad,' corrigeert Fola.

'O, ja. Trinidad. Vijf Afrikaanse broeders,' zegt Benson. 'Hoogbegaafd, maar straatarm. We hadden allemaal een beurs gehad, maar dat geld was geheel opgegaan aan vliegtickets, dus we hadden geen van allen iets te besteden; we deelden alles wat we hadden. We aten altijd samen, en kookten om de beurt, elke doordeweekse dag kookte iemand anders. Woensdag was dat Kweku. Hij maakte altijd *banku*. Wij vonden zijn banku niet te eten; net lijm. Maar we kwamen altijd wat eerder om met jullie moeder te kunnen praten. Of naar haar te staren. Want niemand wist de moed op te brengen. En maar kijken, met grote ogen, naar jullie vader, die verlegen figuur uit Ghana, niet stoer, zoals Trevor, of groot, niet zoals ik, met die overhemden die hij tot het bovenste knoopje had dichtgeknoopt als een Ghanese Lumumba, met een bril op – maar wel met haar aan zijn zijde.'

Een stilte is over hen allen neergedaald, als een deken. Ze staren naar de bloemen alsof het een lijkwagen is. Niemand weet precies wat de ander denkt, en of hij of zij iets moet zeggen met het risico de verkeerde gedachte bloot te leggen.

Eindelijk, Fola. 'Alsjeblieft, Benson.' Ze lacht zo triest dat zij ook beginnen te lachen. 'Zo ging het niet...'

'Het is wel waar.'

'Niet. Hij bakte ook eieren met spek. En die waren nog erger.' Ze komt overeind om een varenblad uit de rijst te halen. 'Het eten wordt koud,' zegt ze. 'Tast toe', en dat doen ze.

Joloff, egusi. Ze slaan zich er dapper doorheen en vermijden precaire stiltes met vriendelijke verzoeken: geef mij de wijn eens aan, hoe laat is het, heb je genoeg ruimte daar, nog wat wijn graag, wat zit hierin, moeten we nog een fles opentrekken? Als Fola merkt dat er steeds minder vragen komen staat ze op, verdwijnt ze en komt ze terug met de taart. 'Het is onvergeeflijk,' zegt ze, 'dat ik niet op tijd heb gebeld of geschreven, maar ik ben het niet vergeten.' Ze zingt de eerste noten en de rest valt haar met een glimlach bij, terwijl Sadie zit te blozen en zich te verbijten. Bij het laatste, lange '*to yoooou...*!' zet Fola de taart op tafel; daarvoor moet ze zich over Sadie heen buigen; in die houding blijft ze even staan om haar een kus te geven en te zeggen: 'Je had gelijk' – en dat is dat: het is achter de rug, het is 'uitgepraat'. Taiwo en Kehinde zeggen 'Je wens', ook weer in koor, waarop ze allebei hun voorhoofd fronsen, waar Benson om moet lachen. 'Het is écht een tweeling!' Die dwaze, zo vaak herhaalde opmerking, die Olu doet verstrakken. Hij herstelt zich snel en gniffelt. Sadie lacht ook als ze opeens de kaars opmerkt: één grote, witte kaars waar dikke druppels vet af biggelen. Ze wil vragen waarom en kijkt op naar haar moeder, die haar schouders ophaalt en ook lacht, en dan verandert ze van gedachten. Hoe robuuster de kaars, denkt ze, en ze buigt zich voorover, des te beter verdraagt hij zulke wensen.

II

Taiwo trekt zich na de maaltijd in de studeerkamer terug, drie treetjes naar beneden vanuit de eetkamer. Ze gaat met een *Ghana Ovation* op de vreemde oranje plaid op het tweezitsbankje zitten. Achter haar zit Fola aan tafel met Benson, de traditie van fantasiedoodskisten te bespreken; ze zijn vaag verstaanbaar – ze beraadslagen op fluistertoon, als volwassenen die proberen zo zacht te praten dat de kinderen het niet kunnen horen. Zo voelden ze zich ook, als kinderen, denkt ze, onder het eten, even waakzaam en door regels gebonden als katholieke schoolkinderen, en ze vraagt zich af waarom ze dat allemaal doen, nog steeds, zelfs nu: die Afrikaanse act van Kinderlijke Trouw. Neergeslagen ogen, gedempte stemmen, voorgewende verlegenheid, gebogen schouders, de vloek van hun cultuur, verheffing van eerbiedigheid, die erin geslagen neiging te laten zien dat je gehoorzaam bent, en prijzenswaardig om je eerbied voor Orde (maakt niet uit dat die Orde aan het verbrokkelen is, gecorrumpeerd, losgelaten, en eigenlijk niet meer functioneert; er moet en zal eerbied aan worden betoond). Ze walgt van die opstelling, van zichzelf en van haar broers en zus, van het personeel, haar Afrikaanse studiegenoten. Het komt er domweg op neer dat ze er niet van overtuigd is dat eerbied, respect, de basis is – niet voor hen die het betonen, noch voor hen aan wie het betoond wordt. Ze vermoedt dat het luiheid is, een knieval voor het bekende, of lafheid bij hen die het respect betonen en macht bij degenen die het zich laten aanleunen. De meeste Afrikaanse ouders, denkt ze, zijn machteloos opgegroeid, zonder iemand aan wie ze hun wil konden opleggen, en daarom koeioneren ze hun kinderen, met geschreeuw en geweld, in de hoop zich zo enigszins van hun last van postkoloniale angst te ontdoen...

of observaties van die strekking, als ze een pagina omslaat en opeens uit haar overpeinzingen wordt weggerukt. Eerst door de namen. Het onderschrift, kleine letters en overal gezichten (huwelijken, polowedstrijden, begrafenissen, de glanzende chaos van societyfoto's), 'Femi en Niké Savage op...' En dan door de foto:

de schoenen

het pak

het overhemd

de hals

de glimlach

de neus

de ogen.

Die ogen.

Zwarte ogen met zware oogleden die haar aanstaren, roodomrand, de verwilderde blik van een man aan de drugs, met bijpassende glimlach (kil, wazig), de vrouw naast hem asgrauw van ouderdom, met een nieuwe pruik, een blonde jongenskop.

Ze smijt het tijdschrift door de kamer, een reactie vanuit de onderbuik. Het landt met uitgewaaierde pagina's op het hout. Fola en Benson kijken op. 'Lieve schat,' zegt Fola, maar Taiwo kan geen woord uitbrengen. 'Wat is er? Wat was dat?'

'Een of ander beest,' weet Taiwo uit te brengen. Ze wijst naar het blad dat breeduit op de grond ligt. 'Ik heb een b-beest doodgegooid.'

'Ah, ja. Welkom in Ghana.' Benson merkt de trilling in haar stem niet op. 'Dat doet me eraan denken. Slikken jullie allemaal malariapillen? Een muskietenbeet kan akelige gevolgen hebben. Ik heb Alaren in de auto.' Taiwo schudt het hoofd. 'Ik haal het wel even. Maak je geen zorgen. Ik heb misschien net genoeg bij me zodat jullie allemaal een begin kunnen maken.' Met een blik op Fola staat hij op van de tafel.

Fola knikt afwezig. 'Geweldig, bedankt,' terwijl hij wegloopt.

III

Fola gaat ook staan en staart naar haar dochter, zich bewust van het veel te snelle en veel te luide bonzen van haar hart, een kloppende pijn, rechtsonder, waar ze het littekentje heeft van die dag dat ze met haar de trap af was gerold. Bijna niet te geloven dat ze nog maar achtentwintig was, een half leven geleden, met drie kinderen (eerste meisje: een compleet mysterie voor haar moeder naast Olu en Kehinde, iets totaal nieuws, op een of andere manier gevaarlijker). Op eenjarige leeftijd was ze al mooi, Taiwo. Zij allebei. Waar ze ook heen gingen, overal werden ze staande gehouden. Vreemden dachten altijd dat het allebei meisjes waren en dweepten met hoge stemmetjes: 'Zo mooooi.' Dat waren ze ook. En dat maakte Fola nerveus. Zulke kinderen te hebben was een hele verantwoordelijkheid. Zo kostbaar, zo volmaakt, vooral het meisje: een peperduur geschenk, gemaakt van breekbaar materiaal, waar je eigenlijk alleen naar zou moeten kijken, en proberen het niet aan te raken. Kehinde was makkelijk, net als Olu, makkelijker nog, maar Taiwo huilde altijd als Fola haar neerzette en bleef zonder ophouden huilen tot Fola terugkwam – alleen Fola, nooit Kweku – en haar weer optilde. Dat was wat Fola in verwarring bracht: dat ze dat zo héérlijk vond, die heerlijke huivering die door haar heen trok als ze het meisje optilde en het kind meteen ophield met huilen en stralend naar haar glimlachte, en zich aan haar vastklampte, en haar gezichtje in haar hals begroef. Die aanhankelijkheid ontroerde haar, overweldigde haar, bracht haar helemaal van haar stuk; ze was bang het kind te verwennen of voor te trekken, of in verwarring te brengen door haar in de waan te laten dat de wereld minder hard en onverschillig was dan hij in werkelijkheid was.

Op de bewuste dag deed ze net de kleintjes in bad toen er werd aangebeld. Het was Olu, die toen vijf was, en die was meegereden met een onderwijzeres die verderop in de straat woonde en die op datzelfde moment toeterend wegreed. De voordeur was twee smalle trappen lager: te ver om de tweeling even alleen te laten. Ze pakte ze allebei uit bad, druipend en glibberig, in elke arm een, haastte zich de trappen af om open te doen. En gleed uit. Ze herinnert zich nog wat ze toen voelde, die pure paniek waar haar longen zich mee volzogen toen een slipper van haar voet gleed en ze ruggelings tegen de trap ging en verder naar beneden hobbelde, zich vastklampend aan de natte baby's met hun geurige, gladde huid. Toen ze tot stilstand kwam, had ze alleen Kehinde nog op een arm. Op een of andere manier had ze haar ribbenkast opengehaald, ze bloedde. Taiwo was, door een genadige ingreep, ongedeerd onder aan de trap neergekomen. Daar zat ze te staren terwijl Fola overeind kwam, bloedend en met Kehinde in de armen. Ze huilde niet, ze staarde alleen. Maar de blik in haar ogen was doordringender dan gekrijs. Die ogen leken te zeggen: je hebt losgelaten, je hebt me losgelaten. Die ogen – die in het begin zo op haar zenuwen hadden gewerkt, omdat ze ze daarvoor alleen maar van een schilderij kende: ogen die nooit knipperden – staarden haar nu aan, intens verdrietig, hartverscheurend, beschuldigend: de ogen van een overleden vrouw in het gezichtje van een kind.

Olu belde weer aan en Taiwo begon te huilen. Het verdriet van zijn zusje bracht Kehinde ook prompt aan het huilen. Fola begon inwendig te krijsen; stilletjes huilend deed ze open voor een verblufte Olu. 'Houd jij je broertje even vast.' Olu nam Kehinde over en Fola pakte Taiwo en ging met het hele stel naar boven, weg bij de kou van buiten. Maar het meisje bleef huilen, een heel vermoeid huilen, zonder het zelf moe te worden, uren achtereen, tot het avond werd en haar vader thuiskwam.

Fola kijkt naar Taiwo en voelt het zwoegen van haar borst, ziet haar wijd open ogen, bikkelhard, droog, intens verdrietig, kokend van woede. Dat is wat er tussen hen in is komen te staan, die razernij, dat weet Fola, al vanaf hun tijd in Lagos – maar ze vertikken het allebei om haar te vertellen wat er bij Femi gebeurd is, en Sena, die hen daar gevonden had, beweerde geen idee te hebben. Er was alleen dat ene telefoontje bij zonsopgang, in de zomer, op de kop af tien maanden nadat ze afscheid van hen had genomen op Logan: oom Sena, voor het laatst gezien op een vliegveld in Ghana, om vijf uur 's morgens bellend vanuit Nigeria. 'Toen ik ze zag, wist ik meteen dat ze van jou waren. Dat zijn de kleinkinderen van Somayina, zei ik bij mezelf,' snotterde Sena terwijl Fola, die nog op de bank sliep, op de tast naar een lichtknopje zocht. 'Begin nog eens bij het begin. Opnieuw.'

Zijn verhaal was verwarrend – en des te verwarrender vanwege de ruis, en de manier waarop Sena het vertelde, zowel gejaagd als haperend, tegenstrijdig, vastbesloten om te helpen maar ook iets achterhoudend. De kern ontging haar echter niet. Het eerste deel wist ze:

toen haar vader was vermoord besloot zijn minnares dat zijn huis nu van haar was en trok ze er met hun zoon in. De twee woonden er samen als koningin en kroonprins en dreven er tijdens de Biafra-oorlog een bordeel voor soldaten. Zo begon de jonge Femi zijn carrière als handelaar in vrouwen, vuurwapens en cocaïne. Toen Bimbo aan het eind van de oorlog aan een overdosis bezweek begon hij, als crimineel wonderkind, voor zichzelf. Dat kwam Fola ter ore op haar laatste reis naar Lagos, in 1975, toen ze Femi om hulp kwam smeken – ze had toevallig van een Nigeriaan in Baltimore gehoord dat haar broer zo ongeveer in het geld zwom. Hereniging. Ze waren nooit close geweest. Hij was vier jaar jonger dan zij. Hij was af en toe wel bij hen over de vloer geweest met zijn moeder, die Bimbo, een grote, harde, pezige vrouw die in een ander leven misschien wel model zou zijn geweest in plaats van hoer. Haar vader had nooit geprobeerd hen voor Fola verborgen te houden ('haar moeder was dood en een man had zijn behoeftes') en ze wist dat de jongen die in de keuken wachtte terwijl Bimbo naar boven ging haar *aburo* was.

Maar het raakte haar niet. Zelfs de namen Bimbo en Femi had ze nooit echt geregistreerd – die twee waren figuranten in de film van haar jeugd, zonder naam en zonder tekst, een mannelijke vrouw en een vrouwelijke jongen. De namen drongen pas tot haar door toen ze hoorde van dat geld. Te laat. Femi beweerde dat hij altijd gedacht had dat zij gelijk met haar vader was omgekomen, die nacht bij die brand in Kaduna; anders, zo bezwoer hij, zou hij haar nooit helemaal hebben uitgesloten van de erfenis van haar vader. Helaas. Nu was het te laat om het allemaal opnieuw te verdelen, maar Fola hoefde het alleen maar te vragen en hij zou haar de helpende hand bieden; ze waren per slot van rekening broer en zus, dat kon je wel zien aan de gelijkenis, maakte niet uit dat hun vader hem nooit als zoon had erkend. Fola vertrok uit Lagos met het geld dat ze nodig had om naar Accra te reizen teneinde daar de zieke moeder van Kweku op te zoeken, maar zwoer Femi nooit weer het genoegen te doen dat zij hem om hulp kwam vragen. Een eed die ze verbrak voor de tweeling.

Maar toen weigerde haar broer geld te sturen. In plaats daarvan stelde hij een kleine ruil voor: als Fola haar ibeji naar hem wilde sturen, zou hij hun hele opleiding bekostigen, tot een universitaire studie aan toe. Hij was op een gegeven moment getrouwd met de enige dochter van een generaal die in de olie was gegaan, maar hij was erin geluisd: ze was onvruchtbaar. Ibeji in huis zou die vrouw, die Niké, misschien 'genezen', legde hij uit, haar ibeji waren immers een tovermiddel. Afgesproken. In augustus stuurde Fola de tweeling naar Nigeria. Veertig weken later stuurde Sena hen weer terug.

Naar wat ze begreep had haar bezopen halfbroer een bacchanaal aangericht waar ook Sena te gast was geweest (de details, iets met drugs, prostituees, een orgie, waren voor het merendeel vaag gebleven). Sena droeg de last van zijn eigen tragische verhaal: verdrijving uit Lagos in het kader van 'Ghana ga weg' in de winter van 1983, toen de Nigeriaanse regering zonder plichtplegingen twee miljoen Ghanezen het land uit had gezet; terugkeer naar de East Cantonments, berooid en vernederd, om in Accra met niets en vanuit het niets een praktijk op te bouwen, niet meer dan twee broze jaren na een barbaarse coup in zijn thuisland, dat niet langer zijn thuis was; de dood van zijn ouders. Eén moeilijk decennium later – zijn eerste week terug in Lagos, waar hij met vrienden naar een feest was gegaan, zonder te weten dat dat in het huis van Kayo Savage was, zonder te weten dat het feest door Femi werd gegeven – had hij hen gevonden. Hij had ze opeens gezien, dicht naast elkaar, kinderen tussen de volwassenen, en meteen geweten wie dat waren, en dat er iets niet in de haak was; ze waren allebei opgemaakt en praatten alsof ze gedrogeerd waren, met monotone stem, armen over elkaar en neergeslagen ogen. Hij had ze meteen meegenomen, in de kleren die ze aanhadden, en een taxi genomen naar het Sheraton in Ikeja waar hij verbleef, en om middernacht in paniek gebeld om aan te kondigen dat hij ze op het eerste het beste vliegtuig terug zou zetten. Einde verhaal.

Ze was in de vuile blauwe auto naar JFK gereden, een rit van vier uur, was veel te vroeg aangekomen en had daar zitten wachten zonder zich te verroeren, zonder iets te eten, haar armen voor haar buik, en ze had Jezus, haar vriend, gevraagd haar deze keer te sparen. Ze kwamen de aankomsthal binnen in dunne zomerkleren. Hun lipstick was uitgewreven tot een bloedvlek rond hun mond, donkeroranje, ze hielden krampachtig elkaars hand vast en ze keken nog steeds naar de grond – beiden waren te mager en geen van beiden zei een woord, Kehinde noch Taiwo. Hoe vaak had ze hun niet gevraagd om het te vertellen? 'Vertel maar gewoon wat er gebeurd is.' 'Vertel het me alsjeblieft.' 'Ik smeek het jullie.' Ze had Femi gebeld; ze had gekrijst, gehuild, gedreigd. 'Hoe dúrf je me mijn schatten af te pakken?' had Femi gesneerd. Waarna hij had opgehangen. Ze leken wel spoken. Ze sliepen overdag en lagen de hele nacht te fluisteren in de slaapkamer die ze deelden in het huis waar ze een afkeer van had, het huis zonder tuin om bloemen te kweken. Therapie kon ze niet betalen maar ze bedelde om financiële hulp. De school willigde haar verzoek in op grond van de spectaculaire prestaties van Olu vier jaar terug. Ze begonnen in de herfst in het eerste jaar, dat ze het jaar daarvoor ook op de internationale school hadden doorlopen, Kehinde stil en stuurs, Taiwo rusteloos en furieus, beiden zwijgend over het waarom.

Ze weet het nog steeds niet.

Ze kijkt zonder het te weten naar Taiwo en verlangt er innig naar om haar in haar armen te nemen en het waarom eruit te knijpen, en met het waarom het verdriet en de woede en de schaduw, om haar zo stevig vast te houden dat het er allemaal uit gutst tot er alleen nog maar adem uit bubbelt, net als toen Taiwo één was en nog altijd wilde worden vastgehouden, door háár. Maar ze kan het niet. Ze stelt zich die baby voor – glibbernat en weerloos, in elk opzicht, naakt en stom onder aan de trap – en wordt een half leven later overrompeld door schuldgevoelens, een spookbeeld. Ze wil het wel maar kan het niet, de drie treden die tussen hen liggen afdalen.

'Wat is er gebeurd…?' vraagt ze zwakjes vanuit de eetkamer, maar Taiwo hoort het niet en loopt weg.

IV

Kehinde vindt Sadie in de tuin, in een ligstoel, languit met haar voeten tegen een palmboom, ogen dicht. De afstand naar het huis is zodanig dat er geen lichtbron doordringt. Er is alleen het licht van de sterren, een zilverlaagje dat van het zwart een troebel grijs maakt. Hij aarzelt even in de schaduw achter haar; misschien slaapt ze wel. 'Mag ik er bij komen zitten?' vraagt hij. Ze heeft geen voetstappen gehoord en veert geschrokken overeind.

'Ik schrik me wild,' zegt ze naar adem happend. 'Het is zo donker. Ik hóórde je helemaal niet.'

Hij fluistert, gegeneerd: 'Het spijt me.'

'Dat hoeft nou ook weer niet.'

'Wat was je aan het doen?'

'Ik was aan het tellen,' zegt ze. (Ze spreken allebei onwillekeurig op gedempte toon, alsof ze zich verstopt hebben of van plan zijn hem te smeren, overweldigd door de context, de donkere tuin, de bekentenissen die een babbeltje bij maanlicht zo makkelijk met zich meebrengt.) 'Ga zitten,' voegt ze eraan toe, en ze maakt plaats voor hem.

'Nee, ik ga hier wel zitten,' prevelt hij. Hij laat zich sierlijk op de grond zakken, aan de voet van de palmboom. Ze zwijgen, allebei een beetje opgelaten. De schaduw biedt troost, maar Sadie vindt de stilte te pijnlijk.

'Vind je het niet raar?' zegt ze. 'Dat ze hier wóónt? In Ghana?' Ze slaat naar een muskiet.

'Is het dan zo raar? Ik weet niet. Misschien.'

'Ze heeft me niet eens verteld dat ze ging verhuizen.'

'Mij ook niet.' Hij haalt zijn schouders op. 'Maar zo is ze.'

'Ik weet het, maar ik bedoel, Ghána.' Ze wrijft met een chagrijnige blik over haar arm, alsof ze het met name irritant vindt dat ze door een insect uit Ghána is gebeten. 'Als ze dat hele verhaal wilde, van terug naar Afrika, waarom dan niet Nigeria? Daar komt ze tenminste nog vandaan.'

'Het is hier rustiger,' zegt Kehinde, zonder erbij te zeggen wat hij op dat moment denkt: dat hij nooit terug zou gaan naar Nigeria, al zou Fola zich er permanent vestigen. 'Net als in Mali, het huis waar ik woonde in Douentza, die rust. Je kon het zíén. Je kon nadenken.'

'Vond je het prettig daar? In Mali? O, wacht. Zit je na te denken? Praat ik te veel?'

'Ik vind het fijn om met je te praten.' Hij glimlacht naar de glimlach die hij in het donker kan voelen. 'Dat komt er anders nooit van.'

'Je bedoelt dat je me nooit belt.' Ze lacht er wel bij. 'Nog bedankt, trouwens.'

'Waarvoor?'

'Voor het schoolgeld. Mama heeft me vorig jaar verteld dat jij haar bijspringt. En dat je had gezegd dat ze dat niet aan mij moest vertellen. Maar ze vertelt me eigenlijk zo'n beetje alles. Behalve dat ze naar Ghána ging verhuizen.'

Hij moet lachen. 'Graag gedaan.'

'Dus, je bent beroemd?'

Hij moet nog harder lachen. 'Niet echt.'

'Dat ben je wel, Kehinde, ik heb het heus wel op het internet gezien. Mijn beste vriendin, haar familie, die is helemaal gek van kunst. En zij hebben er een gekocht, volgens mij een van je nieuwste.'

'Is dat zo?'

'Die zijn zo mooi. Die modderdoeken.'

'O ja?'

'Maar ze zijn wel gigantisch. Hoe maak je ze eigenlijk?'

'Met modder. En hele grote doeken.'

Ze lachen weer samen. Ze schopt hem tegen zijn been. 'Jezus. Ik ben nog nooit in Afrika geweest, dat weet ik ook wel, maar toe even, zeg.'

'Hoe is dat mogelijk? Dat jij nog nooit in Afrika bent geweest?'

'Schokkend maar waar.'

Kehinde voelt haar frons. 'Het is niks om je voor te schamen,' zegt hij snel tegen haar. 'Onze ouders hebben ons er als kind nooit mee naartoe genomen.'

'Waarom niet?'

'Ze waren gekwetst... Hun landen hadden hun pijn gedaan.'

'Maar jij bent hier wel eerder geweest. Jullie allemaal.'

'Nou ja, Olu was nog een baby. En wij waren veertien.' Hij voelt zijn stem haperen en schraapt zijn keel. 'Dat was anders. Het is nou niet zo dat wij erom gevraagd hadden naar Afrika te mogen...' Nu valt hij stil. Bij de deur is een licht aangefloept, een fletse, gele lichtpoel waar Benson in opduikt. Hij loopt met grote passen naar de oprit, een man met een doel. Kehinde en Sadie houden op met fluisteren en kijken allebei naar Benson. Die ziet hen niet. Een chauffeur komt opeens tevoorschijn aan de kant van het huis waar het personeel de maaltijd gebruikt. Benson zegt iets wat Kehinde niet kan horen, dan klinkt de bliep van de autoportieren die worden ontgrendeld en knipperen de lichten. De chauffeur doet de kofferbak van de suv open en haalt er een kist uit. De twee mannen beraadslagen, niet in het Engels. Benson neemt de kist van hem over en gaat met verende tred weer naar binnen. Het licht boven de deur gaat uit. De chauffeur verdwijnt.

Kehinde pakt een stok en begint ermee te tekenen in de aarde, een oude gewoonte. 'Doet me denken aan ons eerste huis.' Een gezicht. 'Daar werd gedeald. Door de zoon van onze huisbaas. Gewoon voor het raam, van de kamer waar Olu en ik sliepen…'

'Wacht. Sliep jij bij Olu op de kamer?'

Hij merkt dat dat haar schokt. 'Tot jij werd geboren, ja.'

'Uiteraard,' zegt Sadie. Met iets van agressie in haar stem.

'Hoe bedoel je: uiteraard?' Hij heeft het wel gehoord.

'Tot ik werd geboren. Dat zeggen jullie allemaal. Alsof jullie daarvoor een heel ander leven leidden en ik maar het nakomertje ben. Alsof ik dat allemaal verpest heb.'

'Sadie…'

'Zeg het niet. Zeg niet dat ik overgevoelig ben. Zeg niet dat ik alleen maar jonger ben of zoiets. Ik ben ánders dan jullie, dat ziet een debiel, Jezus, zelfs vréémden zien het, dat zit niet tussen mijn oren. Ik weet heus wel wat ik voel,' fluistert ze, vol vuur, waarop Kehinde met een glimlach zegt: 'Ik ook.' Ze hoort dat hij glimlacht en denkt dat hij de spot met haar drijft. 'Leuk dat je me uitlacht.'

'Ik weet wat je voelt.' Nu lacht hij inderdaad, zachtjes, hij herinnert zich het gevoel zo duidelijk, hij ziet zijn eigen gezicht in haar woorden, dat fijne gezicht, een meisjesgezicht, wat hem al tijden dwars had gezeten, de plagerijen omdat hij zo knap was. 'Dat gevoel had ik ook thuis. Dat ik anders was. Dat ik er niet bij hoorde…'

'Er niet bij hoorde?! Jij had Taiwo.' Ze fluistert nog steeds, maar vol hartstocht en zonder een spoor van medeleven, overweldigd door de bezitterigheid die een mens heeft ten aanzien van zijn eigen leed: de agressieve overtuigdheid van het volstrekt unieke ervan, zowel naar aard en intensiteit als naar de hardnekkigheid waarmee dat leed zich weet te handhaven.

'Dat is zo. Ik had Taiwo,' zegt hij, en hij denkt na. 'Toen. Ik had Taiwo. Maar zij was het meisje. Ik was degene die bij Olu op de kamer sliep. Ik werd geacht arts te worden, ik, de jongen, de andere zoon. Dat was de droom, Sai en Zonen, een familiepraktijk. Alleen... ik had zo de pest aan die twee...'

'Welke twee?'

'Wis- en natuurkunde.' Hij moet weer lachen en trekt een lijn na in zijn tekening. Vervolgens prevelt hij de rest, meer bij zichzelf dan tegen haar. 'Begrijp je wel, ik weet dat ze het niet zo bedoelden, maar ik haatte het hoe ze naar me keken, alsof ik de kapotte schakel in de ketting was, papa en Olu, alsof ik een vreemde was, wat ik voor hen misschien wel was ook, wat ik misschien voor mezelf wel was, ik weet niet. Ik vraag het me alleen af, snap je? Nu ik hier ben, en Olu zie, vraag ik me af: stel dat hij het was geweest die toen in de auto zat? In plaats van mij, die avond met papa. Zou het dan allemaal anders zijn gelopen? Als het zo gegaan was, met de goede zoon, begrijp je wel?'

Sadie begrijpt het niet. 'Welke auto? Als Olu in welke auto had gezeten?'

'Ik zit maar wat te bazelen,' zegt Kehinde, terwijl hij het gezicht weer overtrekt.

'Nee, vertel nou,' dringt ze aan. 'Welke auto?'

Kehinde aarzelt. 'Ik...'

'Mij wordt nooit iets verteld,' prevelt ze. 'Laat ook maar.'

Hij voelt nu hoe de zware stilte om hen heen gestalte krijgt, de vertrouwde laag van stilte die hem afschermt, en insluit... maar het lijkt erop alsof zijn zus er ook in zit, samen met hem, ook ingesloten, haar adem, haar hart. Hij hoort haar ijle ademhaling, het geluid dat aan huilen voorafgaat. Hij voelt haar alleen-zijn, een leegte in zijn keel. Een ruimte die zich opent. Waardoor, ongevraagd, en even ijl en onzeker als haar ademhaling, het geluid van zijn stem sijpelt. Die haar heel eenvoudig vertelt hoe hij na zijn tekenles naar het ziekenhuis ging, naar hun vader, om met hem mee naar huis te rijden, hoe hij de hal in liep en daar de bewakers en dr. Yuki zag, hoe ze naar huis reden in de Volvo en op de oprit in de auto bleven zitten, hoe hij het schilderij dat hij die middag gemaakt had signeerde met een pen die hij nog heeft. Hij haalt hem uit zijn zak en geeft hem aan Sadie.

'Wat staat erop?' Ze kan het niet zien in het donker.

'Volgens mij heeft mama er een inscriptie in laten zetten. Het is Yoruba. Houd hem maar.'

'Meen je dat?'

'Natuurlijk.'

'Dank je wel. En dank je wel dat je me dit verteld hebt.' Ze bevoelt de pen aan alle kanten. 'Ik zou blij zijn geweest. Dat het jou is overkomen en niet iemand anders. Ik wil wedden dat hij er blij om was.'

'Denk je?'

'Ik weet het wel zeker.'

'*E se*,' zegt hij, hoewel het hem pijn doet om het zo te zeggen. De melodieuze taal doet hem aan Nigeria denken. Zijn zus. Hij staat op. 'We moeten weer naar binnen.'

'Echt?'

'Muskieten.'

'Maar onze familie is binnen,' zegt ze lachend.

'Ik weet het.' Hij kust haar op het hoofd.

Op dat moment komen Fola en Benson naar buiten. Amina komt achter hen aan met een stapel tupperwarebakjes. 'Dat is heel lief, maar niet nodig,' zegt hij.

'Alsjeblieft. Neem het nou maar. Het is alleen maar wat egusi en joloff voor morgen.'

'Ik heb zelf ook personeel...'

'Ja, maar jouw kok is Ashanti. Die kan geen egusi maken, tenminste niet zoals ik het maak.' Ze glimlachen en kijken naar de
grond, maar dan voelt Fola vlinders (linksonder, verbijstering) en
tuurt ze de tuin in. Daar, bij de palmboom, ontwaart ze de chaise
longue, met een gedaante ernaast, rijzig. 'K, ben jij dat?'

V

Taiwo komt binnen en ziet Olu verdiept in een boek, het andere
bed is leeg. 'Zou je het erg vinden om te ruilen?'

Olu kijkt op van zijn boek, ziet dat ze huilt. 'Gaat...?' begint hij,
maar het is duidelijk dat het helemaal niet gaat. Hij komt overeind,
een beetje onbeholpen, niet goed wetend wat hij met zijn lijf aan
moet, zijn armen om haar heen slaan? Hij doet een stap naar voren. Taiwo stapt naar achteren, in een reflex die hij niet als beledi-
gend ervaart.

'De kamers. Kunnen we ruilen?'

Van zijn stuk gebracht door haar tranen verlaat hij de kamer
zonder iets te zeggen. Ze doet de deur dicht en hij loopt weg door
de hal.

VI

Deze kamer is groter, een tweepersoonsbed, klein raam, de geur
van Lings bodylotion, zwakke geluiden uit de tuin. Hij overweegt
zich bij hen te voegen, hoort Fola, 'Waar is Olu?', zijn broer, 'Leuk
u ontmoet te hebben', maar gaat niet naar buiten. Het slaat nergens op, die Benson te wantrouwen, hem te ontwijken. Hij komt
weer terug, morgen zo te horen: er was sprake van dat ze met zijn
auto naar het dorp zouden gaan, voorbereidingen treffen, een kist

uitzoeken, familie bezoeken, logistieke dingen regelen – dezelfde, bedenkt Olu, als in het ziekenhuis, de logistiek van een begrafenis, klinisch, procedureel, bestuurlijk, een reeks handelingen die van elke emotie is ontdaan rond de vraag 'wat te doen met het lichaam'. Maar het blijft hem vreemd voorkomen, je druk te maken over een antwoord op die vraag, al die activiteit te ontplooien terwijl het lichaam dood is. Hij is niet bang dat Benson het hun zal vertellen, niet echt, maar waarom hij het hun zelf niet kan vertellen weet hij niet.

Hij had niet moeten wachten. Hij had het hun gewoon moeten vertellen, of haar, hij had het in elk geval aan zijn moeder moeten vertellen, toen hij, in zijn laatste studiejaar, dat ticket naar Ghana had gekregen, hetzelfde ticket dat hij elk voorjaar met de post kreeg. En dat elk jaar naar het faculteitsgebouw aan Temple Street gestuurd werd. Verkeerde adres: ze hadden allemaal een eigen postbus op het postkantoor van New Haven, voor privégebruik, maar dat adres aan Temple Street was het enige dat zijn vader in Accra wist te vinden. Het waren de laatste dagen voor het massale gebruik van e-mail. Elk jaar op zijn verjaardag, op 26 mei, kwam er een envelop voor Fola (die hij ongeopend retour zond), plus een brief voor hem met een ticket naar Ghana. Een dun papieren ticket in afgevende rode inkt en drie doorslagen op nog dunner papier, zoals tickets vroeger waren, gedateerd op 26 mei, vier jaar achter elkaar tot 26 mei 1997, de dag dat hij op het vliegtuig was gestapt.

Hij heeft zichzelf nooit echt de vraag gesteld waarom, of waarom toen, waarom hij niet naar zijn eigen buluitreiking was gegaan, er niet heen had gewild. Hij was altijd bang geweest dat Kweku hen zou verrassen en onaangekondigd en onuitgenodigd in New Haven zou komen aanzetten op een dag waarvan hij wist dat ze er allemaal zouden zijn, maar het was duidelijk dat zijn vader daar niet aan dacht. Of sowieso niet dacht. Hij was bekend met het

Amerikaanse onderwijs, hij moest geweten hebben dat er om de vier jaar een diploma of bul werd uitgereikt, en dat er ergens in het voorjaar van 1997 twee van die heugelijke dagen zouden samenvallen (voor de tweeling die eindexamen had gedaan en voor hem die was afgestudeerd); niettemin stuurde hij, net als altijd, de brieven en het ticket, met dezelfde smeekbede als altijd: of Olu alsjeblieft zijn verjaardag een keer bij hem wilde zijn, of hij een week wilde blijven, of hij het verhaal van Kweku wilde aanhoren – zonder enige verwijzing naar de onhandige datum.

Het was gewoon toeval dat de twee afstudeerfeesten op één dag vielen, en nog wel op zijn verjaardag, maar hij had daar met die papieren gezeten – uitnodigingen van Milton en Yale en een ticket naar Ghana – en voor het eerst in jaren gehuild. Dat zijn vader vergeten was dat zijn kinderen gingen afstuderen, althans drie van de vier, maakte het opeens zonneklaar en onontkoombaar: dat hij geen deel meer uitmaakte van hun leven, hun agenda, hun ritme, hun wereld; hij had zich eruit teruggetrokken. Niet dat Olu daar nooit eerder aan gedacht had (dat had hij wel, dagelijks, sinds de Volvo was weggereden), maar het verdriet was eerst verdoofd door de schok, die na verloop van tijd was overgegaan in ontkenning, die na verloop van tijd was overgegaan in hoop.

Pas nu begint het hem te dagen, hier bij het raam, waar de diepe lach van Fola vanuit de tuin door de hor heen klinkt als het gerommel van de donder voor een stortregen, dat hij misschien wel gegaan was in de hóóp op een of ander laatste verraad? Het leek hem destijds duidelijk genoeg waarom hij ging, met een leugen over een slecht getimede vrijwilligersreis, 'Artsen Zonder Grenzen,' zei hij, terwijl hij Ling een pamflet voorhield en hij zichzelf voorhield dat Fola bij de tweeling moest blijven – hij vond het niet erg, de feiten niet onder ogen te zien, de onverschilligheid van zijn vader. Zijn grootste prestatie, en Kweku was het vergeten. Hij huilde op zijn kamer, alleen, een halfuur, en typte toen een brief met de mededeling dat hij zou komen, wiste zijn tranen, gaf zich een pets op de wang, klemde zijn kaken op elkaar voor de spiegel, bezwoer zichzelf in stilte: 'Geen tranen meer, man', en vertrok de week daarop. Metro-North naar de stad, volle metro naar het vliegveld, kleine pendelbus naar de terminal waar Ghana Airways zat (dat nadien was opgedoekt), een rare uithoek ergens helemaal achteraan op het vliegveld waar het incheckcircus net begonnen was; passagiers met tickets die volstrekt willekeurig de toegang werd ontzegd protesteerden luidkeels, nog harder schreeuwend personeel riep terug: 'Dan hoeft u nog niet zo te gaan schreeuwen!', hele families smeekten met veel gejammer en tandengeknars om genade voor hun teveel aan bagage, overal om Olu heen werden op de grond tassen uitgepakt en weer ingepakt (cadeaus, eten, blikken, kleren, speelgoed her en der verspreid) – en toen beklom hij de trap naar het vliegtuig, om tien uur later in Accra weer af te dalen.

Om niet aan die gelegenheid te hoeven denken.

Maar er was nog iets anders, afgezien van de gruwelijke gedachte aan een podium in de zon zonder familie die hem toejuichte, zonder ouders, zonder broers of zussen. Om de gevoelige zenuw dood te maken en de wond dicht te schroeien was meer nodig. Om de hoop weg te branden – zoals hij van plan moet zijn geweest, bedenkt hij, zoals hij gewild moet hebben – had hij nodig wat er gebeurd was: iets wat nog pijnlijker was dan vergeten worden, de schrijnende pijn die je alleen voelt als je verraden wordt.

Zijn vader leek jonger, of kleiner, dan hij zich herinnerde. Hij was altijd aan de kleine kant geweest, 'niet groot', zoals Benson zei, een meter vijfenzeventig misschien, even lang als Fola, maar stevig, met sterke armen en schouders, zij het met de magere benen van een hardloper – maar hij oogde bepaald klein in de menigte die daar stond te wachten, een opeenhoping van primaire kleuren en geluiden, mannen en vrouwen, de mannen allemaal aan de kleine kant, merkte Olu op, allemaal met sterke armen, een gladde huid en – hij schrok ervan – allemaal bruin.

Vroeger, als hij zo naar zijn vader zocht, met een speurende blik over een tribune of door een zaal om het gezicht van Kweku eruit te pikken, had hij altijd naar het bekende contrast gezocht, had hij allereerst naar dat bruin gezocht. Een blauwige kleur bruin die toepasselijk vergeleken werd met chocola en koffie, de huidskleur die hij zelf ook had – en die verder niemand had, geen andere vader in Boston. Hij pikte Kweku er altijd in een mum van tijd uit. Ook hier op het vliegveld gingen zijn ogen, nog even geconditioneerd, op zoek naar het contrast, waarop ze meteen geschokt begonnen te knipperen: ze waren allemáál dezelfde kleur, min of meer, alle vaders, zijn eigen vader ging er helemaal in op, zonder gêne, in die ene overheersende kleur. Maar toen zijn ogen eindelijk ergens aan de rand van de menigte bleven rusten op een man in een geperste kakibroek, kraakhelder wit overhemd, bril met hoekige glazen, bruine schoenen, handen in de zakken, zoveel kleiner dan hij hem zich herinnerde, zijn voeten een eindje uiteen, zag Olu met enig ontzag dat zijn vader er wel degelijk uit sprong tussen al die andere mannen. Hoewel hun huidskleur en hun lengte en hun bouw min of meer overeenkwamen was zijn vader toch anders.

Hij bleef bij de deur tussen de bagageafhaalruimte en de hal (de oude hal, van voor de verbouwing) staan en staarde door het glas naar de massa bruine mensen. Hij verschoof zijn rugzak maar liep niet verder. Hij herkende zijn vader niet echt, of werd door de herkenning overdonderd, alsof hij de man voor het eerst van zijn leven goed zag, hem opeens zelf zag, zonder het voordeel van het contrast, zonder de achtergrond (op wit) en nog áltijd anders (op bruin). Dat was wat hem staande hield en waardoor hij bleef staan staren: hoe Kweku eruitzag, als een man alleen, klein en sterk en apart, degene die niet als de anderen was; alle vertrouwde eigenaardigheden waren op een of andere manier eigenaardiger: de scherpe vouw in zijn broekspijpen, de riem strak om het middel, de manchetten één slag omgedraaid, het al dunnere haar keurig geknipt, datzelfde brilletje, het bekende brilletje van de gestudeerde immigrant, hetzelfde dat zijn hoogleraren op Yale ook droegen (alsof alle niet-blanke wetenschappers in de jaren zeventig bij aankomst in Amerika dezelfde bril kregen uitgereikt). Kweku. Geen vader, geen chirurg, Ghanees, held, of monster, maar gewoon ene Kweku Sai, gewoon een man in een menigte met een merkwaardig voorkomen, niet minder vreemd in Accra dan in Boston. Alleen. Hij kon Olu niet zien, die ging nu schuil achter de deurpost, dus hij stond daar maar als een kind dat te horen had gekregen dat hij moest wachten en zich koest houden, handen in de zakken, blik op de uitgang, schouders ontspannen alsof alles in orde was: het enige zichtbare teken van zijn toenemende bezorgdheid was de mechanisch op-en-neergaande beweging van een voet op de grond.

Iemand reed met een bagagekarretje van achter tegen zijn been aan. 'Excuus,' zei de man, die klonk als Luther Vandross. Olu draaide zich om en zag Benson (een vreemde). 'Ik zag niet dat je bleef staan…'

'Sorry. U hebt gelijk.' Olu ging aan de kant om de vreemde er met zijn bagage langs te laten, maar die maakte geen aanstalten. Hij glimlachte en bleef ook staan.

'Zat jij ook in het vliegtuig vanuit New York?'

'Ja.'

'Dat dacht ik wel. Ik had je al gezien. God, het klinkt misschien vreemd, maar ik dacht… alleen, je lijkt op een vrouw die ik vroeger heb gekend. De vrouw van een vriend.' Olu schudde zijn hoofd van nee. De vreemde keek gegeneerd. 'Nou. Welkom in Ghana.' Hij liep door met zijn karretje en verdween in de menigte.

Olu voelde zich op een of andere manier ontmaskerd – als de

lafaard bij de deur, zij het niet als de zoon van Fola Savage – en keek naar zijn vader. Wat is een man die zijn vader niet onder ogen durft te komen, dacht hij. Of het nou schaamte was, dreiging, of een geintje, iets kleins, iets al te kleins in zijn eenzaamheid en eigenheid, of iets groots, al te groot, als je ziet wat voor schaduw het werpt: de kern van de angst deed niet ter zake, het ging om het onder ogen komen, en hij hield zich schuil, bang om tevoorschijn te komen. 'Kom op,' prevelde hij zacht, en hij hees zijn rugzak nog eens op (de rugzak waar hij altijd mee reisde, en waar Taiwo altijd de spot mee dreef, het zoveelste bewijs dat er een 'blanke' in Olu schuilging, die water dronk uit bidons en sandalen droeg in de sneeuw). Toen trad hij naar voren, handen aan de schouderbanden van zijn rugzak, alsof hij zich voorbereidde op een vrije val. 'Pap!'

Ze reden van het vliegveld naar de stad zonder te spreken, Kweku met beide handen krampachtig aan het stuur, Olu met beide handen krampachtig aan zijn rugzak. De drie jaren van stilte rezen massief tussen hen op, niet verzacht door aanwezigheid, nabijheid, vlees. Olu tuurde ingespannen naar buiten en probeerde erachter te komen wat voor kleur hij eigenlijk zag: de bomen waren weelderig omzoomd met wilde struiken en palmbomen, maar op een of andere manier deed het uitzicht bruin aan, en niet groen. Het deed hem denken aan Delhi (zonder de autoriksja's), de kleine claxonnerende taxi's, de opgewekte stemming, de stofsluiers, de goed geplande wegen die toch iets chaotisch hadden, uithangborden bij winkels met handgeschilderde gezichten – maar iets hier was nieuw. De kleur, dacht hij, het was weer de kleur, het nieuwe van het in de meerderheid zijn, het vertrouwde, het zien van zijn eigen spiegelbeeld in het raampje van een passerende auto en een ogenblik denken dat hij de chauffeur zag.

Toen ze bleven staan op de kruising van Liberia Road en Independence Avenue, schraapte Kweku zijn keel. 'D-dat is ons N-nationale Theater,' begon hij haperend. Hij gebaarde door zijn raampje naar het gebouw. Modern, wit. 'We hebben een Nationaal Symfonieorkest en een Nationaal Toneelgezelschap. Ze hebben het vijf jaar geleden gebouwd. Een geschenk van de Chinezen.'

'Interessant,' zei Olu beleefd. 'Vijf jaar geleden.' Toen hun vader nog deel uitmaakte van hun leven.

Kweku wreef over zijn voorhoofd. Hij was zich vaag bewust van zijn vergissing en viel stil. Het stoplicht sprong op groen en hij gooide het over een andere boeg. 'Hij is aan het veranderen, deze stad, niet snel, maar hij is wel aan het veranderen. Ik denk dat het je best zal bevallen hier.'

'Het ziet er leuk uit,' zei Olu.

'Aan je eerste reis naar Ghana heb je zeker geen herinneringen.'

'Nee.'

'Nee, logisch. Maar het is sinds die tijd een ander land geworden. Er is veel veranderd.'

Olu knikte maar zei niets. Hij wist niet of Kweku het alleen over zijn land had of ook over zichzelf.

Ze reden een zijstraat van Independence Avenue in en zochten in een doolhof van straatjes langzaam hun weg naar een groepje grote huizen die een eindje van de weg stonden, met brokkelige, witgepleisterde muren die overwoekerd waren met droge bloesems. Zwerfhonden snuffelden onverschillig in de kleine afvalhopen. Schillen, zwarte plastic zakken. Aan het eind van de weg stond een vrouw in een *lappa* en een uit de toon vallend rood Pop Warner Football-t-shirt vlees om te keren op een gril zoals zij die in hun eerste huis in Boston ook hadden gehad, een halve bol. Achter haar liep de weg dood op woekerend onkruid, een enorm perceel met dor gras en een eenzame mangoboom.

Kweku zette de auto bij de vrouw stil en liet de motor draaien. 'Je zult wel moe zijn.' Hij boog zich naar voren en keek naar buiten. 'Ik wou alleen dat je dit even zag voor we naar het huis gaan – naar mijn huis... waar ik woon.'

Olu tuurde door het raampje naar de vrouw. 'Wie is dat?'

'Dat land. Ik wil het graag kopen. Om een huis voor ons te bouwen.' Hij deed zijn bril af en wreef de glazen zorgvuldig schoon terwijl Olu zijn voorhoofd fronste. Zijn vader had 'voor ons' gezegd. Kweku vervolgde enigszins verlegen: 'Alleen even voor het perspectief. We gaan meteen weer verder. Ik vond alleen dat we hier even snel langs moesten. De flat waar ik nu woon stelt weinig voor. Ik heb nooit, dat heb jij ook wel gemerkt, in huren geloofd. Ik huur liever een bescheiden onderkomen – sommigen zouden misschien zeggen een lelijk onderkomen – tot ik iets kan kopen op de schaal die mij voor ogen staat. Mijn vader heeft nooit een huis gehuurd, begrijp je, hij heeft zijn eigen woning ontworpen. Heel markant...' Hij betrapte zichzelf erop dat hij doordraafde en hield zijn mond.

Maar Olu draaide zich naar hem toe, zijn belangstelling was gewekt: hij was verrast dat Kweku iets zei over zijn vader, daar had Kweku het nooit over gehad. Het was de kinderen niet ontgaan dat hun ouders nooit ook maar een stom woord zeiden over wie nu eigenlijk hún ouders geweest waren. 'Lang geleden overleden,' was de algemene indruk, waar Fola niet meer aan toevoegde dan: 'Mijn moeder is in het kraambed gestorven.' Ze hadden geen foto's, zoals Olu ze wel boven de trap zag hangen bij klasgenoten, verbleekt, ingelijst en gewichtig, generaties familie, waar hij soms naar kon staan staren tot iemand zei: 'Je vindt onze familiefoto's wel mooi, hè?' Meestal de vader, die hem een klap op zijn schouders gaf en meteen een rondleiding aanbood (vaders van vrienden waren altijd graag bij hem in de buurt, hielden ervan hem een klap op zijn schouders te geven, met van ontzag schitterende ogen, alsof er op de wereld niks wonderbaarlijkers bestond dan Olu, een hoogbegaafde atleet met een chocoladebruine huid). En dan liep hij door

hun huis met een brandend verlangen naar afkomst, naar het gevoel af te stammen van gezichten in lijsten. Dat zijn familie nauwelijks over iets als een achtergrond beschikte was verontrustend;
het leek te suggereren dat ze maar deden alsof, dat het eigenlijk allemaal nep was. Een rechtmatige familie had foto's boven de trap
hangen. Of op zijn minst grootouders van wie de voornamen bekend waren. 'Wat deed hij?' vroeg Olu, opeens hoopvol.

Maar Kweku antwoordde vaag: 'Hij deed hetzelfde als ik.' Hij
zette zijn bril weer op en zette de auto in zijn achteruit. 'Kom. Genoeg. Je zult wel moe zijn, en uitgehongerd.' Hij kocht nog snel
vier stukjes gegrilde pisang, gewikkeld in krantenpapier, waar hij
een paar zakjes gerookte noten bij kreeg, en reed toen terug over
het kruispunt, om te blijven staan bij een rij lage, beige betonnen
gebouwen, waarvan de meeste geen deuren hadden.

'Is dit waar je woont?' vroeg Olu toen ze naar binnen gingen,
niet bij machte zijn verbijstering te verhullen: de stank was een
combinatie van twee delen vis in een frituurpan, vier delen urine,
en mottenballen om de vieze lucht van de urine te neutraliseren.

'Als je in Ghana iets huurt, moet je twaalf maanden vooruitbe-
talen,' zei Kweku, 'en ik spaar voor een stuk grond. Zoals je gezien
hebt. Het is niet veel, maar de huur stelt niks voor en niemand
stoort me hier of weet dat ik hier ben.'

Olu vroeg niet aan hem of dat iets goeds was, ergens wonen
waarvan niemand weet dat je er woont, en dacht: later, daar gaan
we later wel op in – zonder te vermoeden dat hij tien minuten later alweer weg zou zijn. Ze beklommen de drie trappen in het
trappenhuis naar het appartement van Kweku, dat onverwacht
groot was en de hele bovenverdieping besloeg. En schoon, het leek
wel een klooster, verstoken van elke vorm van opsmuk. Er stonden
slechts een tafel, twee stoelen, een fluwelen tweezitsbankje en het
standbeeld. Hij nam niet de moeite zijn vader te vragen hoe hij dat
beeld verscheept had en hield alleen zijn lachen in, want het had

wel iets lachwekkends: dat hij hem nou hier zag, dat stenen ding waar ze zo de pest aan hadden gehad maar waar ze nooit van af leken te komen. Zoals alle gehate dingen wilde het maar niet uit hun leven verdwijnen.

Hij ging aan de tafel zitten en maakte zijn rugzak open. Hij was op zoek naar zijn tandenborstel, helemaal onderin, toen hij het tentje vond dat hij er afgelopen zomer in had gepropt toen hij met Ling ging wandelen in New Hampshire. 'Mijn tent.'

'Ik dacht dat we het ene bed in de slaapkamer wel konden delen,' zei Kweku.

'Nee, ik heb hem per ongeluk meegenomen.' Nu moest Olu wel lachen, en zijn vader ook, een vreemd geluid, veel droever dan schreeuwen of huilen. Zijn arm verdween weer in de rugzak en kwam eruit met een grijze Yale-sweater. 'Het is vandaag buluitreiking.' Het schoot hem net weer te binnen. 'Vandaag studeer ik af.'

Kweku stond net in het keukentje een ketel met water te vullen. 'Wat zei je?' Hij deed de kraan uit. 'Ik heb je niet gehoord. Wat is er vandaag?'

'Buluitreiking, op Yale. Vandaag studeer ik officieel af.'

De ketel kletterde in de gootsteen.

Kweku draaide zich om en hapte naar adem. Een besef, geen vraag. 'Ik ben je afstuderen vergeten.'

'Ja, inderdaad,' zei Olu.

'Waarom ben je... hoe kan het... hoe kun je daar nou niet bij zijn?' Hij deed zijn bril af. 'Waarom... waarom ben je er niet? Waarom ben je híér?' Wreef de glazen schoon. 'Je bul.'

'Het maakt niet zoveel uit.'

'Hoe kun je dat nou zeggen?'

Olu haalde zijn schouders op. 'Het leek me gewoon niet zoveel bijzonders.'

'Hoe bedoel je?!' hield Kweku vol. 'Jij zou daar moeten zijn, in New Haven, niet hier...'

'Jij ook.'

Kweku viel stil. Hij begon verschillende keren met 'Ik...' 'Jij...' 'Wij...' en koos toen voor: 'Luister. Dat zijn twee verschillende kwesties en dat weet jij ook, Olukayodé.' Olu fronste zijn voorhoofd – hij schrok van het gebruik van zijn volledige naam. Niemand noemde hem ooit bij die naam, behalve Fola, en dan alleen als ze kwaad was, wat bijna nooit voorkwam. 'Dat kun je niet dóén...' zei zijn vader, maar nu zwakjes, aarzelend. 'Opgeven als je je gekwetst voelt. Alsjeblieft. Dat heb je van mij. Dat is wat ik doe, wat ik gedaan heb. Maar jij bent anders. Jij bent anders dan ik, jongen...'

'Ik ben precíés zoals jij...'

'Jij bent beter.'

Wat was het dat hier vanuit het niets opkwam? Medelijden? Schaamte? Een verlangen om de man heel te zien, en niet hier in een kaal appartement, zijn broek nog geperst alsof hij thuis was, terwijl hij dat niet was, hij woonde hier in een hel, in een gevangenis van eigen makelij, in ballingschap, afgesneden van zijn familie en erger: met een uitdrukking op zijn gezicht als van een man zonder eer, of op zijn minst van een man die het gevoel had dat dit zijn lot was. Hij zou nog steeds niet kunnen zeggen wat hij dacht dat hij zou vinden toen hij in Ghana landde, maar in elk geval niet dit, dit bloedhete, half afgebouwde appartement, met die halve man erin, die nu achteruitdeinsde en ging zitten, te beschaamd om te blijven staan. Hoe was het met zijn vader zover gekomen dat hij zo'n uitdrukking op zijn gezicht had: verslagen, en bereid zijn verlies te accepteren, zonder zich te verzetten, zonder tegenwerpingen te maken, alsof ergens diep in hem iemand zat die zich volkomen thuis voelde in deze flat, in deze ruimtes, met zijn vuile ramen, kale peertjes, de stank van urine, beton, afbladderende verf, nog even afgezien van die geperste broek? Dat was degene die Olu haatte, de man binnen in Kweku, op wie hij boos was, tegen wie hij nu schreeuwde: 'Jij bent degene die beter is, godverdomme, niet ik, ik ben niet anders. Jij bent het. Jij bent beter dan dit.'

Waarop Kweku, heel zacht: 'Dit? Dit is waar ik vandaan kom.'

Alsof dat het enige was wat er over te zeggen viel.

Alsof tweeëntwintig jaar, de hele rataplan, niet meer dan een kort oponthoud was geweest op de weg terug naar hier; alsof het enige waar een mens op kon hopen was de cirkel te sluiten en weer te eindigen in het grijs, in de as.

'Niet goed genoeg, Olu!' riep Olu. 'Niet goed genoeg! Dat zei je altijd als ik het verkeerde antwoord gaf. Zo kom je d'r niet, Olu! Niet dat luie, je moet nadenken! Niet goed genoeg, Kweku...' en hij zou nog zijn doorgegaan, ware het niet dat in de hal een deur kraakte en voetstappen hun kant op kwamen. Hoge hakken. Moeilijk te zeggen waar de peptalk heen zou zijn gegaan, en of het gewerkt zou hebben in de staat waarin zijn vader zich nu leek te bevinden, of Olu hem echt tot actie zou kunnen hebben aange-spoord, hem zou kunnen hebben overgehaald mee terug te gaan naar Boston. Wie zal het zeggen? Daar stond ze, opeens, een ge-daante in de deuropening, een slanke Andere Vrouw met lange, dunne vlechtjes, strak in het pak – en dat was dat, min of meer, het einde van zijn tweede reis naar Ghana.

'Hallooo!' Een vet plaatselijk accent, zorgvuldig verpakt in een aaneenschakeling van geaffecteerde stembuigingen. 'Hoe gáááát 't?' Ze trad op Olu toe. '*Akwaaba*. Wwélkom.'

'J-June,' stotterde Kweku. 'Ik wist niet dat je thuis was.'

Olu stond met zijn ogen te knipperen, niet bij machte haar te zien, haar trekken in zich op te nemen, zich te verroeren of über-haupt iets te zeggen. De vrouw zei iets in het Ga tegen zijn vader, gaf beiden een kushandje en was alweer verdwenen. Kweku pro-beerde 'Ik...' 'Jij...' 'Wij...' alvorens te kiezen voor: 'Het is niet wat je denkt. Maar ik had het je moeten vertellen.'

'Me wat moeten vertellen? Dat je met die vrouw samenwoont?'

'Tijdelijk,' antwoordde Kweku. 'Het is maar voor even. Ze helpt me een praktijk op te zetten in Ghana. Het is heel moeilijk om ertussen te komen. Luister je wel?'

Olu luisterde niet. Hij slingerde de rugzak op zijn rug en marcheerde, met zijn handen aan de schouderbanden, naar de deur, die nog openstond. Kweku stak zijn handen uit om hem tegen te houden. 'Raak me niet aan!' riep Olu, en hij liep de deur uit.

De trappen af.

Naar buiten, de zon in.

En terug naar het vliegveld, te voet naar het kruispunt, waar hij er met zijn rugzak uitzag als een liftende tiener; een oude Jeep vol studenten, voornamelijk Duitsers, stopte om hem op te pikken en ze waren ook nog zo vriendelijk hem af te zetten op de stoffige weg naar het vliegveld; te voet verder naar de incheckbalie, waar hij smeekte of ze zijn terugreis konden omzetten naar de eerste de beste vlucht. Terug naar Yale. De dag na de buluitreiking, de campus nog half opgetuigd, als een debutante die na het bal weer naar huis strompelt.

De gedachte aan die geur (Jean Naté, en vager: mottenballen) doet Olu nog altijd naar frisse lucht snakken. Hij probeert het raam naar boven te trekken als iemand zijn rug streelt en hij uitbarst: 'Raak me niet aan!'

'Sorry,' zegt Ling, overdonderd, en ze deinst achteruit. Hij draait zich naar haar om, gegeneerd, en veegt met een hand over zijn gezicht. Ze fronst haar wenkbrauwen en kijkt hem bezorgd aan, wil haar armen om hem heen slaan, en hij merkt bij zichzelf dat hij zich heel subtiel van haar afwendt. 'Waarom doe je dat?' vraagt ze. 'Als ik je aanraak? Je krimpt helemaal in elkaar als ik je aanraak.' Ze doet haar armen over elkaar. 'Het geeft niet als je huilt...'

'Dat doe ik helemaal niet. Ik huil niet.'

'O nee. Jij huilt nooit.' Ze gaat op het bed zitten.

Hij zucht. Hij begrijpt wel dat hij iets moet zeggen om de kloof te overbruggen die hij tussen hen geslagen heeft. 'Ik heb geruild met mijn zus,' zegt hij. 'Met Taiwo. Zij ligt nu op de kamer bij Kehinde en ik kom bij jou.' Hij gaat naast haar zitten en raakt haar schouder aan. Ze leunt tegen hem aan, met haar armen om zijn middel. Hij kust haar op haar hoofd maar zijn eigen armen zijn opeens loodzwaar, hij kan haar niet ook vasthouden zoals zij het graag zou willen.

VII

Kehinde komt binnen en ziet Olu liggen – maar ziet dan dat de gedaante te klein is om Olu te zijn. Hij gaat ook naar bed, en wacht, wacht op een barst in de stilte.

'Ik heb hem gezien,' zeggen ze allebei.

Kehinde draait zich om. Hij wilde Taiwo vertellen wat hij net aan Sadie had verteld. In plaats daarvan zegt hij: 'Wie?'

'Oom Femi,' fluistert ze, zonder zich naar hem toe te draaien. 'In een *Ovation*. Er lag er een in de studeerkamer.'

De naam gaat dwars door hem heen, een strakke lijn door zijn kern. Zijn longen liggen open en de lucht stroomt eruit. 'In dit huis?'

'Op een foto met Niké…' begint ze. 'Laat maar.'

'Ik kan het niet zomaar "laten",' zegt hij.

'Probeer het maar gewoon.'

'Dat heb ik geprobeerd,' zegt hij.

'Probeer het dan gewoon nog een keer.'

'Taiwo,' zegt hij.

'Wat wil je dat ik zeg?'

Kehinde weet niet wat hij wil dat ze zegt. Dat heeft hij nooit geweten.

'Laat nou maar,' zegt ze. 'We moeten slapen.'

Hij hoort haar verliggen in bed en moet denken aan dat andere slaapkamertje waar ze samen lagen, hun eerste nacht in Lagos; ziet hen daar nog liggen, met stomheid geslagen; hoort weer hun zieke oom: 'Laat onze tweeling hun kamers zien.' Ziet tante Niké weer voor zich: 'Deze is voor Taiwo,' zei ze, terwijl ze zijn zus naar binnen duwde; ziet weer haar gezicht toen ze zich omdraaide, de wilde, smekende blik waarmee ze hem, haar broer, aankeek, een blik die leek te zeggen: laat me hier niet alleen. Maar tante Niké duwde hem al verder, door de hal naar de volgende kamer, een veel kleinere slaapkamer met twee kleine bedden. 'Dit is jouw kamer,' zei ze op kille toon. In de hoek stond een wieg. Tante Niké zag hem kijken. 'Die laten we weghalen.' Hij ging het kamertje binnen terwijl zij toekeek vanaf de drempel. 'Iemand brengt je spullen naar boven, *ehn*? Ga slapen als je wilt. We roepen je voor het eten.'

'Dank u wel,' prevelde hij.

'Dank u wel, tánte.' Ze vertrok.

Hij bleef even om zich heen zitten kijken in het kleine kamertje, met zijn geaderde marmeren vloer, betraliede raam, grote wieg. Hij keek door het raam naar buiten, naar een grote, goed onderhouden tuin achter het huis, met een enorm zwembad. Een tuinman was de heggen aan het snoeien. Hij moest aan Fola denken en draaide zich om. In de deuropening stond een jongen, met zijn koffer.

'Goedenavond, sa,' zei de jongen.

'Ik ben Kehinde,' zei hij.

'Kehinde, sa,' zei de jongen. En maakte een lichte buiging. 'Uw koffer.' Voor Kehinde iets kon zeggen liep hij snel weer weg. Zo was het hele appartement: mensen verschenen in deuropeningen, maakten met neergeslagen ogen een lichte buiging en liepen dan snel weer weg, een enorme hoeveel personeel, zeker twintig man, voor hen vieren: koks, tuiniers, huisknechten, bewakers, allemaal jongemannen. Allemaal gehuld in een witte broek en een wit overhemd, zonder schoenen, slanke jongens zonder naam, tieners, de een overvloeiend in de ander, kamers binnenglippend met eten en drinken en van alles en nog wat, om dan weer vlug weg te lopen.

Hij ligt, stijf, stil, en denkt aan zijn zus, een gedaante in de deuropening, die eerste eindeloze nacht, die opeens was opgedoken in het maanlicht, haar stem als een reddingsboot. 'Kan ik hier slapen, Kehinde?' Hij had nee moeten zeggen. 'Het is zo koud in mijn kamer,' zei ze. 'Ik kan niet slapen.' 'Ik ook niet,' zei hij, en ze stapte in bed. In het andere bed, bij de deur. Maar dat stond te ver van het raam, dat was te warm, met die kapotte airco: een week later werd hij wakker en zag dat ze bij hem in bed was komen liggen, met haar voeten bij zijn kussen – een meisje en een jongen in dunne Disney World-pyjama's, een versie van hen die hij sindsdien niet meer gezien heeft.

VIII

Fola ligt in het donker te staren naar Sadie, die snurkt alsof ze zuchten slaakt aan de andere kant van het enorme bed, haar handen tot kleine vuisten gebald, zoals altijd wanneer ze slaapt, een gewoonte die ze al heeft vanaf de dag van haar geboorte. Levend, zij het niet volmaakt, denkt Fola, met een frons, zich opeens afvragend of dat genoeg is. Een van de zes dood, de vijf overgeblevenen allemaal onvolmaakt. Want dat voelt ze aan, dat zíét ze, ze weet dat het niet echt goed met ze gaat.

Eén enkele sensatie overweldigt haar, een nieuwe, die wel iets weg heeft van paniek, of van het gevoel dat ze verdrinkt, alsof ze lag te drijven in lauw water – gezicht naar de lucht, armen en benen gespreid – en ze abrupt begon te zinken, onverwacht, onomkeerbaar, en te moe om er iets aan te doen, langzaam, langzaam naar beneden.

Ze gaat geschrokken overeind zitten en probeert haar adem weer tot rust te brengen zonder Sadie wakker te maken, maar haar ademhaling blijft gejaagd. Ze glipt uit bed en loopt stilletjes maar haastig naar de badkamer, waar ze het licht niet aandoet. Alleen maar staat, tot ze gekalmeerd is. Ze draait de kraan open, een dun straaltje, om haar gezicht nat te maken, en dept haar wangen droog met een handdoek. Als ze die laat zakken, vangt ze in het maan- licht een glimp op van haar spiegelbeeld en buigt ze zich voorover om beter te kijken.

Naar haar gezicht.

Enigszins geschrokken van de forse, maar scherpe trekken, die haar op een of andere manier vreemd voorkomen na jaren van niet in de spiegel kijken – behalve om in het voorbijgaan wat roze lip- stick aan te brengen of haar haar plat te drukken, van boven, van achteren. Het is lang geleden dat ze naar die trekken gekeken heeft, naar die hoekige vormen van neus en mond, de lichte huid, nog zonder rimpels, de brede ogen, die vertrouwd zijn – en toch anders. Ze buigt zich voorover om naar haar ogen te turen.

Kleur en vorm zijn hetzelfde als de ogen van haar vader (en van Olu), maar in de loop van de tijd is er iets aan veranderd; ze lijken méér op de ogen van haar vader dan haar eerder is opgevallen, of meer dan voorheen. Ze denkt minder vaak aan hem dan dat ze in de spiegel kijkt en heeft dus zelden aanleiding om zich zijn gezicht te herinneren, om het met haar eigen gezicht te vergelijken, zoals ze nu doet. Zijn ogen in haar gezicht, waar eerst haar eigen ogen zaten. Zijn ogen, met hun vage glans van droefenis en hun lach- rimpels, dat zachte bruin, nog eens verzacht door pijn, door ver- driet: dat zijn de ogen die Fola in de spiegel ziet. Ze staart er on- gelovig naar. Ze raakt het glas aan. De ogen van haar vader glinsteren in het licht van het raam achter haar, glimmen van de opwellende tranen. Eén traan glijdt over haar wang, ze raakt het druppeltje aan zoals je je hand optilt naar net beginnende regen.

Op haar tenen loopt ze van de badkamer terug naar bed. Ze glijdt onder het laken en gaat op haar rug liggen. Ze raakt haar buik aan maar voelt geen beweging. Ze huilt tot het ochtendgloren, geluidloos.

5

Na het ontbijt stappen ze met z'n allen in de suv van Benson, elk opgesloten in de stille, glazen kist van zijn gedachten, zeven kisten, afgesloten, geluiddicht en onbreekbaar; de achtste man, de chauffeur, neuriet, alleen in het hier en nu. De dag is koel begonnen, bedrieglijk zacht, zon achter een wolkendek, een dikke laag zachtgrijs met helderwit erachter, een dreiging of een belofte. Een windje strijkt met zijn vingers door de bladeren, het is nog geen twaalf uur. Over een minuut of dertig zal het wolkendek gaan scheuren, zullen de bladeren ophouden met bewegen, zal de lucht tot stilstand komen; de zon zal zijn ingetogenheid afleggen en tevoorschijn komen; de dag zal drukkend, ondraaglijk heet worden. Zo is het weer in december in Ghana: een ingehouden adem tot de wereld verder draait, een spoor van tranen naar het nieuwe jaar, in de vorm van een krankzinnige luchtvochtigheid, een verschrikkelijke hitte – en dan de regen die verlichting brengt.

II

Een uur buiten de stad: de oceaan.
Onaangekondigd, ambitieloos.
Gewoon opeens dáár.
Ze zijn met de stroom meegereden, over de onlangs geplaveide

weg naar de hoger gelegen kruising, waar ze afslaan en verder rijden over de hoofdweg, die over een heuvel loopt, met aan weerskanten op de hellingen overal huizen. Het is zoals gewoonlijk een
drukte van belang, zo rond het middaguur: stevige vrouwen dragen water en allerlei goederen op hun hoofd, magere kinderen in
schooluniform, donkerbruin en lichtoranje, draven langs de weg
op zoek naar een minibusje om naar huis te kunnen voor het mid-
dageten. De mannen zijn minder zichtbaar. Een paar staan in deuropeningen, in wijde, verschoten broeken en hemdjes, naar buiten
te kijken, half turend, half fronsend, besluiteloos, terwijl de grote
Mercedes van Benson langsdendert en grote stofwolken opwerpt.

Benson zit voorin, naast de chauffeur, met een strohoed en een
Ray-Ban-zonnebril op – als een safarigids. Ling zit stijf gespannen tussen Fola en Olu, Sadie zit achterin, tussen Taiwo en Kehinde.

'Ik herinner me deze weg nog,' prevelt Fola.

'Ben je hier eerder geweest?' Benson draait zich om naar Fola, en
Olu krimpt ineen.

'Eén keer maar. En te laat.' Ze raakt even Olu's schouder aan. 'Jij
was er ook bij, lieve schat.' Een scheut, rechtsboven.

De auto daalt van de heuvel af naar het water. Tussen het strand en
de weg ligt alleen nog een veld. Ze draaien zich allemaal die kant
op, als iemand die in maanden geen oceaan gezien heeft, opnieuw
aangedaan door het panorama. Zelfs Sadie doet niet meer alsof ze
tegen haar broer aan ligt te slapen, ze is rechtop gaan zitten en
buigt zich naar het raampje toe om naar buiten te staren.

Een halfhartig muurtje van specie en betonblokken begint en
houdt dan weer op, als de glimlach van een zesjarige, met enorme
gaten waardoor je geiten rustig ziet lopen grazen, zonder enige
haast, een hele kudde. Rechts blijft de steile helling langs de weg
oprijzen: rode aarde met het dichte groen van hoog opgeschoten

gras en kleine bomen; links een veld, meer dan een kilometer breed, met bloeiende struiken, klimmers, kruipers, wild gras, naar het zand toe steeds dunner. En dan het strand. Dat is verder dan het lijkt: je zou denken dat als je wilde, je gewoon uit de auto zou kunnen springen om als een kleuter recht op het water af te rennen, al rennend je kleren uittrekkend, schoenen uittrappend, en het uitschreeuwend van verrukking: vrij, vrij! Maar dat zou nog niet zo makkelijk zijn, vanaf hier door al dat onkruid naar het strand; dat is een eindje verder, aan de rand van het dorp, toegankelijker, daar hebben de vissers een pad in het gras gelopen.

Toch lonkt het water, dat zich uitstrekt tot aan de horizon, in dezelfde humeurige tint als de wolken, niet het mooiste strand ter wereld maar het heeft iets, iets van een rustig doorgaan, kalmerend om te aanschouwen. Palmen hangen in een hoek van vijfenveertig graden over het strand, alsof ze hun haren uitschudden boven het zand, waar lange houten boten op liggen in spectaculaire kleuren, versierd met zwart zeewier en netten in wit, blauw, groen. Nog net zichtbaar in de verte lopen drie vrouwen met baby's in hun *lappa*, blootsvoets, drie op een rij, met een patriottische toets in hun lappa's, één goudkleurig, één rood, één helder smaragdgroen.

Benson begint met een strikt opgewekt stemgeluid te praten tegen niemand in het bijzonder, een breedvoerige monoloog. 'Ik ben hier met Kweku geweest toen hij net naar Ghana was verhuisd, om een neefje te behandelen dat zijn been had gebroken, en heb toen min of meer toevallig de plaatselijke doodskistenmaker ontmoet, die ook de plaatselijke arts scheen te zijn. De Ga vinden dat een doodskist het leven van degene die erin ligt zou moeten weerspiegelen. De kist van een visser zou bijvoorbeeld de vorm van een vis kunnen hebben, die van een timmerman de vorm van een hamer of zoiets, en die van een vrouw die van schoenen houdt de vorm van een schoen. Ze besteden er soms enorm veel zorg aan.'

'Aha,' deed Fola.

'Hoe heet deze stad?' vraagt Olu. (Benson geeft antwoord.)
'Kokrobité,' herhaalt Olu. 'Klinkt Japans.' Teleurgesteld.
'Doet me denken aan Jamaica,' mompelt Ling. 'Ocho Rios.'
Ander palet, denkt Kehinde. Minder azuur, meer rood.
'Dorp,' zegt Fola. 'Niet zozeer een stad als wel een dorp.'
'Ik wist niet dat hij bij de oceaan was opgegroeid,' zei Taiwo.
'Dat is de reden dat hij altijd een huis bij het water wilde. De haven, de rivier, in Brookline de vijver...' Fola ziet bomen in de verte, de boten die op het strand zijn getrokken, en valt stil.
Iedereen zwijgt weer.

De weg loopt een heel eind langs de oceaan, tot in het dorp, waar het zeezicht verdwijnt – evenals het plaveisel en het rechte van de weg, die nu verder kronkelt als onverharde weg, ruw en met stenen bezaaid tussen de huizen door. Het zijn eenkamerwoningen – van hout, van steen, van beton, sommige van leem, met blikken daken, een paar van stro, ramen zonder glas, houten luiken. Ze staan in clusters, met daartussen waslijnen en openluchtfornuizen en bademmers en bomen. Gebogen over die emmers staan vrouwen kleren en heel jonge kinderen te wassen, die zwaaien als ze langsrijden. Kippen lopen rond en pikken in de grond, en er lopen ook geiten, die laatste veel smeriger en magerder dan de geiten bij het strand. Oude mensen zitten in de schaduw van bomen in een kring onder het gebladerte naar antieke tv's te kijken. Het wemelt er van de kapperszaken en haarvlechtstalletjes, borden, BLOED AAN HET KRUIS KNIPPEN & SCHEREN, DOORNENKROONVLECHTEN, kiosken verkopen telefoon- en beltegoedkaarten en levensmiddelen, die staan opgestapeld tot aan het dak, in aparte kleurblokken: geel (Lipton, Maggi), groen (Milo, Wrigley's), rood (olie, tomatenpuree, cornedbeef, oploskoffie).
De gaten in de weg geven een enorm gehobbel, en het is bijna onvermijdelijk dat dat allemaal aan de chauffeur lijkt te liggen. Als

hij eindelijk abrupt blijft staan bij een kleine, ommuurde compound, met één wiel in een diep spoor zodat de auto helemaal scheef hangt, kijken ze hem boos aan, misselijk, zonder te beseffen dat hij de auto daar geparkeerd heeft en niet per ongeluk in een greppel terecht is gekomen. Benson draait zich om, hij wil iets zeggen maar schrikt als hij hun gezichten ziet. Hij weet niet meer uit te brengen dan een haperend: 'Ja. Goed. Oké. Dus.'

De lucht is drukkend nu het voertuig stilstaat en het moment waar ze op gewacht hebben lijkt te zijn aangebroken. Fola legt even een hand op Olu's knie, die ophoudt met wippen. Ling ziet het en merkt op dat Olu niet terugschrikt of ineenkrimpt. Kehinde vraagt Sadie met geluidloze lippen of alles goed is. Ze knikt. Hij kijkt naar Taiwo, die door de achterruit staart. Benson probeert het nog eens, hij doet zijn Ray-Ban en zijn zonnehoed af en perst er een iets minder opgewekt 'Hier is het' uit.

III

'Hier' is een compound aan de rand van het dorp, een verzameling van negen hutten op een groot stoffig perceel met een boom in het midden die helemaal in de context past, hetzelfde soort boom dat je overal op zulke binnenplaatsen ziet: enorm, oeroud, grijs, kronkelig, een stam als een vesting, wortels die door de harde rode aarde heen breken, knoestige takken die majesteitelijk uitwaaieren, horizontaal, en op weg naar de daken hun bladeren laten vallen. Een kolos. Eronder staan vijf houten banken in een kring, een soort trefpunt. Eromheen vormen zes hutten een driekantig plein, alle deuren staan open, erachter liggen donkere kamers waarin geen bedden te zien zijn; achter die zes hutten staan nog twee hutten, en daar weer achter staat de grootste, of de hoogste, een lemen hut met een enorm rieten dak.

De chauffeur heeft de auto neergezet bij een ingang in een muur van brokkelige rode keien. Ze stappen zwijgend uit, eerst Benson, dan Olu, dan de rest, handen boven de ogen tegen het licht. Een gezette vrouw staat hen op te wachten in een traditioneel gewaad van eenvoudige zwarte stof. Een lap van dezelfde stof heeft ze om haar hoofd gewikkeld, met een strik aan de voorkant, haar korte grijze haar heeft ze eronder geduwd. Haar huid is zo glad dat ze veel jonger zou kunnen zijn, maar ze staat daar als een vrouw die zeventig zware jaren achter de rug heeft: elleboog tegen de muur, hoofd tegen haar vuist geleund, heup uitgestoken, andere hand op die heup – alsof ze het volle gewicht van al die jaren even op die brokkelige stenen muur wil laten rusten.

Fola stapt op haar af, armen uitgestoken, hoffelijk als altijd. 'Shormeh,' zegt ze.

'Ik ben Naa.' De vrouw zucht.

'Naa, sorry. Natuurlijk.' Fola lacht. 'Het is zo lang geleden. God.'

Naa lacht niet. 'Jullie zijn welkom in Ghana.' Ze gaat langzaam rechtop staan, haar hoofd komt los van haar vuist, haar elleboog van de muur, haar blik van Fola – een verandering van positie waardoor haar blik opeens op Sadie valt, aan de rand van de kring.

IV

Sadie voelt de blik op haar gezicht, en ook de broeierigheid, een druk of een magneet: het trekt aan haar ogen, hoewel haar kin gewoontegetrouw weigert mee omhoog te komen en naar haar borst zakt terwijl haar ogen omhoogkijken. Ze kijkt mensen zelden aan als ze hen ontmoet, ze geeft de voorkeur aan hun mond of hun handen als gehoor – alles om eventuele blikken van zich af te schudden, om te voorkomen dat er al te nauwlettend, al te lang naar haar gekeken wordt. Zo ook nu, ze staat ietsje achter Taiwo als een kapotte pop, een houding die ze op de middelbare school vervolmaakt heeft: schouders gebogen, tenen naar elkaar toe, en een samenspel van ledematen dat zoveel ongemak verraadt dat de ander zich onvermijdelijk ook ongemakkelijk gaat voelen en na een of twee tellen de blik afwendt. Maar Naa, onbevreesd, onverschillig, of gewend aan ongemakkelijkheid, blijft staren en trekt Sadies blik omhoog – en houdt hem vast: Sadie kan haar ogen niet meer neerslaan, getroffen als ze is door de sprekende gelijkenis.

Het zou haar moeder kunnen zijn, deze zwaargebouwde Naa, met dezelfde ogen ('half Chinezig' om met Philae te spreken), hetzelfde postuur, klein, stevig, dezelfde minieme wenkbrauwen, rond gezicht, ronde neus, net een drukknop. Grapje van de genetica. Dat van al zijn kinderen uitgerekend zij degene moest zijn die dat uiterlijk had geërfd, het kind dat de vader het minst lang had meegemaakt en zijn trekken uiteindelijk het meest zou verfoeien. Bij hem was er niet zoveel mis met die trekken: hij was knap zoals een man dat kan zijn, zonder bloedmooi te wezen, met een huid als die van Naa of die van Olu. Gaaf. Een goed gezicht. Verfijnd.

In tegenstelling tot het hare.

Philae noemt haar bij voorkeur 'een natuurlijke schoonheid', terwijl Fola met frasen schermt als 'jij komt nog wel tot bloei' (op een toon die doet denken aan 'jouw verborgen talent vinden we nog wel'), maar Sadie weet wel beter. Ze is niet mooi. Einde verhaal. Haar ogen zijn te klein en haar neus is te rond en ze heeft geen jukbeenderen zoals Taiwo of Philae, noch lange, slanke ledematen noch een duidelijke kaaklijn noch een slanke taille noch geprononceerde sleutelbeenderen. Ze is een meter zestig, stevig, niet per se dik, gedrongen, met een bleke huid, een beetje als thee met melk, haarkleur nummer vier, *medium brown*, fors noch tenger, zonder duidelijke hoeken of lijnen; ze ziet eruit als een pop, een die ze zelf niet zou willen hebben. En het heeft geen zin om te proberen dat Philae aan het verstand te peuteren, en Fola trouwens ook niet. Die zouden het niet begrijpen. Die zijn mooi, iets wat ze allebei als volkomen vanzelfsprekend beschouwen, iets waar zij verder ook niks aan kunnen doen (grapje van de genetica). Hun empathie is gebonden aan de grenzen van hun eigen realiteit, weet Sadie. Zij kunnen zich er geen voorstelling van maken, níét mooi zijn. Een beetje zoals een vrouw zich, bijvoorbeeld, wel zou kunnen voorstellen hoe het is om een man te zijn – haar ogen maar hoeft dicht te doen om het voor zich te zien, wat 'een man zijn' voor haar ook moge betekenen – maar zich er pertinent geen voorstelling van kan maken hoe het is om geen vrouw te zijn, omdat ze niets heeft waar ze zo'n voorstelling op zou moeten baseren, wat ze ook probeert. De verbeelding van de mooie vrouw is beperkt, ze heeft het domweg nooit meegemaakt dat mensen haar niet zien staan. En meestal kan Sadie zich zelf ook niet druk maken over de redenen dat mensen haar niet zien staan. Dat is allemaal net iets te cliché, net iets te melodramatisch, voor een meisje met haar sarcasme en haar opleidingsniveau. Ze accepteert dat de media schuldig zijn aan haar boulimia, aan haar stille, maar eeuwige verlangen om te worden herboren als tengere blondine; veroordeelt Photoshop krachtig als een bedreiging voor de volksgezondheid; heeft haar voorkeur als klein kind voor blanke Barbies uitvoerig bestudeerd en verworpen; enzovoort. Is niet onnozel. Ziet het allemaal heel duidelijk. Maar het feit blijft: ze is onzichtbaar. Niet mooi.

Het gevoel dat er naar haar gekeken wordt is nieuw en onrustbarend. 'H-h-hallo,' stottert ze blozend, en ze steekt haar hand uit.

Naa pakt haar hand, trekt een diepe frons in haar voorhoofd en knijpt hard. 'Ekua,' zegt ze.

'Eh, ik ben Sadie.' Sadie glimlacht. 'Mijn naam is Sadie. Aangenaam.'

Maar Naa houdt vol. 'Ekua,' herhaalt ze. 'Zus Ekua. Dat ben jij.'

Sadie lacht zenuwachtig, ze begrijpt het niet. 'Ik ben Sadie. Dat is mijn tweede naam. Ekua.'

Naa knikt. 'Welkom terug.'

Sadie overweegt om opheldering te verschaffen, om duidelijk te maken dat ze nooit eerder in Ghana geweest is, maar Naa schudt Olu al de hand, en daarna de anderen. Een tweede gezette vrouw in hetzelfde eenvoudige zwart, ook met hoofdtooi, komt aanlopen met een groot plastic dienblad dat is volgeladen met flesjes Cola, Fanta, Malta, Bitter Lemon.

Fola probeert het nog een keer. 'Hallo, Shormeh.'

Goed geraden.

De flesjes frisdrank worden uitgedeeld met gevoelloze blikken, beleefdheden, korte introducties, condoleances over en weer. 'We hebben een klein welkom voorbereid,' zegt Shormeh. 'Gaan jullie alsjeblieft zitten.' Ze gebaart naar de bankjes, in een kring in de schaduw van de boom.

De zon heeft zijn ingetogenheid afgelegd en is tevoorschijn gekomen, de lucht is drukkend als een hand op hun arm. Ze gaan met hun flesjes op de bankjes zitten, licht bezweet. Een kleine menigte heeft zich verzameld om het gebeuren gade te slaan. Het zijn vooral kinderen, die uit de bescheiden onderkomens naar buiten komen in verschoten Amerikaanse kleren, met een behoedzame, waakzame glimlach. Sadie heeft het gevoel dat er iets niet klopt en probeert dat gevoel te plaatsen. Meisjes, bedenkt ze dan. Het zijn alleen maar meisjes.

'Waar zijn de jongens?' vraagt ze aan Fola die naast haar zit.

'Die zitten op school,' zegt Fola met een grimmig lachje.

Als om haar woorden te illustreren komt een groep meisjes in indigo batik keurig in een rij tussen de huizen en de bankjes in staan. Drie jongens met grote trommels, gehuld in tunieken, stellen zich naast de meisjes in de schaduw op. Naa pakt een plastic stoel en gaat zitten, nippend aan een Malta. Shormeh blijft staan, met een hand op de stoel van Naa. De meisjes – het zijn er zes, in leeftijd variërend van de kleinste, die misschien acht is, tot de grootste, een mollig meisje van twaalf – kijken gehoorzaam naar Shormeh, die kortaf knikt. Zonder inleiding begint het getrommel.

Ling haalt haar mobieltje tevoorschijn en maakt een foto. Sadie gaat rechtop zitten, alsof ze zich schrap zet. Maar het geluid van de trommels is onverwacht kalmerend, even ontspannen en relaxed in deze omgeving als zij gespannen is. Ze heeft zich nooit bijzonder aangetrokken gevoeld tot deze muziek, tot dat Afrikaanse trommelen, hoewel ze zich afvraagt waarom niet: de reactie is fysiek, ze voelt haar hartslag vertragen en zich overgeven aan dit nieuwe, regelmatiger ritme. Pas nu dringt het tot haar door dat haar hart de hele tijd gebonkt heeft, letterlijk als een razende, al vanaf dat ze bij Fola's huis zijn weggereden, zo hard dat het gewoon pijn doet, lijfelijk pijn, ze is uitgeput alsof ze getraind heeft, alsof ze kilometers heeft hardgelopen. Het gebonk wordt harder maar ook kalmer, haar ademhaling maakt zich los van het tempo van haar gedachten en volgt in plaats daarvan het ritme van de trommels, dat langzaam wordt opgebouwd en steeds complexer gaat klinken. Een surrogaat voor een hartslag. Harder, kalmer en regelmatiger. Waarom luister ik niet naar deze muziek, denkt ze. Of geniet ik er niet van? Het is prachtig. Het verdrijft alle gedachten. Het is even kalmerend als de sitar- en fluitmuziek die ze altijd draaien bij de yoga waar ze met Philae heen gaat. Muziek die je in vervoering brengt. Ze doet even haar ogen dicht en voelt zich duizelig. Als ze haar ogen opslaat zijn de meisjes dichterbij gekomen en hebben ze het tempo opgevoerd.

Ze dansen in een cirkel, volmaakt in harmonie. Voeten naar buiten, voeten naar binnen. Heupen naar buiten, heupen naar binnen. De trommelaars wijzigen het tempo en de meisjes nemen een andere figuur aan, en vormen nu een halve kring. De jongste komt naar voren. Ze danst een kleine solo en keert dan weer terug in de kring. De volgende komt naar voren. Enzovoort, het hele rijtje af.

Anderen uit het dorp zijn de compound binnengedruppeld om naar de voorstelling te kijken; ze klappen voor elk meisje. De laatste van de danseressen, de oudste, klein en mollig, komt dansend naar voren, ze straalt, de toeschouwers zijn meteen in verrukking. Ze ziet er niet uit als een danseres, denkt Sadie. Ze heeft eerder het voorkomen van Sadie zelf, of van Naa: van een substantie, een dikke substantie, niet zozeer de lange ledematen van een danseres, die zich vloeiend bewegen als water, maar een vormeloze massa: dikke armen en bovenbenen, hoge billen, brede schouders, kleine boezem, hetzelfde stevige lijf als zij heeft. En dat ze haat. Ze schrikt ervan dat ze dat zo duidelijk denkt van een ander, zo wreed, van deze danseres, maar de gedachte komt weer opzetten. Ik haat dit lijf, denkt ze terwijl ze naar het meisje staart, ik haat dit lijf, het is lelijk, ik walg van dit uiterlijk.

Zo.

Heel eenvoudig.

Dit lijf is lelijk.

Ze maakt zich niet eens meer druk over haar gezicht, dat 'niet mooi' is; het is het lichaam dat ze haat, als ze er even bij stilstaat. Haar lichaam is waarin ze van de anderen verschilt. Het is zoveel makkelijker te zien bij deze jonge, mollige danseres, en om het van haar te zeggen, denkt Sadie, dan om van zichzelf te zeggen wat ze zag in die spiegel, en wat ze hier ziet, waar haar broers en zus bij zijn. Het lichaam is de reden dat ze niet gezien kan worden. Ze kijkt naar de danseres met iets van droefheid, voor hen allebei, een droefheid die verzacht wordt door aanvaarding. Welwillend en met een glimlach vol medelijden doet ze haar armen over elkaar en bereidt ze zich voor op de solo van het oudste meisje.

Het is grappig.

Hoe het meisje begint te bewegen. Bijna onbeholpen eerst, een beetje schokkerig. Stijve bewegingen. De menigte begint te klappen en Sadie lacht zachtjes, haar vermoedens worden bevestigd.

Een lelijk lichaam kan niet dansen. Het meisje straalt nog steeds, haar toegeknepen ogen schitteren, misschien moet zij ook wel lachen om deze grap van de genetica. Ze draait haar heupen één keer naar rechts en dan naar links. Kijkt Sadie recht in de ogen, zwaait met een hand en begint.

Onbegrijpelijk, onbeschrijfelijk hoe dat meisje haar lichaam beweegt. Virtuoos, moeiteloos, soepel en vloeiend: een eindeloze reeks minieme bewegingen die ze maakt met haar dijen, haar voeten, haar bovenlijf, gestuurd door ritmische accenten die alleen zij en de trommelaars horen: alsof ze onder stroom staat. De mensen joelen en juichen en haar heupen wervelen in de rondte tot er een harde trommelslag klinkt, als een knal, en ze voor Sadie blijft staan, één hand uitgestoken, één voet van de grond.

Sadie staart haar aan, met open mond en ingehouden adem, en begrijpt eerst niet wat het gebaar betekent. De trommelaars hervatten hun getrommel, het meisje hervat haar wervelende dans, de mensen hervatten hun geklap, en dan weer: een knal! Weer blijft het meisje staan. Hand uitgestoken naar Sadie.

Sadie draait zich naar Fola. 'W-w-wil ze geld hebben?'

'Ze vraagt je om mee te dansen.'

'*Bra, bra, bra,*' zegt het meisje, en ze houdt beide handen uitgestoken, met de handpalmen naar boven. 'Alsjeblieft *sies-tah*, kom. Kom en dans, alsjeblieft, ik smeek het.' Ze pakt Sadies hand, doet een stapje naar achteren, zodat Sadie zich naar voren moet buigen en niet anders kan dan opstaan. De verzamelde menigte klapt verrukt over deze ontwikkeling. Sadie loopt rood aan en schudt haar hoofd: 'Nee, dat kan ik niet.' Nog even en ze gaat huilen. Ze voelt dat het groter wordt, de knoop in haar maag, de gal die omhoogkomt. Ze zet een stap naar achteren, maar het meisje trekt haar naar voren en ze durft zich niet met geweld los te trekken. Haar broers en zus kijken toe met wat eruitziet als een mengeling van bezorgdheid en aanmoediging, met wijd open ogen en een brede glimlach, alsof ze kijken naar een dreumes die probeert te lopen, klaar om overeind te springen als ze valt.

Ze valt niet.

Als ze het er later over hebben, zullen ze zeggen dat er een meisje naar Sadie toe kwam die haar van het bankje trok en een kleine demonstratie gaf van het elementaire voetenwerk, wat Sadie een paar keer herhaalde, dat de trommelaars, hierdoor aangemoedigd, iets sneller gingen trommelen, dat Sadie het tempo bijhield, tot verrukking van de toeschouwers, en dat ze, voor iemand wist wat er gebeurde, stond te dansen alsof ze een geboren Ga-danseres was. Niemand zal weten wat het is waardoor Sadie op dat moment overmand wordt, zelfs Sadie zelf niet, als de vasthoudende danseres haar bij een elleboog pakt en zachtjes trekkend nog een keer zegt: 'Alsjeblieft sies-tah, kom alsjeblieft.' Ze trekt Sadie mee, bij de bankjes weg. 'Als zo,' zegt ze, en ze demonstreert de pasjes: een, twee. Er staan tranen in Sadies ogen die zullen vallen als ze het niet doet, dus ze staart naar de grond, naar de kleine blote voeten van het meisje. Een twee, een twee, een twee, een twee. Een surrogaathartslag. Kalmer en zekerder. Ze doet een paar pasjes. Hoort de toeschouwers juichen. Wordt rood van gêne. Te laat om te gaan zitten. Ze staart naar de grond, naar haar voeten, en dwingt ze met wilskracht om te bewegen. De voeten gehoorzamen, tot haar verrassing, en bewegen, van links naar rechts. Het meisje roept: '*Ehn-hehn!*' vol trots op haar leerling. Sadie kijkt vluchtig op. 'Ja? Zo?' Meer beweging. Meer gejuich. Het ritme brengt haar in vervoering. Spanning in de onderbuik. Die afdaalt naar de bovenbenen. De knieën, de kuiten, de schenen, de voeten. De gêne is te groot om te stoppen, ze blijft bewegen. Begint te dansen. Langzaam eerst, met haar blik op de grond gericht, op de voeten van het meisje, die ze met gemak volgt – dan een vonk, een klik, een logica binnen in haar, een vreemde binnen in haar die weet wat te doen, die deze muziek kent, deze bewegingen, deze pasjes, dit ritme, het lichaam ontspant, de ogen op de voeten gericht, ze beweegt, zonder op te kijken, bang om op te houden, bang om op te kijken naar de kleine, juichende menigte, ze beweegt, ze zweet, ze huilt (ik dans, denkt ze, zonder het te geloven, niet bij machte om te stoppen), buik strak, dijen vol vuur, oogleden half over de ogen hangend, heupen draaiend, schouder omhoog schouder naar beneden, rond, voet uit voet in, ze is buiten haar lichaam, of erin, erbinnenin, zich niet bewust van de buitenkant, zich niet bewust van de huid, van de ogen, van toeschouwers, zich bewust van het ritme, zich bewust van de trommels.

Knal!

Het getrommel houdt op. Sadie blijft staan. Bezweet, buiten adem. De kleine verzamelde menigte houdt op met klappen en staat te staren. Een ogenblik stilte en dan klinkt de machtige bariton van Olu: '*Go*, Sadie!' De kinderen beginnen weer te klappen en te juichen in het Ga en de mollige danseres roept: 'Mijn sies-tah!' Mobieltjes worden tevoorschijn gehaald om foto's te maken. Fola springt op van het bankje om haar te omhelzen alsof ze net een hardloopwedstrijd heeft gewonnen. 'Mijn God,' lacht ze, en ze houdt Sadie bij haar voorhoofd vast. 'Mijn dochter is een danseres, *ehn*?' En kust haar vlechtjes. Sadie, overmand door verlaat zelfbewustzijn nu ze is opgehouden met dansen en ze de warme blikken voelt, laat zich door haar moeder omhelzen. Haar hart bonst wild van, onder andere, vreugde.

V

Maar als ze Sadie ziet in haar moment van triomf, omarmd door Fola zoals ook op het vliegveld (een en al glimlach-door-de-tranen-heen, hoofd tegen borst, en de rest), voelt Taiwo iets wat schrikbarend aan woede doet denken. Ze heeft de hele morgen geprobeerd zich aan het script te houden, somber te kijken, geïnteresseerd te klinken, zweet af te wissen zonder te klagen – een poging tot beleefdheid die de anderen voor nukkigheid houden, gewend als ze zijn aan haar zwijgen, aan haar broeden. Dat is haar voorgeschreven rol in het stuk, zoals het de rol van Olu is om leiding te geven, die van Kehinde om vrede te stichten, die van Sadie om bij de geringste aanleiding te gaan huilen, die van hun moeder om een oogje dicht te knijpen: Taiwo pruilt. Ze verwachten het, wachten erop, zouden het missen als ze ermee ophield. Niemand maakt zich druk of vraagt haar wat er aan de hand is, of er iets gebeurd is. Zo is Taiwo nu eenmaal, zullen ze met hun blikken tegen elkaar zeggen als ze denken dat zij het niet ziet, met opgetrokken wenkbrauwen en een ophalen van de schouders.

Het gaat zover dat zij ook gelooft dat ze altijd zo geweest is, dat ze een 'moeilijk kind' was en altijd moeilijk zal blijven – en dat ik, denkt ze opeens, terwijl ze naar Fola en Sadie kijkt, als ik maar wat makkelijker was geweest, ook omhelsd zou worden. Haar moeder omhelst haar niet, bedenkt ze tot haar grote ontsteltenis. Snelt niet op haar toe bij het minste of geringste, dat privilege is voorbehouden aan Sadie, die liever is, en huilerig, en snoezig als een pop, als iets wat je vasthoudt. Zo was het ook gister aan tafel, Fola had alleen maar naar haar gestaard toen ze begon te huilen. Als het Sadie was geweest, dat weet Taiwo zeker, dan zou Fola haar omarmd hebben, zoals ze ook nu doet – in plaats van toe te kijken terwijl haar dochter wegliep.

Woede, vanuit het niets. Ze staart naar haar moeder en voelt de woede in zich opwellen, zowel alarmerend als beschamend, dat het uitgerekend nu moet komen, terwijl de anderen allemaal lachen, en hun verdriet even opzijzetten om Sadie te prijzen, kleine Sadie, lieve Sadie, onschuldige Sadie, pure Sadie, snoezig als een klein kind dat je alleen maar kan knuffelen. Vanuit het niets, overweldigend, een razernij die alle verstand te boven gaat. Haar lichaam begint te beven, en dan te bewegen, uit zichzelf: eerst trilt het, dan brandt het, het gaat staan, en dan lopen, zonder na te denken, zonder iets te zeggen loopt ze weg. De anderen merken het niet, die maken foto's, de kinderen staan nog te kwetteren en de oudere vrouwen zijn niet geïnteresseerd. Alleen Kehinde staat bezorgd op. 'Waar ga je naartoe?' mompelt hij. 'Naar de wc,' zegt ze en hij komt niet achter haar aan.

Ze heeft niet het flauwste idee waar ze naartoe gaat. Ze loopt met grote passen de ingang van de compound uit, langs de muur, ziet de chauffeur bij de auto staan en loopt de andere kant op, het dorp uit, over de weg van donkerrode aarde. Razernij drijft haar voort, een inwendig zieden waardoor haar pas wordt versneld en haar gedachten worden onderdrukt, zodat ze alleen nog maar haar moeder voor zich ziet die Sadie omarmt en ze niets anders kan denken dan: mij niet. Razernij en zelfmedelijden en schaamte om haar zelfmedelijden. Vuur in haar benen. Sneller, verder, verteerd – tot ze bijna hollend de rand van het dorp bereikt en opkijkt. Ze is bij een kleine open plek aangekomen. Geen groepjes huizen meer die de oceaan aan het gezicht onttrekken. Het zand wenkt en strekt zich voor haar uit als een antwoord.

Het strand is bijna leeg, de zon zowat op zijn hoogste punt, er zijn alleen vier jongetjes die voetballen op blote voeten, en die vriendelijk naar haar glimlachen als ze tussen de palmbomen opdoemt maar gewoon doorgaan met overschieten en kletsen in het Ga. Ze doet haar slippers uit en loopt verder over het strand, dat hard is, grijzig wit, gloeiend heet op dit uur; voelt de razernij afkoelen in deze andere, meer vochtige lucht, die een zilte smaak heeft, een briesje van zee en het ruisen van de golven; en blijft lopen, weg van de jongens, weg van hun gelach, zonder na te denken, nog nahijgend en nu druipend van het zweet.

Nog geen kilometer verderop staat een koloniaal bouwwerk, dat zo te zien ooit een voornaam strandhuis was, compleet met veranda's en pilaren, nu overgeleverd aan de zon. Een stuk of wat kilometers daarachter begint een ander dorp. Ergens in haar achterhoofd overweegt ze te ontsnappen, om helemaal door te lopen tot aan het eind van dit strand, maar het huis, dat donker voor haar opdoemt, leidt haar af. In de schaduw verderop is het zand bruin. Het doet haar denken aan dat huis dat ze haatte, de naargeestigheid, de geesten van andere mensen, vreemden, Europeanen die lang geleden overleden waren, hier op een strand neergekwakt tussen de boten en de palmbomen en een paar hutten met rieten daken die iemand in de schaduw gebouwd heeft. Ze denkt er niet verder over na. Het huis past niet in dit beeld, net zomin als zij, een Afrikaanse familie, in Brookline pasten; net zomin als zij zich 's avonds laat thuis voelde in haar slaapkamer, waar de geesten zich meer op hun gemak voelden dan zij. En ze begint te lachen.

Het is een belachelijk beeld: dit huis aan een strand in een dorp in Ghana, het huis van een of andere blanke familie, met afgebladderde verf en lege oogkassen, maar het staat er wel, nog even zelfverzekerd en opdringerig. Ze lacht bij de gedachte aan haar vader, in zijn kindertijd, een kind op dit strand, opkijkend naar dat huis, denkend dat hij ook ooit zo'n groot, zo'n allesoverheersend huis zou hebben, denkend dat hij ook ooit een eigen stuk land zou veroveren. Wat hij nog gedaan heeft ook, denkt ze lachend – dat stuk grond in Brookline, waarop dat even vreugdeloze oude huis stond, een 'thuis', zoals een roze Brit het ongetwijfeld beschouwd zal hebben, hetzelfde type dat ook dit ding hier aan het strand zal hebben neergezet, dit kolossale bouwwerk, een rotspartij, een statement – maar zonder de bijbehorende onbeweeglijkheid, zonder dat vage air van dominantie, zonder enige zelfverzekerheid of duurzaamheid. Hij had nieuw land veroverd en hij had een huis opgericht, maar zijn schaamte was te groot en zijn verovering werd verkocht. Of, wat waarschijnlijker is, terugverkocht, aan een lieve, roze familie, afstammelingen van Pilgrims, die meer ervaring had-den met dominantie. Teruggepakt van de nieuwe jongen, terugge-haald door de autochtonen, door Cabots of Gardeners, teruggeëist van de Sais. Arm jongetje, dat op dit strand had gelopen, dat ge-droomd had van een groot huis en van een nieuw thuisland, denkt ze, met voeten waar barsten in kwamen, zolen die zwart werden, zonder ooit te beseffen dat hij zich vergiste (als hij het gevraagd had zou ze het hem wel gezegd hebben): dat hij nooit een thuis zou vinden, althans geen blijvend thuis. Dat iemand die zich schaamt zich nergens thuis voelt, en zich ook nergens thuis zal voelen. Ze lacht bij de gedachte aan dat jongetje op dit strand, lacht nog harder bij de gedachte aan het huis dat hij kocht, en lacht het hardst bij de gedachte aan zichzelf in dat huis, twaalf jaar oud, nog een meisje, nog gelovend in thuis.

Wat gebruikelijk is gebeurt ook nu:

ze lacht tot ze huilt van het lachen, en dan huilt ze zonder te la-chen, huilt ze alleen. En dan gaat ze zitten. Waar ze op dat mo-ment is. Laat haar tas vallen en houdt gewoon op met lopen, ze kan nergens heen, ook hier is ze een vreemde. Als ze meer energie had gehad, zou ze waarschijnlijk zijn blijven lopen, zou ze zijn gaan hardlopen, en zou ze gewacht hebben (en gehoopt) op iemand (een man) die achter haar aan zou komen – maar ze kan niet meer, ze is te moe, in haar benen, in haar lijf; er sijpelt iets weg uit haar binnenste, een laatste bastion begeeft het, diep vanbinnen. Ze ploft neer. In de zon, op het zand, zwetend, huilend. Zoals je zit op een strand. Maar zonder het vest van de minnaar.

Ze zoekt in haar tas naar haar American Spirits, steekt er een op, rookt hem snel op; kleine, nerveuze bewegingen. Ze trekt haar knieën tegen haar borst en slaat haar armen eromheen, voor het gevoel van nabijheid, overmand als ze is door een verdriet waar ze nauwelijks uit wijs kan. De laatste keer dat ze dit gevoeld heeft, was midden in de nacht in Boston, met haar vader in zijn operatiepak in elkaar gezakt op de bank: het gevoel dat de wereld te open was, wijd open, een oceaan, en dat hun schip langzaam aan het zinken was, met schaamte overladen. Wat ze toen niet wist was dat het Fola zou zijn die de touwen doorsneed, die de reddingsboten liet zakken. Dat het Fola zou kúnnen zijn. Geen vader maar een moeder. Wat ze toen niet wist was dat moeders verraad pleegden.

Vandaar.

De gedachte die ze op afstand heeft gehouden.

Eindelijk aan het licht tredend, na jaren op het randje van haar bewustzijn – als een schaduw van een besef dat telkens even tevoorschijn piepte maar weer wegdook zodra haar gedachten die kant op gingen. Dr. Hass heeft het mis, zoals ze al zo lang heeft vermoed: het is niet de vader. Althans niet de vader alleen. Het was Fola die hen die zomer naar Femi heeft gestuurd, als twee vetgemeste kalveren naar het altaar. Niet hij. Hoe heeft ze dat over het hoofd kunnen zien? De bron van haar boosheid. De woede zonder naam: dat ze hen heeft weggestuurd, dat ze hen naar Lagos heeft gestuurd terwijl ze beter had moeten weten, terwijl ze op een of andere manier geweten móést hebben wat daar zou gebeuren, wat voor iemand hij was, haar eigen broer, haar eigen familie. Voor het schoolgeld. De gedachte treedt eindelijk aan het licht. Dat moeders verraad kunnen plegen. En wat gebeurt er met dochters die door hun moeder verraden worden? Dat worden geen knuffels zoals Sadie, denkt Taiwo. Die worden niet giechelig, niet aanbiddelijk zoals Ling. Die krijgen een schild om zich heen. Die worden hard. Dat zijn geen meisjes meer. Ze zien er misschien wel uit als meisjes en gedragen zich misschien wel als meisjes, flirten misschien wel als meisjes, kussen misschien wel als meisjes – maar eigenlijk zijn het generaals, commando's aan het front, die er bij het eerste ochtendlicht op uit trekken om de eerste klap uit te delen. Met een leger achter zich, de cavalerie van hun talenten, hun briljantheid en schoonheid en alles wat ze verder maar tot hun beschikking hebben, oprukkend naar het slagveld, om het kasteel te veroveren en terug te keren met de Eer. Natuurlijk werkt dat niet. Ze branden het dorp alleen maar plat op zoek naar de veiligheid die ze kwijt zijn, zo gaat het elke keer, dat weet Taiwo. Ze eindigen eenzaam. Begeerd en bewonderd maar alleen in hun tent, waar ze de hele nacht doorhuilen. In de ochtend rijden ze weer uit, de jongens zien hen komen. En denken: tjonge, wat een briljante en bloedmooie meisjes. Harten gebroken, bloed vergoten. Voort, voort, gedreven door wraaklust. Een hoogst curieuze kronkel in het script: dat de wraak die ze zoeken de liefde van een ander is, een minnaar die als een moeder is, die geen verraad zal plegen. Bij die gedachte moet ze nog harder lachen. De gedachte aan haar minnaar, zijn sjaal, zijn trainingsbroek, zijn moederlijke glimlach. Zijn vrouw, zijn kinderen. Voorverpakt verraad. Een uitgemaakte zaak. 'Dank je wel, Marissa.' En... stop.

Ze staart naar het water, haar ogen wazig omdat ze alles zo helder ziet, al weet ze niet wat ze nu doen of denken moet. (Als ze het de eerste keer al hoort, dringt haar naam niet tot haar door.) Ze steekt nog een sigaret op. Die rookt ze langzaam op. De zon die neerbeukt op haar rug en schouders is een soort troost, een herinnering aan huid, een herinnering aan pijn in een andere dimensie, buiten haar lichaam, buiten dit verdriet. Ze gaat op haar rug in het zand liggen, dat vochtiger is dan ze zich gerealiseerd had, een welkome verrassing. Ze strekt haar tenen naar de golven, maar het tij komt op dit uur niet zo hoog. En daar ligt ze, rokend, haar lokken vol zand, als ze het weer hoort.

Iemand die haar naam roept.

'Taiwo', en nog een keer uit de verte, met meer aandrang: 'Taiwó!'

Ze gaat rechtop zitten.

Ziet haar moeder.

Fola, als bij toverslag. 'Taiwo, lieve schat!' roept ze. En komt op haar toelopen. De jongetjes achter haar wijzen, haar informanten. Fola, vanuit het niets, als een dolle op haar afstormend, met wapperende witlinnen broek en wilde gebaren. (Alles behalve de fakkels.) 'Kehinde zei dat je naar de wc was, maar daar heb ik gekeken. De chauffeur zei dat hij je naar het strand had zien lopen. Wat is er gebeurd, lieve schat?' zegt ze, als ze dichterbij komt. 'Heb je je bezeerd? Kun je staan?' Ze komt bij Taiwo aan en laat zich op haar knieën zakken.

Misschien is het de nabijheid die Taiwo te veel is, Fola zo dichtbij, na al die jaren. Zoiets. Er knapt iets, ze springt op, Fola schrikt ervan, komt ook overeind en deinst achteruit. '*Heb ik me bezeerd?!*' schreeuwt Taiwo. Bijna alsof er aan een draad is getrokken die loshing, of dat die draad ergens achter is blijven haken en het hele zaakje werd ontrafeld. Ze lacht en ze huilt en ze krijst: 'Wat er gebeurd is?! Mama, wat dacht je dat er met ons zou gaan gebeuren?' En dan, omdat Fola haar stomverbaasd staat aan te kijken, sneert Taiwo: 'Oké, goed, ik zal je vertellen wat er gebeurd is.' Hoewel ze beloofd heeft dat ze het niet zou vertellen en dat ook jaren niet gedaan heeft, hoewel ze zich het moment nooit zo had voorgesteld (leeg strand bij dag, jongetjes die met grote ogen staan te kijken), vertelt ze, zonder hapering, hoe het gebeurd is, hoe het begonnen is:

hoe ze die ene slaapkamer deelden, de kamer van Kehinde, met die twee krakende bedden, omdat haar kamer te groot was en te koud met de airco aan, die ze niet uit kon zetten (ze kon er niet bij), terwijl de airco in zijn kamer het niet deed. Die eerste nacht kwam ze in haar nachthemd naar zijn kamer. 'Mag ik hier slapen, Kehinde?' Haar broer zei ja.

Eerst nam zij het ene bed en Kehinde het andere, maar het was te warm in zijn kamer om zo ver van het raam te slapen, dus sliepen ze na een week gewoon samen in zijn bed, hoofd bij elkaars voeten, als sardientjes in een blik, de lakens afgegooid voor dat beetje verkoeling. Na twee weken sloop ze ook niet meer voor zonsopkomst terug naar haar kamer, uit angst dat oom Femi erachter zou komen en ze een uitbrander zouden krijgen; ze hadden hem maar twee keer gezien sinds ze in Nigeria waren, bij de uitgebreide lunches die hij op zondag aanrichtte voor zijn vrienden. De rest van de tijd was hij zo goed als afwezig, verschanst op de bovenste verdieping, waar je alleen kon komen met een lift waar je een code voor moest hebben, die de tweeling niet had – in een onzichtbare wereld dus. Ze hoorden de gasten van hun oom altijd komen en gaan, met de lift naar boven en weer naar beneden, ze hoorden muziek, dag en nacht, wilde feesten op zaterdag, vrouwen die lachten, glazen die sneuvelden, gesmoord geschreeuw, Niké die zich beklaagde – maar boven kwamen ze nooit.

Ze woonden op de eerste verdieping als twee (welgestelde) wezen onder de hoede van het talrijke, geheel uit jongemannen bestaande personeel van oom Femi. De koks dienden hun eten op. De chauffeurs brachten hen naar school. Daar waren ze de hele dag, ze kwamen pas weer thuis voor het avondeten. Ze aten alleen, deden hun huiswerk en gingen naar bed. Daar lagen ze als sardientjes in een blik, bij het raam voor wat koelte, en vertelden elkaar verhalen over Boston, meestal iets met sneeuw, alsof ze, door zich de kou te herinneren, die misschien ook echt zouden kunnen voelen, en ze zo op een of andere manier de druk van de hitte wat zouden kunnen verzachten. Tante Niké kwam elke avond na het eten de regels over het gebruik van de lift opdreunen, kijken of ze overdag niet dood waren neergevallen, klagen over Femi, waarna ze weer naar boven ging. Ze maakten geen vrienden op de American International School, waar hun klasgenoten hen arrogant vonden vanwege hun uiterlijk. Het meeste deden ze dus samen, eten, slapen, huiswerk maken, televisiekijken, cassettebandjes draaien, zwemmen, in auto's rijden.

Als ze in het weekend over de telefoon met haar, met Fola, spraken (dat ene telefoontje dat hun was toebedeeld, ieder vijf minuten), zeiden ze dat ze het 'goed' hadden, om te voorkomen dat zij zich zorgen zou gaan maken. Ze waren niet verdrietig in het begin. Ze waren domweg alleen. Ze wisten wel dat er iets niet klopte in huis – allerlei mensen die dag en nacht kwamen en gingen, en die Yoruba spraken, Arabisch, Engels en pidgin; in het weekend zagen ze de mensen vanuit de slaapkamer, bij het zwembad; ze zagen meisjes paraderen in jurken met luipaardprint, bontjassen, op stilettohakken, met pruiken op, dikke mannen aan hun zijde, en jongemannen in overvloed, allemaal even slank en knap, met donkere, hongerige ogen – maar ze stelden geen vragen. Dat leek het hun niet waard. Ze deden wat hun werd opgedragen en bleven op zichzelf. Drie maanden, zes, negen, gingen zo voorbij. Toen kwam plotseling de zomer, met koel, droger weer, het einde van het schooljaar, een wijziging in het programma, een leegte die midden in hun dagen opdoemde.

Hoe de dingen veranderden:

die ene morgen. Tante Niké, onaangekondigd. Opduikend in de keuken terwijl zij net gingen eten. Het was de eerste keer dat ze haar 's morgens zagen, niet aangekleed, zonder pruik of make-up, zijden sjaal om haar hoofd. Taiwo keek vluchtig op van haar cornflakes en verslikte zich van ontzetting.

De vrouw leek wel een geest. Met haar grijzig bruine huid en haar wezenloze oogjes, een wit laken in haar handen. Een geest die lachte. 'Verbaasd mij te zien, *ehn?* Denk je dat wij hier niet wonen? Denk je dat je hier maar kunt doen waar je zin in hebt?' Ze lachte heel zacht zoals ze graag deed als ze boos was, en ze priemde met haar vinger; het leek wel de tong van een slang. Ze hadden deze voorstelling al verscheidene keren gezien als Niké buiten een bediende stond af te blaffen: de afgemeten opening (zacht lachend of fluisterend vol hoon), een priemende vinger om de belangrijkste punten te benadrukken, de langzame opbouw in volume, compleet met retorische vragen ('denk je dat wij hier niet wonen?'), het gebruik van 'vriend', en dan de climax, gekrijs, aanroepen van de Bijbel, een melodramatische finale, shakespeariaans van toon. Altijd tierend over eer en rechtvaardigheid en dat soort dingen, alvorens zo'n bediende met veel vertoon een pak slaag te geven. In de ogen van Taiwo was het net of de Nigerianen het leuk vonden om boos te zijn, alsof ze plezier hadden in conflicten, alsof ze er een kick van kregen; ze keek naar hen op de markt, op school, zoals ze zich aanstelden, hun ogen glimmend van plezier als ze zo krijsten en de haren uit hun hoofd trokken. Het was nauwelijks serieus te nemen. Ze luisterde wel naar tante Niké, maar afwezig, roerend in haar cornflakes. Pas toen de vrouw begon te roepen: 'Het is walgelijk!' keek ze op.

'Het is walgelijk wat jullie gedaan hebben!' Met een dramatisch gebaar spreidde Niké het laken uit, een wit hoeslaken met een roodachtig vlekje erin. Taiwo en Kehinde keken er allebei verbaasd naar. Niké bleef schreeuwen: 'Ik weet wel wat jullie gedaan hebben! Ik heb van de bedienden gehoord dat jullie in dezelfde kamer slapen, en nu kunnen we zien wat jullie daar doen, *ehn*!' Ze kneep haar ogen tot spleetjes en wees naar Kehinde. 'Ze is je zusje. Jouw eigen tweelingzus. Jij bent een zondaar, vriend.'

Kehinde zat geschokt met zijn ogen te knipperen. 'P-p-pardon?'

Een vraag, geen verontschuldiging, maar Niké raasde verder: 'Het is een zonde wat je gedaan hebt, *ehn*! "Pardon" is niet genoeg! Vertel jij maar eens wat er gebeurd is. En wel nu.'

'We begrijpen het niet, tante,' zei Taiwo heel kalm, hoewel het haar nu begon te dagen, wat er gebeurd was met dat laken: nog geen week geleden was ze bloedend wakker geworden, een klein beetje maar; haar eerste menstruatie, wist ze, van de seksuele voorlichting die ze het afgelopen jaar hadden gehad. Ze had het tegen de jongste bediende gezegd, Babatunde, de leukste, en die was een paar uur later teruggekomen met tampons en maandverband, een grote zak, zonder plichtplegingen. Zo was ze 'vrouw geworden'. Dat waren de woorden die hun lerares had gebruikt. Vrouw worden. Taiwo voelde zich niet vrouwelijk. Ze voelde zich prikkelbaar en onbehaaglijk (misschien hoe vrouw zijn voelde?). En nu stond Niké in de keuken met dat laken met die bloedvlek, die Taiwo niet eerder had opgemerkt, dat kon gebeuren. Het was makkelijk uit te leggen dat ze ongesteld was geworden. Moeilijker was het om uit te leggen waarom ze in één bed sliepen. Tot dusver was daar niks raars aan geweest, laat staan iets 'walgelijks', maar nu ze begon te spreken, had ze haar twijfels.

Twee herinneringen kwamen bij haar op, de ene vaag in zijn details, een beetje als een droom die je je in het schemerdonker weer voor de geest haalt: aan een ochtend, een van de vele waarop ze naast Kehinde wakker was geworden, een maand geleden, langer, een paar maanden misschien, ze wist het niet. Het enige wat ze zich herinnerde was dat ze wakker was geworden uit een droom, heel vroeg, het was nog donker, haar ogen waren troebel, ze was nog half in slaap en toen ze zich van haar rug op haar zij draaide, bij Kehinde weg, voelde ze iets stevigs tegen de achterkant van haar bovenbeen. Met haar ogen dicht en nauwelijks wakker dacht ze: dat zal zijn voet wel zijn. 'Ga eens aan de kant,' mompelde ze en boog zich ernaartoe om hem weg te duwen. Het gevoel van de erectie in haar hand was zo vreemd – zo hard en zo warm, en toch zo vlezig, zo zacht – dat het even niet tot haar doordrong wat ze vasthield. Haar broer bewoog even en snurkte verder. Geschrokken liet ze los. Ze lag naast hem met opengesperde ogen en met bonzend hart, om een of andere reden bang, waarvoor wist ze niet. Misschien dacht ze dat ze droomde, dat ze het gedroomd had? Ze viel weer in slaap. Herinnerde het zich nu pas.

En de andere, geen herinnering. Een gewoonte. 'Walgelijk.'

Waar ze mee begonnen was toen de school was afgelopen en ze hele dagen thuisbleven, luierend, een beetje dobberend in het zwembad of kijkend naar tekenfilms. Die ene dag dat ze regelrecht van het zwembad naar de slaapkamer was gegaan om te douchen en iets aan te trekken, en ze Kehinde drijvend op het water had achtergelaten. Ze had haar badpak uitgetrokken en zocht naar een handdoek toen ze het enige boek vond dat ze van thuis had meegebracht. Een dikke encyclopedie over goden en mythologie, die ze een jaar eerder met de kerst van hun vader had gekregen. Ze was die winter bij Grieks zo geobsedeerd geraakt door de muzen, dat hij bij het hoofdstuk over Calliope een leren bladwijzer in het boek had gelegd. Een van de bedienden was zo goed geweest het dikke boek in de onderste la van de ladekast te leggen, waar ze de tussendoortjes bewaarden die ze uit de keuken hadden gesnaaid. Daar, tussen de koekjes en de handdoeken, lag het boek waarvan ze gedacht had dat het gestolen was of dat ze het gewoon kwijt was. Verrukt dat ze het weer gevonden had ging ze er meteen mee op het bed liggen dat ze met haar broer deelde. En lag daar naakt, met haar buik op een kussen, toen ze al bladerend bij een illustratie kwam van 'De roof van Persephone', een afbeelding met veel roze vlees van rondborstige meisjes in een weiland met bloemen, met daarbij de tekst:

Persephone was bloemen aan het plukken in een wei met haar metgezellinnen Artemis en Athene. Daar werd ze aangetrokken door een uitzonderlijk mooie narcis die honderdvoudig bloeide. Toen ze zich bukte om hem te plukken, spleet de grond open en uit de diepte van de aarde kwam Hades tevoorschijn, in een gouden strijdwagen die werd getrokken door zwarte paarden. Hij schaakte Persephone en nam haar mee naar de onderwereld. Ze schreeuwde om hulp van haar vader Zeus, maar hij hielp haar niet.

Ook Demeter hoorde de kreten van Persephone en ging gehaast naar haar op zoek. Met brandende fakkels zocht ze negen dagen en negen nachten op land en zee naar haar ontvoerde dochter. In haar verwoede speurtocht gunde ze zich geen moment om te eten, te slapen of te baden. Op de tiende dag vertelde Helios, de god van de zon, aan Demeter dat Hades Persephone had ontvoerd. Hij vertelde erbij dat de ontvoering van Persephone met instemming van Zeus had plaatsgevonden.

Standaardleesvoer. Wat als een verrassing kwam, was wat ze voelde onder het lezen, telkens als ze even naar het beeld keek van Hades' hand op de borst van Persephone: een prikkeling tussen haar benen waar het ineengefrommelde laken lag, een druk die steeds sterker, steeds heviger werd, tot ze er opeens van ging plassen. Ze sprong op, geschrokken en gegeneerd, en klapte het boek dicht. Ze staarde naar de lakens, eerst beschaamd, toen verward. Er zat geen grote natte plek waar ze zojuist had geplast. Ze voelde aan haar benen, ook droog. Ze had niet geplast. Ze tuurde naar het laken en zag een kleine vlek, van vocht dat bijna slijmerig was, net eiwit. Dat was wat er uit haar lichaam was gekomen, geen urine. Ze veegde het af met de handdoek en ging douchen.

Maar deed het vanaf dat moment dagelijks, na het zwemmen, voor het douchen, een vast patroon: ze trok haar badpak uit en ging met het boek op bed liggen, altijd opengeslagen bij de roof van Persephone, de lakens weer in een bal tussen haar benen, altijd haar dijen tegen elkaar gedrukt, altijd luisterend of ze Kehinde ook hoorde, altijd naar adem happend als het eiwit naar buiten glipte. En nu – roerend in haar cornflakes, terwijl Niké herhaalde: 'Het is walgelijk!' – vroeg ze zich af waarom ze er genot aan ontleende om dat te doen, wilde ze dat hij de kamer binnenkwam? Ze wist dat ze hem niet zou horen als hij kwam aanlopen op zijn puntige, roodleren babouches. Zo was Kehinde. Die kon dat. Ergens ineens opduiken. Toch ging ze daar telkens zo liggen, naakt, nat, terwijl hij aan het zwemmen was.

Ze legde haar lepel neer, haar vingers waren helemaal warm. Kehinde keek naar haar en beet op zijn lip. Wat zij intuïtief aanvoelde sprak uit zijn blik. Niké gnuifde: 'Moet je hem zien!' Vermoeden bevestigd. 'Er zijn ook nog andere vlekken,' hoonde ze en ze hield het laken weer op. 'Of denk je dat ik niet weet wat die witte klodders zijn?'

Kehinde staarde naar Taiwo. 'Wat is dat?' Het was een vraag voor zijn tweelingzus, die de andere kant op keek.

In de veronderstelling dat hij de spot met haar dreef liet Niké het laken vallen en gaf ze Kehinde zo'n harde klap dat hij van zijn stoel viel. Voor ze zich in kon houden sprong Taiwo op en gaf de vrouw een duw. 'Laat hem met rust!' gilde ze. Maar Niké verloor haar evenwicht, ze wankelde achteruit op haar slippers, haar donzige slippers met pompons, en tuimelde achterover. Haar ochtendjas viel open en daar zat ze, met haar vlezige dijen wijd gespreid, en op datzelfde moment kwam een bediende binnen met een glazen dienblad dat hij prompt liet vallen. Taiwo pakte Kehinde en trok hem naar zich toe, zich plotseling bewust van hun kwetsbaarheid, hun weerloosheid hier. Er was iets stukgegaan. Het schild dat hen beschermd had. De afstand tussen de derde en de eerste verdieping was weggevallen.

Hoe Niké begon te krijsen:

moord en brand. Als een krankzinnige. Hoe ze hen naar de lift sleepte en boven weer de hal in waar ze ook waren geweest toen ze hier aankwamen, vorig jaar augustus, maar daarna niet meer, een samenraapsel van marmer en zebrahuid en velours. Hun oom lag achterover in zijn ondergoed en een badjas, Babatunde, de kleine bediende, was op de tafel een lijntje aan het leggen. Oom Femi streelde hem in zijn nek terwijl hij daarmee bezig was, bijna terloops, zoals je een hond aait die naast je ligt. Twee oudere jongens, tieners, stonden op wacht bij de deur, in witte matrozenpakken, net kostuums voor een toneelstuk. Maar met geweren. Ranke geweren, die ze aan hun borst geklemd hielden, zonder zich te verroeren of iets te zeggen toen Niké naar binnen kwam stormen.

'Wel wel, goedemorgen,' zei oom Femi zachtjes, altijd zachtjes.

Zijn vrouw duwde de tweeling naar de chaise longue waar hij languit op lag. Babatunde keek op, heel vluchtig, en toen weer neer, naar zijn werk – hij wist maar al te goed dat hij beter geen aandacht kon trekken. Taiwo en Kehinde keken beteuterd naar hun oom, terwijl hun tante achter hen ziedde van woede. 'Vertel het hem zelf maar.'

'Wat moeten ze mij vertellen?' vroeg oom Femi met een glimlach, oprecht geïnteresseerd. Hij nam de tweeling op alsof hij ze dagelijks zag, alsof ze gister nog een praatje hadden gemaakt over het weer in Lagos, alsof hij niet bijna een jaar lang zijn gezicht niet had laten zien. Babatunde was klaar en stapte weg bij de tafel. Oom Femi boog zich naar voren en snoof het lijntje op. '*E se*,' zei hij tegen Babatunde, snuivend en glimlachend. De jongen knikte, maakte een buiging en snelde de kamer uit.

'Jullie oom vroeg jullie iets. Ze denken dat we onnozel zijn. En deze. Die denkt dat ze mij kan slaan. *Odé*.' Niké gaf Taiwo een duw, en niet zachtzinnig, tussen haar schouderbladen. Taiwo wankelde naar voren, hervond haar evenwicht en rechtte haar rug.

'Blijf van haar af,' zei oom Femi. 'Dat wil de jongen niet.' Nu stak hij een sigaret op. 'Is dat niet wat je zei?' Hij gebaarde naar Kehinde, met opgetrokken wenkbrauwen en een stralende glimlach. 'Is dat niet wat je tegen mij zei? "Blijf van haar af." Of vergis ik me nou?'

'Nee, meneer,' zei Kehinde.

'Sorry? Ik heb niet gehoord wat je zei.'

'Nee, oom,' herhaalde Kehinde, met een trilling in zijn stem.

'Goed. Nou, wat is er gebeurd?' Oom Femi keek eerst naar Niké, en toen naar de tweeling, die daar in hun pyjama en op sokken stond.

Niké schraapte haar keel alsof ze een lange redevoering wilde afsteken, maar haar antwoord was kort en bondig: 'Ze zijn betrapt toen ze seks hadden. De bedienden ontdekten haar bloed op het laken, en de vlekken van zijn... hoogtepunt. Ik kan je het laken laten zien.'

'U liegt!' riep Taiwo in een opwelling. 'Dat is niet waar!' Deze keer kreeg ze zo'n harde klap dat ze tegen de grond ging. Niké, van achteren, half slaand, half duwend.

'Noem jij mij een leugenaar?!' riep Niké. 'Ik heb het bewijs!'

Taiwo bleef op haar knieën op de grond zitten, haar oor gloeide en ze was te verbijsterd om op te staan. Het was eerder schokkend dan pijnlijk: de manier waarop Niké haar geslagen had suggereerde dat er misschien wel meer geweld zou volgen, en snel ook. Van hun ouders hadden ze nooit een klap gekregen, hun ouders hadden nooit tegen hen geschreeuwd, of gedreigd. Als ze al straf kregen, gebeurde dat op rustige toon, alsof ze voor de rechter stonden. Ze vond het vernederend om door een volwassene te worden geslagen en ze beefde van woede, haar handen tot vuisten gebald. Kehinde voelde aan wat ze van plan was en liet zich op zijn knieën naast haar zakken.

'Blijf van haar af,' zei oom Femi op spottende toon, terwijl hij zich naar hen toe boog. Zijn stem was zacht gebleven maar er klonk nu een donkere ondertoon in door, een hardvochtiger toon, en zijn lach klonk opeens staalhard en vlijmscherp. Een wapen.

Met tranen van angst en van woede in de ogen keek Taiwo op naar de stompe neus van hun oom. Ze pakte Kehinde bij zijn T-shirt. 'Kom,' fluisterde ze nerveus, en ze trok hem omhoog aan zijn shirt terwijl ze zelf overeind kwam. Ze stonden tegen elkaar aan gedrukt, naar hun oom toegekeerd, dichter bij hem dan ze tot dusver geweest waren. Zijn geur – zweet en eau de cologne en tabak – was opeens overweldigend, evenals de broeierigheid in zijn blik. Kehinde pakte zonder erbij na te denken Taiwo's hand en kneep erin, met bevende vingers.

'Zie je wel! Zie ze daar staan! Kijk maar hoe hij haar vasthoudt.' Niké zoog op haar tanden en liet een lang aangehouden, laag *tsssss* horen.

'Genoeg,' zei oom Femi. 'Bedankt dat je me op de hoogte hebt gebracht. Je mag gaan. Ik kan het verder alleen wel af.'

Verrast en gekrenkt draaide Niké zich om en liet hen daar achter. De wachten knikten stijfjes toen ze de deur uit stormde. De dubbele deuren vielen zachtjes dicht en op dat moment verloor Taiwo opeens de moed. Het was verwarrend, maar ze zag Niké liever niet gaan. De vrouw was opvliegend, gewelddadig, theatraal en naar alle waarschijnlijkheid krankzinnig, maar ze was inmiddels wel een vertrouwde verschijning. Hun oom was zonderling en angstaanjagend, een vreemde. Al te kalm, al te beheerst, te kil.

Hoe het gebeurde:

'Omokehindegbegbon!' zei oom Femi tegen Kehinde. 'Dus alleen jij mag haar aanraken, *ehn*? Nog zo'n kleine prinses.' Hij gebaarde met zijn sigaret naar het portret van hun grootmoeder. 'Een schattig prinsesje, *ehn*?' Hij kwam overeind van zijn chaise longue, liep naar de tweeling toe en ging vlak achter hen staan. Hij nam de kin van Taiwo in zijn hand en draaide haar hoofd zo dat ze naar het portret keek. 'Moet je haar zien. De schattige Somayina,' zei hij zacht. Hij streek met zijn andere hand over haar haar. Ze voelde Kehinde verstijven, zijn hand lag roerloos in de hare, hij hield zijn adem in. Ze stond daar zonder te bewegen, zonder te kijken, haar ogen dicht, en rook de merkwaardige zoete geur van oom Femi, van zijn zeep. 'Doe je ogen open,' zei hij, nog steeds met zijn hand onder haar kin. Hij boog zich naar haar toe en bracht zijn lippen tot vlak bij haar oor. 'Kijk naar haar. Kijk naar haar! Sprekend jou, waar of niet? Net jou. Nog zo'n schattig prinsesje, dat niemand mag aanraken.' Hij deed een stap opzij en ging achter Kehinde staan. Hij raakte zijn wang aan terwijl hij Taiwo over haar haar streek. 'Behalve jij, kleine jongen. Alleen jij. Jij mag haar aanraken.' Hij kneep hen allebei in een schouder. 'Laat je oom maar eens zien hoe jullie dat doen.'

Een van de jongens bij de deur schraapte zijn keel. Oom Femi keek op. 'Doe de deur op slot,' zei hij. De jongens wilden al gaan. 'Vanbinnen, stelletje idioten. Jullie blijven hier.' Ze gehoorzaamden. 'Dat is beter.' Oom Femi richtte zich nu tot Taiwo. 'Mijn kleine Somayina.' Hij gaf een klopje op zijn chaise longue en glimlachte warm. 'Kom eens hier.'

Taiwo deed een stap naar Kehinde. 'Oom, alstublieft. We hebben niet gedaan wat zij zei.'

'Je liegt.' Niet hard. Hij glimlachte weer en gaf een klopje op de chaise longue. 'Kom hier liggen.' Ze kneep Kehinde in zijn hand en schudde het hoofd, nauwelijks merkbaar. Hij lachte, deed zijn ogen dicht en brulde opeens: '*Liggen! Hier!*' Het geluid van zijn stem op dat volume was zo onverwacht, kwam als zo'n schok, dat ze Kehindes hand liet vallen. Bijna als een robot schuifelde ze naar de chaise longue en ging zitten. 'Zo. Goed zo. En nou op je rug.' Hij legde een koude hand tegen haar hals en duwde haar achterover. Overrompeld door de kracht, door zijn aanraking, ging ze liggen.

Kehinde kwam erbij staan. 'Alstublieft, oom. Raak haar niet aan,' zei hij door opeengeklemde tanden.

'Maak jij je maar geen zorgen. Dat doe ik ook niet.' Oom Femi stapte achteruit, keek naar Taiwo op de chaise longue, met haar armen langs haar zij, helemaal verstijfd van angst. Ze beefde nog van de schok, van zijn aanraking en zijn geschreeuw, en staarde terug, naar zijn zwarte, roodomrande ogen. Hij deed denken aan Hades uit haar boek, die Persephone roofde. Er begon iets te dagen van wat dat roven, dat schaken, eigenlijk inhield. Vlees en bloemen, gouden strijdwagen, zwarte paarden, een meisje dat werd weggevoerd. 'Ik ben geen pedofiel,' zei hij spottend.

Pedofiel, pedofiel, pedofiel, dacht Taiwo, en ze begon te huilen. Want ze had het fout gehad. Een man die van kinderen hield? Die van zijn eigen kinderen hield? Fout. Die hen verlaten had, haar in de steek gelaten had, net als Zeus. En waar was Demeter? Op zoek naar haar dochter? Met vlammende toortsen, buiten zichzelf? Thuis, met Sadie?

Een gevoel van verslagenheid overspoelde haar. Ze voelde de verstijving wegebben, haar benen verslapten. De tranen stroomden geluidloos uit haar ooghoeken, op het bloemetjesdessin van de bank onder haar strakke vlechtjes. Ze voelde haar borst inzakken, bezwijken onder haar nachthemd, het Minnie Mouse-nachthemd dat ze had sinds de man hen vol trots had meegenomen naar Disney World, waar hij nog enthousiaster over was geweest dan zij: de meest Amerikaanse familietraditie ter wereld. Ze voelde haar vuisten ontspannen, haar vingers verslapten, haar handen openden zich. Ze voelde alle hoop op ontsnapping wegebben. Als ze nu probeerde weg te lopen zouden die matrozen in hun verkleedkleren haar met hun geweren tegenhouden. Haar oom zou haar overweldigen als ze probeerde zich te verzetten. Wat hier stond te gebeuren, ging sowieso gebeuren, dat wist ze; niemand die daar iets aan doen kon. Er was niemand behalve zij. Zij en haar broer, alleen met die oom in zijn kamer.

Een pedofiel.

'Jij mag haar aanraken,' zei hij. Hij gebaarde van Kehinde, die daar met stomheid geslagen stond, naar Taiwo, die als een taart op de chaise longue lag. 'Ze is te mooi voor mij.' Hij trok aan zijn sigaret. '*Ehn*, nou, betast haar maar.' Hij klapte ongeduldig in zijn handen. '*Jo, jo, jo.*' Opschieten.

Pedofiel, pedofiel, pedofiel, dacht Taiwo.

'Ik... ik snap het niet,' zei Kehinde.

'Betast haar.'

'Ik snap het niet,' herhaalde Kehinde, en zijn ogen liepen vol tranen.

Oom Femi zoog op zijn tanden. 'Dan zal ik het je laten zien. Jij daar, kom hier.' Hij wenkte de wachten bij de deur, die snel kwamen aanlopen. 'Nee, eentje.' De oudste kwam naderbij met zijn geweer. 'Leg dat geweer weg,' zei hij. 'Je maakt haar bang.' De jongeman legde zijn wapen op de tafel. 'Betast het meisje.' Met de sigaret bungelend aan zijn lip zette oom Femi de jongen als een pop aan het voeteneind van de ligbank neer, waarna hij het zich makkelijk maakte in de fauteuil ertegenover, alsof hij naar een liveshow ging zitten kijken, benen over elkaar, en glimmende ogen.

'Sa?' zei de wacht.

'Betast het meisje. Til haar nachthemd op. Die jongen hier vertikt het. Maak je riem los.'

De jongen keek naar Taiwo, en toen naar Kehinde, die achter hem stond. Taiwo kneep haar ogen dicht, ze huilde nog steeds geluidloos. Met een blik op zijn baas ritste de jongen zijn broek open.

'Wacht,' zei Kehinde. Nauwelijks hoorbaar. 'Wacht, alstublieft.'

'Als jij het niet wil doen doet hij het wel,' zei oom Femi kalm. Tegen de wacht: 'Met je vingers.'

'Ik doe het wel,' zei Kehinde.

Oom Femi klapte in zijn handen. 'Ik wist het wel,' gniffelde hij. Hij maakte een gebaar naar de wacht, die terugliep naar de deur. Het geweer nog op tafel. Als een koffiekopje. Het lag daar gewoon. Symbool van de absurditeit van de wereld waarin ze zich bevonden. Kehinde trad naar voren en keek neer op zijn zus, zijn knieën bij haar voeten aan het eind van de ligbank. Tranen in haar ogen en in zijn ogen, dezelfde ogen. Het derde paar, de portretogen, keek toe vanaf de muur. Ze keek naar haar broer en dacht dat hij blufte, dat hij misschien wel een of ander slim plan had bedacht om te ontsnappen. Ze staarde hem aan en probeerde het wanhopig van zijn gezicht af te lezen. Maar zag niets. Zijn ogen waren uitdrukkingsloos geworden, donker. Hij leek wel boos. Ze had haar broer nog nooit boos gezien. Hij wiste vlug zijn tranen met de rug van zijn hand.

'Betast haar zoals je ook in de slaapkamer beneden doet.' Oom Femi keek blij. 'Ik ben er niet.' Toen Kehinde aarzelde voegde hij eraan toe: 'Maak je geen zorgen. Ik zal niet aan jullie moeder vertellen wat jullie tante aan mij heeft verteld.'

Hoe het gebeurde:

hoe haar oom haar broer instrueerde vanuit zijn luie stoel, als een regisseur, terwijl de wachten bij de deur toekeken. Hoe haar broer, zonder iets te zeggen, met een blik die niets prijsgaf, haar dag-van-de-weekslipje uittrok en het netjes op de grond legde. Zijn vinger in haar stak. Het verbijsterende gevoel, niet zozeer pijnlijk als wel ongemakkelijk. Een scheuren, een openscheuren. 'Harder! Harder! Harder!' zei oom Femi. 'Sneller! Sneller!' Met vreugde in zijn stem. De vinger van Kehinde, met kracht.

Het was de eerste keer dat ze leerde haar lichaam te verlaten, het lichaam daar gewoon te laten liggen terwijl haar geest wegzweefde. Het kostte geen moeite. Het gebeurde gewoon: ze lag in Lagos op een chaise longue in haar nachthemd toen ze zichzelf voelde gaan. Vermoeide feestganger die naar huis ging. Even later zweefde ze boven hen en keek zo kalm als het maar kon naar wat er gebeurde, keek naar Kehinde in zijn T-shirt met bijpassende Mickey-onderbroek, zijn vinger in zijn zus, oom Femi in zijn stoel, de twee jongens bij de deur, ogen opengesperd van schaamte, en vergenoegdheid, het portret boven de schoorsteenmantel, 'Tuesday'-slipje op de grond – weg zweefde ze: naar hun woonkamer in Brookline, naar de piano, naar Shoshanna die riep: 'Sneller! Sneller! Snel!' terwijl zij Rachmaninov probeerde te spelen – en nog verder: naar de klas, naar het nerveuze lachen van de leraar terwijl zij haar o's inkleurde – en naar haar slaapkamer, naar het raam van waaruit ze Kehinde in de auto op de oprit zag zitten, met hun vader, schuldbewust in het licht van het plafondlampje. Het leek bijna onmogelijk dat ze in dat lichaam die afstand had afgelegd, van Brookline naar Lagos, van piano en klaslokaal en slaapkamer en veiligheid naar hier, naar deze nachtmerrie: te ver. Ze zweefde boven hen en vroeg zich af wie dat was, daar in dat lichaam. Dat was zij niet. Dat kon niet. Het was gewoon een lichaam. Een lichaam dat ze had laten liggen zoals je een handdoek laat liggen.

Waarnaar ze terugkeerde.

Kehinde was klaar. Zijn vinger gleed uit haar lichaam. Ze sloeg haar ogen op. Zag de vlek op zijn onderbroek. Oom Femi klapte in zijn handen. '*E kuuse!*' Goed gedaan.

Zweet, of iets wat daarop leek, waagde zich bedeesd langs haar dijbeen naar beneden.

'Jullie kunnen gaan,' zei oom Femi. Kehinde haastte zich de kamer uit, zijn schouders schokten, hij liet Taiwo alleen achter. Ze ging zitten. Ze keek naar haar oom. Ze pakte haar slipje (maar trok het niet aan, nog niet, dat was te vernederend). Ze liep de deur uit met een gat in haar lichaam, een ruimte waar ze meisje was geweest, en huilde niet meer. Babatunde stond te wachten met een uitdrukking op zijn gezicht die suggereerde dat hij wist wat er gebeurd was en hoe. Kehinde was niet in hun slaapkamer en ook niet in de keuken. Ze liep naar haar kamer verderop in de gang, waar het nog steeds te koud was. De rest van de dag bleef ze daar op het bed naar het plafond liggen kijken. Niemand riep haar voor het eten. De volgende morgen kwam Babatunde haar ophalen. Met de lift naar boven. Een week lang keek hun oom toe terwijl Kehinde haar zo aanraakte. Hij zei wat molesteerders in tv-films altijd zeggen: dat hij hun moeder zou inlichten als ze het ooit aan iemand vertelden.

Toen was er een feest en moesten ze met make-up op rondlopen en glimlachen naar gasten, jongens en mannen, Nigerianen en Zuid-Afrikanen en blanken, van alle leeftijden. Een opgewekte man uit Ghana: 'Ik weet wie jullie zijn.' Ze vertrokken zonder bagage, in een taxi met de Ghanees. Hij zette hen op het vliegtuig naar JFK en zo kwamen ze weer thuis. Einde scène.

Taiwo valt stil, ze ademt met moeite. Ze zou eigenlijk willen zeggen: 'Tevreden? Nou weet je het', of zoiets, maar ze kan geen adem meer krijgen; ze is zwak, bezweet, uitgedroogd; wil eigenlijk wegstormen maar wankelt op haar benen. Fola springt naar voren en vangt Taiwo op terwijl ze door haar knieën zakt, weet haar bij haar schouders te pakken voor ze neerzakt in het zand. Het is een instinctief gebaar – meer interventie dan omhelzing –, maar voor het eerst sinds jaren hebben ze huidcontact. Taiwo deinst met een ruk achteruit, haar duizeligheid neemt alleen maar toe. Ze wil zeggen: 'Niet doen', maar barst dan in tranen uit.

VI

Fola trekt het meisje tegen zich aan en houdt haar stevig vast om te voorkomen dat ze probeert weg te rennen of zich los te trekken – maar Taiwo klampt zich ook aan haar vast, verzwakt door de snikken die in haar blijven opwellen, te zwak om te blijven staan zonder iets vast te houden. En houdt daarom Fola vast. Ze hapt naar adem en perst de woorden eruit als een kind dat tussen de snikken door stem probeert te geven aan zijn verdriet: 'Hoe kon je ons daarheen sturen? Hoe kon je ons wegsturen? Je wist wat er zou gebeuren. Je wist het, mama. Je wist het.'

Een van de vele dingen die Fola denkt, terwijl ze haar dochter vasthoudt, is de gedachte dat het zinloos is om met zoveel kracht lief te hebben, want die kracht is niet overdraagbaar, behoedt hen nergens voor, beschermt hen niet, gaat niet waar zij gaan, gedraagt zich niet als een schild... maar toch, hoe zou je anders moeten liefhebben? Wat zou ze anders moeten voelen dan deze rauwe, wanhopige liefde, terwijl ze het meisje tegen zich aan drukt en haar alleen maar zou willen beschermen, alleen maar als een schild zou willen dienen, en dit rauwe, wanhopige verdriet, omdat ze lang geleden gefaald heeft? 'Het spijt me,' fluistert ze, ze streelt Taiwo over haar lange dreadlocks en weet dat spijt niet genoeg is, maar weet niet waar anders te beginnen.

Ze heeft nooit eerder gevoeld wat ze op dit moment voelt. Drie gevoelens strijden om haar adem, om haar kracht: allereerst boosheid op Femi, pure, kristalheldere haat, een woede die op geen enkele manier verzacht wordt door twijfel of medelijden; dan het leed dat Taiwo's leed is, haar schaamte en haar verdriet, een bron die onstuimig opwelt onder haar rechterborst; en dan haar eigen schaamte en verdriet, te beseffen wat er gebeurd is, te beseffen wat ze al die tijd al heeft aangevoeld in haar tweeling, die beschadigd is, denkt ze, heel erg, allebei, omdat ze hun moeder niet hadden. Omdat hun moeder dacht dat ze een moeder als haar niet nodig hadden. 'Ik dacht,' zegt ze tegen Taiwo, terwijl ze er vol pijn aan terugdenkt, 'ik dacht dat ik jullie hielp. Dat jullie beter af zouden zijn. Ik dacht dat jullie oom...' zucht diep en vervolgt... 'ik dacht dat hij dingen kon betalen die ik me niet kon veroorloven. Ik wilde dat jullie, ik weet niet, meer hadden...'

'Meer dan wat?'

'Dan een alleenstaande moeder. Dan een moeder als ik. Ik wist niet wat ik deed. Ik had nooit een moeder gehad. Ik deed maar gewoon wat mij op dat moment het beste leek. Ik was bang. Ik was eenzaam. Ik was laf. Ik was bang om jullie teleur te stellen, om jullie af te houden van de dingen die jullie verdienden. Jij was begaafd, briljant, intelligenter nog dan Olu. Dat zeiden al jullie leraren. "Zij is bijzonder," zeiden ze. "Zorg dat u haar uitdaagt, haar stimuleert, en aanmoedigt." Ik was bang dat ik de reden zou zijn dat jij niet zou uitblinken. Ik was bang dat ik tekort zou schieten. Daarom heb ik je naar... naar hem gestuurd... en hij heeft je pijn gedaan. En Kehinde. Ik ben hoe dan ook tekortgeschoten.' Fola hield abrupt op met praten. Dit is in het geheel niet wat ze zeggen wil. Taiwo is stil, ze houdt haar armen om Fola heen, en Fola voelt haar lijf schokken tegen haar borsten. Ze richt zich op, net genoeg om Taiwo te zien, om teder haar gezicht vast te houden. 'Het spijt me.'

Haar dochter kijkt terug, knipperend, haar ogen bloeddoorlopen, droog, rauw van haar zoute tranen en haar zoute zweet. Ze lijkt wel een klein kind, denkt Fola. Mijn kindje. Mijn baby, mijn dochter. En niet Somayina. De ogen doen haar in de verste verte niet denken aan de ogen van haar moeder, misschien voor het eerst sinds Taiwo geboren is. De heldere amber ogen kijken Fola aan als de ogen van Taiwo: de ogen van een kind, niet van een geest, maar van een meisje. Taiwo zegt niets, staart haar moeder alleen aan, die staart naar haar kind, overweldigd door wat ze allemaal wil. Ze wil herstellen wat ze gedaan heeft, ze wil troost geven, en antwoorden. Ze wil ongedaan maken wat haar tweeling is aangedaan. Ze wil Kehinde erbij halen en hem hier ook vasthouden. Ze wil Femi opzoeken en hem vermoorden. Met blote handen, heel langzaam. Hem martelen. Ze wil ophouden met huilen. Ze wil Taiwo laten ophouden met huilen. Maar ze kan het niet. Het enige wat ze kan is met Taiwo staan huilen, alleen op dit strand, in de drukkende hitte, in de wetenschap dat iemand haar kinderen onherstelbaar heeft beschadigd, niet bij machte er iets aan te veranderen. Alleen in staat om vast te houden.

Ze kust Taiwo op haar voorhoofd, nog steeds met haar wangen tussen haar handen, en wil haar weer tegen zich aan drukken als zij, Taiwo, zegt: 'Nee.' Ze denkt dat Fola haar gekust heeft ten teken dat het zo wel genoeg is en ze zich weer los wil maken.

'Ga niet weg,' fluistert Taiwo, en tot schrik van haar moeder pakt ze haar hartstochtelijk beet en klemt haar armen om haar middel. 'Laat me nog niet los, laat me alsjeblieft niet los.'

'Doe ik ook niet,' fluistert Fola, en dat doet ze ook niet.

VII

Olu begint zich te ergeren. Waar blijven ze?! Zijn moeder en zijn zus zijn gewoon opgestaan en weggelopen, waarna de rest van de familie het voedseloffer kan aannemen, een schotel van bonen en rijst, opgediend op blikken bordjes. Ze aten het beleefd op, kauwend en knikkend en glimlachend, de happen wegspoelend met warme Fanta, waarna ze hun bordjes weer inleverden. Sadie verdween vervolgens achter een van de hutten met haar grote ontdekking, dat dansmeisje, dat haar nog wel meer pasjes wilde leren, terwijl Benson werd gebeld op zijn mobiel en nu driftig heen en weer loopt op zoek naar de beste ontvangst. 'Hallo? Hallo?' Kehinde was op typerende wijze opgelost in het niets, zodat Olu en Ling alleen waren achtergebleven met die Shormeh en Naa, de twee zusters in het zwart waar zijn vader het nooit over had gehad, allebei zo te zien ouder dan hij was, minstens zestig. Naa, die ietsje vriendelijker is dan haar zuster, en die sprekend op Sadie lijkt, vraagt of ze het oude huis misschien willen zien. 'Ja, hoor,' zegt Olu terwijl Ling enthousiast 'Graag!' roept, waarna ze worden meegenomen naar de hut achter in de compound.

Het dak was hem al opgevallen toen ze hier aankwamen – een driehoekig koepeldak van een of andere rietsoort, zeker anderhalve meter hoger dan de blikken daken van de andere hutten –, maar Olu denkt nu pas aan een opmerking van zijn vader. In een verhandeling over huren dan wel kopen had Kweku iets gezegd over een vader die zijn eigen huis had ontworpen. 'Wie heeft dit ontworpen?' vraagt hij aan Naa. 'Wie heeft dit gebouwd?'

'Zijn vader,' zegt ze. 'Jullie grootvader. Kom.'

Ze bukken zich en blijven even in de deuropening staan, om aan de betrekkelijke duisternis en stilte te wennen. De ruimte is veel koeler dan mogelijk lijkt bij die drukkende hitte. Olu tuurt om zich heen naar de rondlopende lemen wanden, naar het meer dan vijf meter hoge dak, het ene raampje en het zwakke licht dat erdoor naar binnen valt. Intelligente constructie, denkt hij. Ling maakt foto's, het flitslicht van haar mobiel wordt door van alles en nog wat weerkaatst.

'We waren met z'n zessen, vroeger, met je vader,' zegt Naa. 'En onze moeder. *Ehn*, zeven. We sliepen hier met z'n allen.'

'Acht, met jullie vader,' zegt Olu. 'Mijn grootvader.'

'Nee,' zegt Naa op bitse toon. 'Die man was opeens weg. En hij was onze vader niet. Alleen die van Kweku en Ekua.'

'Was hij overleden?' vraagt Olu.

'Nee. Hij is gewoon weggegaan.'

'Waar naartoe?'

'God mag het weten,' zegt Naa, en ze haalt haar schouders op. 'Maar inmiddels is hij dood. En zijn beide kinderen ook. En zijn vrouw. Trotse man. Die ene, onze moeder, die hield te veel van hem, o. Te veel. En waarvoor, *ehn*? Jij bent hier geweest toen ze stierf. De vrouw was er al niet meer maar hij bracht jou bij haar. Afgezien van die keer is hij hier nooit meer terug geweest.' Ze lacht vreugdeloos. 'Nu is er ruimte genoeg. Je vader maakte zich altijd druk, druk, om de ruimte. "Het is te klein", "het is te heet", altijd verhit, net een blanke.' Ze zuigt op haar tanden. '*Obroni*. Te heet in de schaduw.' Ze is een ogenblik stil en staat met haar ellebogen in haar handen. Dan breekt haar stem. 'Zonde, o. Zo jong. Mijn eigen broertje. Domme, domme Kweku.' Ze veegt haar tranen af met een arm. 'Ze zeiden dat hij een groot, groot huis had gekocht. Ergens waar het heel, heel koud was.'

Olu knikt. 'Ja.'

'Dan heeft hij het toch gedaan.' Een klein glimlachje. 'Wachten jullie. Ik kom.' Ze dept haar ogen weer, schuifelt naar de deuropening en bukt zich. 'Ik ga en kom.'

Ling loopt naar Olu toe, bij het ene houten bed. 'Waar kijk je naar?'

Maar Olu weet het niet. Hij dacht dat hij iets zag, een vogel of een insect, fladderend bij het raampje boven in de koepel, maar als hij ernaar wijst ziet hij niets anders dan licht dat stoffig naar binnen valt, op de matten op de grond.

VIII

Kehinde loopt aarzelend naar de ingang van de compound en blijft daar staan, kijkt naar links, kijkt naar rechts. Het privaathuisje was leeg. De weg is ook leeg. De auto van Benson staat moederziel alleen in de groef langs de weg. Hij loopt naar de auto en kijkt naar binnen, misschien ligt de chauffeur wel te slapen, maar ook de auto is leeg. Hij kijkt de weg af naar de rij kleine kiosken en ziet, iets verderop, één grote, op zichzelf staande keet. Hij doet denken aan van die blokhutten, die vierkante blokhutten waar ze met scouting wel in sliepen, dat ene jaar dat hij het geprobeerd had, op zijn elfde – voor hij de schijn van jongensachtigheid opgaf ten gunste van het schilderen en het werken met kralen. Hij meent in de hut iets te zien bewegen, een schaduw, en bedenkt dat hij daar wel even kan vragen of degene die daar binnen is Taiwo of Fola of de chauffeur van Benson gezien heeft, die de afgelopen twintig minuten allemaal verdwenen zijn. Hij loopt het kleine eindje naar de grote houten keet en blijft voor de deur staan alvorens zich te bukken en naar binnen te gaan. De deuropening is laag. Hij tuurt in het schemerdonker van de keet die de werkplaats van de doodskistenmaker en in één moeite door een soort kliniekje lijkt te zijn.

Hij ziet de man niet. Hij ziet de ene metalen tafel waar allerlei gereedschap op ligt voor houtbewerking en medisch onderzoek, houten banken langs de wanden, één raam bij de deur, een roestige plafondventilator die piept bij elke trage omwenteling. Aan één wand hangt een snoer met witte kerstlichtjes te knipperen, wat nogal misplaatst oogt in deze ruimte die eerder aan een foltercel doet denken. Het raam is dicht, evenals de drie grote luiken hoog in de achterwand. De enige verlichting is fel, witachtig zonlicht dat door de deuropening op de ruwe plankenvloer valt. Toch, als zijn ogen eenmaal gewend zijn, kan Kehinde de doodskisten onderscheiden die bijna als boten aan de balken boven zijn hoofd hangen: een auto, een vis, een roos, zo te zien, aan de ene kant absurd, aan de andere kant waanzinnig, fantastisch. Het idee. Doodskisten in allerlei gedaanten, als verjaardagstaarten voor kinderen, feestelijk, kleurrijk, de gek stekend met de dood. Sangna zou dit vast geweldig vinden, bedenkt hij, en hij schrikt ervan, verrast door de gedachte, door de flits van haar gezicht:

het smalle, bruine gezicht van Sangna met die trekken waar ze altijd op afgeeft omdat ze 'te groot' zijn. Een beeld dat niet in deze context past. Op de binnenkant van zijn oogleden. Haar gezicht op dat scherm in die ruimte in zijn hoofd waar zulke beelden opdoemen wanneer zijn gedachten beginnen af te dwalen, wanneer vormen de plaats innemen van woorden, als een foto die ontwikkeld wordt. (Dat is hoe schilderijen beginnen, en onthullingen, een vorm die vanuit het donker op dat scherm boven komt drijven, eerst nog wazig, maar dan gedetailleerd, en vervolgens helder als een herinnering, alsof 'scheppen' eigenlijk niets anders is dan herinneren.) Op dat scherm verschijnt Sangna, lieftallige Sangna, wier smalle bruine gezicht de hele tijd voorbijkomt, een flits hier, een flits daar, als hij aan het werk is in Brooklyn of haar sms't of als ze met elkaar bellen – maar over wier gezicht hij nooit goed heeft nagedacht, zoals nu, in een heel andere context. Haar gezicht in een ander licht. Nu hij eraan denkt, ziet hij wel dat ze gelijk heeft, dat haar gelaatstrekken niet in hun slanke omlijsting passen, dat haar gebit, haar wenkbrauwen op een of andere manier te groot zijn, de ogen van een man, de neus van een man, de mond van een man, de kin van een kind. Een exquise onevenwichtigheid, denkt hij, spannend zelfs, het is altijd weer spannend als hij haar na maanden weer ziet en die eerste dertig seconden nerveus is, alsof hij naar een jongleur staat te kijken, bevreesd en verbaasd: ze zijn er allemaal nog, allemaal op hun plek, die enorme, verrukkelijke gelaatstrekken, die op voet van oorlog staan met hun begrenzing en het nog altijd vertikken om zich terug te trekken.

Dat gezicht.

En haar lach.

'Dus je wilt doodskisten gaan maken,' hoort hij Sangna lachen. 'Je bent net met de muzen begonnen! Je bent gek. Maar het klinkt goed. "Kehinde Sai, doodskisten." Maandag de lijst met benodigdheden. Maar alsjeblieft geen modder meer.' Een thuis, zou hij tegen haar zeggen, denkt hij, voor de thuislozen, een thuis in de ruimte na het lichaam, voor. Datgene waar hij misschien wat prematuur op uit is geweest, een thuis, geen doodskist. Zijn volgende grote expositie. Fantasiekisten. Een museale installatie. Als hij klaar is met de schilderijen in Brooklyn, van haar, van zijn zuster als elk van de muzen, enorme portretten…

een gedachte waarbij opeens een warme golf verdriet naar boven komt. Het beeld verandert abrupt van Sangna in Taiwo: het meisje op haar rug op die rococo chaise longue, in haar Minnie Mouse-nachthemd, haar stem in zijn hoofd als een zacht gefluister, help me alsjeblieft, en daarna haar gezicht. En daarna, toen hij alles had gedaan wat hun oom hem had opgedragen, om te voorkomen dat de afgunstig kijkende wacht haar zou aanraken – en daarna, toen hij naar zijn onderbroek keek, net als Taiwo, en daar de natte plek zag – de blik in haar ogen. Hij had die blik niet kunnen verdragen, was laf de kamer uit gesneld, onnozel, maar ziet het gezicht nu voor zich, die ene glimp, een stilstaand beeld, dat voor zijn ogen blijft hangen alsof hij daar nog is: de pure geschoktheid in haar blik bij dit bewijs van zijn genot, die vreemde, uitdijende natte plek, die vreemde vloed van schaamte.

Het was de eerste keer dat hij zich realiseerde dat hij een lichaam had, dat hij opgesloten zat in dat lichaam, uit de lucht gevallen en in die kooi gestopt. In gedachten was hij ergens anders geweest, ver weg, nog verder dan sneeuw, had hij met Taiwo door de ruimte achter de ruimte gevlogen: zwevend in hun pyjama's als Wendy en Peter, haar hand in zijn hand, niet zijn vingers in haar. Hij had oom Femi gehoord en gedaan wat hem was opgedragen, hij voelde wel de gladheid en warmte en de vochtigheid binnen in haar, maar zijn geest stond niet in verbinding met zijn vinger; die was bij Taiwo, misschien waar ze begonnen waren? Toen begon zijn lichaam. Vanaf dat moment had hij een lichaam – vanaf dat moment. Het gevoel van het vocht een slang op zijn bovenbeen. Het geklap, oom Femi, 'E kuuse, o, Kehinde!' Zijn geest die weer terugkwam.

Naar die uitdrukking op haar gezicht.

Hoe kon hij haar duidelijk maken dat hij er niet van genoten had, terwijl die vlek op zijn onderbroek het tegendeel bewees? Terwijl het lichaam hem verraden had, en haar, op onverklaarbare wijze. Hoe kon hij haar overtuigen? Wat kon hij zeggen? Hij kon niks zeggen. Of althans dat deed hij niet. Nadien ook niet. Niet die hele week dat het geduurd had. Niet toen ze terugvlogen naar New York, naar Fola, niet toen ze terugkwamen in Boston en in de vijftien jaar daarna ook niet. Hij heeft nooit iets gezegd over dat moment (en zij ook niet), heeft nooit meer stilgestaan bij die blik in haar ogen, tot dit moment: in de deuropening van deze keet vol doodskisten en stethoscopen, waar hij vanuit het schemerdonker opeens iemand hoort vragen: 'Jij daar, ben je ziek?'

Kehinde schrikt en kijkt naar de bank naast de deur. Daar zit een man achterovergeleund met een krant. De man is oud, gehuld in een broek en een t-shirt en versleten leren sandalen en een vuile witte jas, klein en gezet, met een buik en een bril met jampotglazen, en niets van die beroemde Ghanese vrolijkheid. Hij heeft zijn krant laten zakken en kijkt nors naar Kehinde, zonder op te staan. 'Ben je ziek?' vraagt hij nog een keer.

Kehinde schudt zijn hoofd, hij is verrast en deinst even achteruit. 'Ik had u niet gezien.'

'Natuurlijk niet, er is geen licht. Het is te heet met dat licht. Ik houd niet van die hitte. Ik kan zien in het donker. Je ziet eruit alsof je ziek bent.' Hij legt zijn krant neer en komt met enige moeite overeind. 'Kom je van Big Milly's? Een rastaman, *ehn?*'

'N-nee,' stottert Kehinde. 'We zijn hier voor mijn vader. Die heeft hier gewoond. Is hier opgegroeid, bedoel ik. Hij is nu dood.'

'Je vader?' De man schuifelt dichter naar Kehinde toe. 'Die jongen van Sai? Ik heb gehoord dat hij is overleden.' Kehinde knikt zonder iets te zeggen. 'Dus je wilt een kist. Hoe heet je?'

'Kehinde.' Hij steekt zijn hand uit.

De man pakt zijn hand en begint hem bij wijze van groet te schudden, maar draait hem dan met de handpalm naar boven. Hij buigt zich voorover om naar de eeltplekken op zijn hand te turen. 'Ruw. Jij bent een werkman.' Kehinde schudt zijn hoofd. 'Waarom zijn je handen dan zo, zo ruw als de mijne? De Sais die ik heb gekend, zelf, dat waren denkers.' Sarcastisch. 'Die ene, de eerste, kon tenminste nog een huis bouwen. Maar die jongen? Nergens goed voor, alleen maar denken, denken, denken. Hij dacht dat hij slim was, *ehn*, te slim om hout te breken. Tss. Jouw handen zijn goed, ruw, net als de mijne. Als een man.'

'Ik ben kunstenaar,' zegt Kehinde.

De man begint te lachen. 'Kúnstenaar.' Uitgesproken als keuhn-stenaar. 'Dan ben je dus tóch een Sai.' Hij laat Kehindes hand vallen en loopt waggelend naar de luiken. Hij maakt ze los en duwt ze open, zodat er opeens een overvloed aan licht naar binnen stroomt. Kehinde schermt zijn ogen af en tuurt al knipperend naar de werkruimte die nu achter in de keet te zien is. Half afgemaakte doodskisten liggen opgestapeld bij een werktafel. Vier mannen zijn een kist die eruitziet als een brood aan het schilderen. 'We hebben geen tijd om voor de begrafenis nog een nieuwe te maken...'

'Wat bedoelt u daar eigenlijk mee? Dat ik dus toch een Sai ben?'

De man draait zich naar hem om, verrast door de andere toon die hij nu aanslaat. Kehinde, eveneens verrast, kijkt naar zijn handen. Hij drukt ze tegen elkaar aan en houdt zijn linkerhand vast met zijn rechter, de duim in de handpalm, en probeert het branderige gevoel weg te wrijven. De zelfvoldane, laatdunkende houding van deze hem vreemde man heeft iets wat agressie oproept, wat op zichzelf al vreemd is, om boosheid te voelen, eenvoudige boosheid, dat brandende gevoel, die aandrang om geweld te gebruiken tegen een ding dat geen weerstand biedt. Hij is zo zelden boos dat hij merkt dat hij nerveus is, geschrokken van het gevoel, dat warme gevoel in zijn handen. Hij weet zeker dat de vreemde zijn agressie kan voelen, maar de man blijft gewoon praten en lacht nog steeds: '*Chalé*. Ga daar maar eens kijken, naar het huis in de compound. Het eerste, hij heeft het getekend. Een keuhnstenaar, net als jij, toen kwam de jongen, die jouw vader, een keuhnstenaar. Zijn moeder stuurde hem altijd hierheen om bij mij te komen kijken, begrijp je? Ze zeiden dat hij hier kwam om het doktersvak te leren, maar nee: hij was net als zijn vader. Hij tekende alleen maar. Tekenen, tekenen, tss, de hele dag tekenen. Hij leerde niets over lichamen en niets over hout. Het waren keuhnstenaars. Net als jij.' Hij neemt Kehinde iets aandachtiger op. 'Zie je wel? Nu huil je. Jullie Sais, allemaal hetzelfde.'

Hun klasgenoten vroegen altijd of tweelingen telepathisch waren, of de een meteen kon voelen wat de ander op dat moment voelde. Dat was op de middelbare school, toen ze voor het eerst dreadlocks lieten groeien, toen Taiwo ophield met haar haar te kammen en hij met zijn haar te knippen, toen ze rondliepen in te grote truien en Dr. Martens-laarzen, helemaal in het zwart, en een wezenloze blik in de ogen, toen ze nog altijd niet wisten wat ze tegen elkaar moesten zeggen, maar nog minder wat ze tegen de buitenwereld moesten zeggen, zodat ze altijd maar samen optrokken in een toenemend stilzwijgen, als door schuldgevoelens geplaagde rovers die een grote slag hadden geslagen en elkaar nu de hele tijd wantrouwend in de gaten hielden, elkaar geen moment uit het oog verloren, elkaar insponnen in een web van stilte. Van hun tweeën was hij nog de meest benaderbare, hij probeerde meestal namens hun beiden het gesprek te voeren. Hij zag wel dat hun klasgenoten en leraren in alle oprechtheid wilden weten waar die tweeling van Sai vandaan was gekomen – maar het ontbrak die anderen aan de woordenschat, ze beschikten domweg niet over de taal, in de voorsteden, in de jaren negentig, om te snappen wat hij bedoelde. 'Een jaar in Nigeria' was in hun taal 'een ervaring', een jaar naar school in het buitenland, een lang uitgevallen vakantie; 'mijn vader is bij ons weggegaan' betekende een scheiding, een appartement in Back Bay, een stiefmoeder die Chris heette. Zijn zus en hij spraken nog dezelfde taal, als een pasgeboren tweeling die brabbelt in een zelfverzonnen taaltje, vreemde woorden die alleen zij kenden (en hun oom misschien), een taal die ze spraken door te zwijgen. Op die nieuwe manier waren ze zich bewust van hun tweelingschap. Ze gaven er alleen anders uiting aan dan ze eerst hadden gedaan, met hun kleren en hun haar en hun genderloze gedrag en hun voortdurende samenzijn. Hij wist waarom ze het vroegen.

Maar de vraag maakte hem altijd onrustig. De toon waarop hij gesteld werd. Alsof degene die het vroeg wel aanvoelde wat die Sais mankeerde, waar ze ook vandaan waren gekomen. 'Nee, wij zijn niet telepathisch.' Met een glimlach. 'We zijn alleen close met elkaar.' Hij verzweeg altijd hoe het werkelijk zat. Dat hij zich vaak excuseerde om naar de wc te gaan waar hij dan zonder enige aanleiding ging zitten huilen, om later van haar te horen dat zij op precies datzelfde moment ergens anders met een hele duidelijke aanleiding had zitten huilen.

Zo is het ook nu, hij barst zonder waarschuwing vooraf in tranen uit, en snikt hartstochtelijk, met schokkende borstkas en happend naar adem. Zonder iets te zeggen (daar niet toe in staat) loopt hij naar de bank bij de deur en laat zich vallen als een munt die tollend op de grond valt. Reis ten einde. Voorovergebogen, zijn gezicht in zijn handen, zijn benen tegen elkaar gedrukt, tenen naar elkaar toe. Hij kan niet weten dat Taiwo en Fola ineengestrengeld bij dat huis op het strand staan, maar voelt een groter verdriet dan één mens zou kunnen bevatten en beseft dat hij niet hoeft te proberen om de op gang gekomen stroom van tranen te stelpen. Het komt allemaal opzetten en voegt zich in alle rust bij hem: het gezicht van de vrouw van wie hij misschien wel denkt te houden, het gezicht van zijn zus die hij betast had hoewel het hem kapotmaakte, de deken van stilte, het lichaam, het verlies, dat ene woordje dat er op een avond in New York zomaar uit was geglipt, een woord waar hij Bimbo mee bedoeld had, niet Taiwo, en het gezicht van zijn vader, die avond in de Volvo, 'een kunstenaar als hij', geen vreemde. Het is allemaal in drie, vier minuten voorbij – het hart dat implodeert, splijt, in stukken uiteenvalt –, maar het voelt alsof er een uur voorbij is gegaan als de laatste snik is opgeweld en Kehinde weer opkijkt. De man is weg.

Benson belt de chauffeur om te vragen waar hij gebleven is. De chauffeur legt nerveus uit dat hij bij het strand is, op het pad dat de vissers naar de oceaan hebben platgetreden, waar hij de knappe vrouw heen heeft gebracht die naar het meisje zocht. Daarmee is het raadsel van Fola en Taiwo ook opgelost. Benson vraagt de chauffeur om terug te komen. Sadie, Ling en Olu staan te wachten, alle drie in verwarring. Kehinde komt aanlopen, midden over de weg. De chauffeur komt aanhollen vanaf de andere kant. De autoportieren worden met een bliepje ontgrendeld, de lichten knipperen. Benson, Kehinde, Sadie, Ling en Olu stappen in. De laatste drie gaan nu helemaal achterin zitten, op de derde bank, alsof ze aanvoelen dat Kehinde even met rust moet worden gelaten; de chauffeur begint weer te neuriën. Ze rijden het kleine eindje naar het pad naar de oceaan, waar Fola en Taiwo langs de kant van de weg staan te wachten. Fola heeft een arm om de blote schouders van Taiwo geslagen. Zowel Olu als Sadie zijn hoorbaar verrast. Fola gaat tussen Kehinde en Taiwo in zitten en houdt hun handen vast met het laatste restje kracht dat ze nog in zich heeft.

'Zullen we de kist gaan uitzoeken?' vraagt Benson.

'Kan crematie ook? Wordt er in Ghana ook gecremeerd?' vraagt Fola.

'Natuurlijk.' Benson kijkt stomverbaasd. 'Vlak bij mijn kliniek is een crematorium.'

'Vandaag?'

'Ik bel meteen.' Benson pakt zijn mobieltje.

De chauffeur kijkt eerst naar Benson en dan naar Fola. 'Mevrouw?'

Fola knikt. 'Laten we naar huis gaan.'

6

Later, veel later, de maan is opgekomen, de dag is zijn spectaculaire dood gestorven van bloedroden en bloedoranjes, blauwen en magenta's, een ademstokkende zonsondergang die door geen van allen gezien wordt – komen ze weer aan tafel voor het avondeten (rijst, garden egg-soep, minus Taiwo, die ligt te slapen), waarna ze zich terugtrekken op hun kamers. Hun pijn en hun vage hoop komen geruisloos achter hen aan en glippen onder de dichtvallende deuren door.

II

Ling ligt op haar zij als hij terugkomt van het toilet. Hij blijft op de drempel staan en staart naar haar haar. Meestal put hij er troost uit als hij haar zo ziet liggen, het heeft iets geruststellends te beseffen dat er in deze wereld nog hoop is op rust, te bemerken dat zijn hart het bonkende tempo van zijn angsten nog kan inruilen voor het ritme van haar ademhaling – maar nu wordt hij er onrustig van. Het zwart van haar haar op het wit van het kussen doet hem denken aan zondag in Boston, de sneeuw, het donker en het tromgeroffel, het gladde zwart op katoen het enige vertrouwde te midden van zoveel vreemds. Drie dagen zijn verstreken sinds hij in die Eames-stoel zat en keek naar zijn slapende vrouw, een demper op zijn mond, maar nu hij eraan terugdenkt lijkt het moment verder, veel verder van hem af te staan, zowel in dagen als in kilometers. Of misschien lijkt zij wel verder weg: dat figuur, haar heup, middel, schouder, die vertrouwde welvingen – te ver om aan te raken. Of misschien lijkt hij zelf wel verder weg. Voor zijn gevoel. Ver van die vrouw die nog geen drie meter bij hem vandaan ligt, ver van zichzelf.

Hij wil terug, denkt hij, naar huis, naar die slaapkamer, naar het appartement dat hij al gevonden had toen ze voor het eerst voor zijn opleiding verhuisd waren, nog geen tien minuten lopen van het huis waar hij ooit gewoond had, maar in de andere richting, tegenover de kunstacademie. Hij hield van dat appartement zodra de makelaar de deur had opengezwaaid: de roestvrijstalen keuken en de helderwitte muren en de lichte houten vloeren en de enorme ramen, de zon die voor Narcissus speelde, fel, verblindend licht. Maar het was te duur. Hij begon net aan Harvard, hij had net zijn studie afgerond (was net terug uit Accra, de geur van die vrouw nog in zijn neusgaten, de smaak van verraad onuitgesproken op zijn tong). Een wonder, eigenlijk, hoe het gebeurde, jaren later: hij kwam uit de faculteitsbibliotheek toen zijn oog op een advertentie op het mededelingenbord viel. Hetzelfde appartement. De moeder van Ling was niet lang daarvoor overleden en had een kleine som nagelaten. Hij kocht alle meubels bij IKEA en op eBay, deed al hun foto's in bijpassende witte lijstjes, zwart-witfoto's van Ling en hem op hun reizen; hij verslond allerlei woontijdschriften; huurde busjes om antiek op te halen bij zaken her en der in Connecticut, deed zelf het schilderwerk, installeerde boekenplanken, bouwde bureaus – tot het appartement perfect was, het huis dat hij als thuis voor zich had gezien: immuun voor wanorde, onverwoestbaar schoon.

Hij wil terug naar die orde, naar die properheid. Hij wil terug naar hun kraakheldere veste, naar hun hardlooptrainingen in de vroege ochtend, hun to-dolijstjes op de koelkastdeur, hun strakke, witte meubilair dat hen elke dag verwelkomde, naar hun kleren in gedempte kleuren, netjes opgevouwen en uitgehangen, naar hun maaltijden met mager vlees, donkere groenten, hele granen, naar hun afscheidskussen in de ochtend na het hardlopen, naar hun begroetingskussen in de avond, nog in werkkleding, naar de onschuldige gesprekjes die ze voerden, zonder ooit ruzie te maken, zonder ooit te liegen, zonder ooit door te vragen. Naar dat appartement, niet naar deze kamer hier. Niet naar deze spanning, naar Ling die met haar rug naar hem toe ligt, en niet slaapt maar zich ook niet omdraait als hij in de deuropening verschijnt van deze kamer met zijn enkel glas en zijn grijze marmeren vloer en zijn afgeschilferde grijze wanden en zijn bruine velours gordijnen (dat vloekende decor dat hij op zijn reizen altijd heeft aangetroffen in slaapkamers in landen waar slapen een geschenk is, waar het bed er echt niet uit hoeft te zien als een kerstcadeau met nepkussens en ruches onderlangs tegen het stof om dat duidelijk te maken) – en niet naar deze stilte, deze veeleisende stilte, die de plaats heeft ingenomen van hun gesprekjes, een veelomvattende, rommelige stilte, drukkend als de hitte.

De stilte hangt in de lucht als een nevel, bijna tastbaar, zo dicht. Maar hij kan er nergens mee heen, hij kan zelf nergens heen. Hij staat op de drempel en hoort zijn hart bonzen in de stilte, luid en op het ritme van haar ademhaling. Hij doet zijn ogen dicht en ziet het voor zich in het donker, in de diepe, fonkelende duisternis die zich achter de oogleden openbaart, een diavoorstelling: hun vlucht, maandagavond, in Ghana, met Ling naast hem, haar hoofd op zijn borst, dan hun vlucht naar Las Vegas, de kapel, oktober, hun eerste huwelijksnacht, het smakeloze motel. Hij weet nog dat ze met elkaar vreeën; het was al anders: het woord 'echtgenote' dat nu bij de vrouw onder hem hoorde, zijn brede hand tegen haar wang gevlijd, haar woorden: 'We zijn getrouwd', en wat hij terugfluisterde: 'Ik weet het.' Het was niet het idee dat ze getrouwd waren dat dingen anders maakte – hij had zich nooit erg druk gemaakt om wat uiteindelijk maar taal was, een vertoning –, maar het idee van een begin, waarmee elke einde begon, datgene waar hij al meer dan veertien jaar voor op de loop was.

Fola plaagde hem er altijd mee dat hij Ling zijn 'partner' noemde, en weigerde 'vriendin' te zeggen ('je collega,' plaagde ze hem). Ze hadden geen trouwdatum. Ze hadden geen begin. 'Jij bent geen Aziaat,' zei ze, en hij hield van haar. Fait accompli. Hij kon heel filosofisch doen over het kinderachtige van de bijbehorende taal, 'vriendje/vriendinnetje', over het lege van 'verliefdheid', over de fysiologische fundering van begeerte en aantrekkingskracht, het onzinnige van de verheerlijking van het paringsinstinct en alles wat er verder bij kwam kijken. Maar eigenlijk was hij doodsbenauwd voor eindes. Hij kon niet begrijpen hoe mensen liefhadden, en dan opeens niet liefhadden. Liefhadden, en daar opeens mee ophielden. Zoals een hart ophoudt met kloppen. (Hij wist natuurlijk wel hoe, hij begreep alleen niet waarom.) Dr. Soto had hun een keer uitgelegd dat de reden waarom mensen met elkaar daten – de enige echte reden om met elkaar te daten, wat iets anders was dan een leven lang bij elkaar blijven – erin gelegen was dat ze zich op die manier, lichamelijk en direct en prozaïsch, vertrouwd maakten met de realiteit van hun eigen 'persoonlijke sterfelijkheid', en anders niet. Een van de jonge specialisten had net zijn huwelijk afgeblazen en liep door de operatiekamer met een uitdrukking op zijn gezicht alsof hij zichzelf elk moment iets kon aandoen met zijn scalpel. Dr. Soto had hen na de operatie allemaal bij elkaar geroepen en gezegd:

'de enige zin van een relatie is dat je, in het klein, het hele verduivelde drama van leven en dood opvoert. Liefde wordt geboren zoals een kind wordt geboren. Liefde groeit op zoals een kind opgroeit. Een mens weet heel goed dat hij moet sterven, maar omdat hij alleen het leven kent, gelooft hij niet in zijn eigen dood. Maar op een dag begint zijn liefde te verkillen. Het hart van zijn liefde staat stil. De liefde valt dood. Op die manier leert de mens dat de dood een realiteit is, dat de dood kan bestaan in zijn wezen, in zijn eigen wezen. Het verlies van een huisdier of een roos of een ouder kan de mens pijn doen, maar is niet genoeg om het duidelijk te maken. Om als realiteit te worden erkend, moet de dood zich in het hart manifesteren. Pas als de liefde is gestorven, gelooft de mens in zijn eigen dood.'

Olu had er lachend naar geluisterd. Want bekijk het maar eens van de andere kant. Stel dat de liefde niet doodgaat, stel dat de liefde niet eens geboren wordt? Stel dat hun liefde er gewoon altijd geweest was vanaf het moment dat ze elkaar hadden aangeraakt bij het inschenken van de punch op die open dag van het Aziatisch-Amerikaans Cultureel Centrum op Yale? Stel dat er geen relatie was waar een eind aan kon komen? Geen vriendje/vriendinnetje? Geen 'nu horen we bij elkaar' en dus ook geen 'nu niet meer' in het verschiet? Dat was wat hij met Ling Wei had, dacht hij. Het dramaloze leven van een beginloze liefde.

Toen gingen ze in een opwelling naar Las Vegas om te trouwen. Na de huwelijksvoltrekking bedreven ze de liefde met haar gezicht in zijn handpalm. Die nacht lag hij roerloos in bed met haar wang op zijn borst en dacht hij aan een 'einde' en wilde hij huilen. Jaren eerder had hij echter gezworen dat niet te doen, tanden op elkaar voor de spiegel, alleen op zijn studentenkamer, en daarom lag hij tot het licht werd naar het enorme roze neonhart aan het plafond te kijken dat de hele tijd aan en uit knipperde. In de ochtend vroeg hij of ze het misschien geheim zouden kunnen houden, of ze er tegen anderen misschien over zouden kunnen zwijgen, of het 'gewoon iets van hun tweeën' kon blijven. Wat hij eigenlijk bedoelde was: 'Ga niet dood, word niet koud, houd niet op met kloppen', maar hij wist dat het geen zin had. Nu staat hij in de deuropening in deze pauze tussen twee bedrijven en bedenkt hij wat hij eerder in de slaapkamer dacht: dat hij het niet kan verdragen haar te verliezen, haar verder te laten afdrijven, of zelf verder af te drijven, maar dat 'vooruit' en 'dichter naar elkaar toe' zijn enige twee opties zijn, niet 'terug', zoals hij had gehoopt: ze kunnen niet 'ont-beginnen'.

En dus begint hij: 'Ik moet je iets vertellen.'

Ze kijkt, ziet zijn dichte ogen en maakt aanstalten om uit bed te komen. Hij hoort haar en schudt zijn hoofd. 'Alsjeblieft. Luister alleen alsjeblieft.' (Dat doet ze, ze blijft op het bed zitten, met haar voeten op de grond.) 'Je leeft je hele leven in deze wereld, in deze werelden, en je weet wat ze van je denken, je weet wat ze zien. Je zegt dat je uit Afrika komt en dan wil je je meteen verontschuldigen, uitleggen dat je desondanks intelligent bent. Er is geen waarde aan verbonden. Dat voel je. Als je zegt: "Azië, het oude China, het oude India", denkt iedereen: aah, de oude wijsheid van het oosten. Als je zegt: "Het oude Afrika", denkt iedereen: irrelevant. Stoffig en irrelevant. Verloren. En het kan niemand een flikker schelen. Je wilt dat ze je zien als iets van waarde, niet als iets stoffigs, iets irrelevants, iets achterlijks, begrijp je wel? Je wou dat het je geen flikker kon schelen, maar op de een of andere manier kan het je wel iets schelen, omdat je wéét, Ling. Je bent bang voor wat ze denken zonder het te zeggen. En dan, op een dag, hoor je het hardop uitgesproken worden. Zoals, toen je vader...'

'Mijn vader is een klootzak...'

'Je vader had gelijk. Ik was niet naar Haïti voor dat project toen we afstudeerden. Ik was hier, in Ghana, om hem op te zoeken. Ik heb gelogen. Hij stuurde me altijd maar brieven waarin hij me uitnodigde om langs te komen, om met mijn verjaardag een keer bij hem te zijn, om zijn kant van het verhaal ook eens aan te horen. Hij woonde... in een vreselijke flat. Hij zei dat hij daar zou zitten tot hij het zich kon veroorloven een stuk land te kopen. Ik weet het niet. Ik ben niet gebleven. Er was een vrouw, een andere vrouw, hij leefde samen met een andere vrouw, ik weet niet wie dat was. Ik weet wel wat hij was. Hij was die man. Hij was dat stereotype. De

Afrikaanse vader die zijn kinderen in de steek laat. Terwijl ik altijd gehoopt had dat de mensen nou juist een ander beeld van ons zouden krijgen.' Hij knijpt zijn ogen dicht en schudt zijn hoofd. 'En ik wéét het. Ik sta in dat huis, in die hut waar hij in is opgegroeid. Die man is vanuit het niets opgekomen; hij heeft keihard gewerkt, ik wéét het. Ik wíl ook trots op hem zijn. Op alles wat hij bereikt heeft. Ik weet dat hij ontzettend veel bereikt heeft. Maar het lukt me niet. Ik haat hem omdat hij in die smerige flat woonde. Ik haat hem omdat hij die Afrikaanse man was. Ik haat hem omdat hij mijn moeder pijn heeft gedaan, omdat hij bij ons is weggegaan, omdat hij is doodgegaan, ik haat hem omdat hij er zomaar tussenuit is geknepen.'

Tranen. Maar anders dan de tranen van Taiwo en Kehinde, geen dam die het begeeft waarna de vloedgolf op gang komt. Ze beginnen geluidloos en hij blijft roerloos staan, het is allemaal even vreemd als de tranen die hij over zijn gezicht voelt stromen. Hij leunt tegen de deurpost, te moe om nog verder te praten, en hoort in de stilte de brulkikkers buiten. Hij hoort niet het kraken van het bed als ze opstaat. Hij voelt haar kleine handen op zijn wangen. 'Misschien was het wel het beste wat hij doen kon,' zegt ze zacht. 'Misschien was wat hij gedaan heeft wel het beste wat hij doen kon.' Hij knikt, hoewel het pijn doet. Hij slaat zijn ogen op. Ze glimlacht naar hem, veegt haar eigen tranen af, en dan de zijne. Hij raakt de hand aan die ze tegen zijn jukbeen heeft gevlijd. Ze denkt dat hij wil dat ze daarmee ophoudt en trekt zich terug. Maar hij drukt zijn hand tegen haar hand, tegen zijn jukbeen. 'Ik wil het beter doen.' Hij kust haar lippen.

Hij voelt haar verrastheid als ze haar hoofd in de nek legt en haar mond naar hem toe brengt, zoals ze altijd deed toen ze nog studeerden, als hij met haar meeliep tot aan haar deur op de Old Campus en hij in het lantaarnlicht bleef staan om de vorm van haar mond te bekijken. Haar roze lippen voelden zijn blik en kwamen dan langzaam omhoog, naar hem toe, alsof ze een eigen wil hadden en niet per se deden wat zij wilde, of hij. Hij had op de middelbare school wel meisjes gezoend maar nooit zo, met lippen die voor marionet speelden, met zijn ogen als poppenspeler. En hij had nooit seks gehad (is de waarheid die hij haar nooit verteld heeft, half gegeneerd, half geroerd door zijn eigen gebrek aan ruimdenkendheid. Hij was er altijd van uitgegaan dat hij andere vrouwen zou willen, dat hij naar andere lichamen zou gaan verlangen wanneer de maanden jaren werden, maar dat gebeurde niet, en dat is ook niet gebeurd toen de jaren zich aaneenregen. Zijn eerste is zijn enige gebleven). Hij raakt haar hals aan. Hij voelt haar hartslag versnellen onder zijn vingers. Hij voelt zijn hart versnellen op het ritme van haar ademhaling. 'Ik wil het beter doen,' fluistert hij, door hun kussen heen – haar kin, haar hals, naar haar borst. Hij houdt zijn hand onder op haar rug zodat ze zich langzaam achteroverbuigt, en kust haar borstbeen, de met katoen bedekte tepels, eerst de ene, dan de andere, en trekt haar shirt omhoog. Hij legt zijn handpalm op haar borstbeen, zijn vingers, en kust het kuiltje van haar sleutelbeen, één keer. De geluidjes die ze maakt zijn lichtjes op een landingsbaan; zijn hand glijdt naar haar middel, haar onderbuik.

'Vrij met me,' fluistert ze. 'Vrij met me, vrij met me.' Ze grijpt zijn gladde hoofd met zoveel kracht dat hij naar adem hapt en opkijkt naar haar gezicht, een bleek masker van pure pijn, zo'n verlangen, zo'n behoefte dat ze heel iemand anders lijkt. Hij tilt haar met één arm makkelijk op, legt haar op het bed en trekt het weinige dat ze aanheeft uit. Ze knoopt zijn broek los met gehaaste, uitgehongerde bewegingen en duwt hem met haar voeten tot op zijn knieën. Hij houdt haar polsen met één hand vast tegen het bed, armen uitgestrekt boven haar hoofd. 'Vrij met me. Alsjeblieft.'

Hij zal zo doen wat ze wil: lichaam doorboren met lichaam, krachtig door labia heen drukken, hand op haar mond (hoewel hij

degene is die kreunt als hij doorstoot tot haar kern), glibberig roze weefsel dat gewillig uiteengaat. Zijn lichaam zal eerst nog
vreemd aanvoelen, groter, op een of andere manier, te groot en te
sterk, als iets wat pijn kan doen; voor het eerst zal hij zichzelf zien,
in haar, als degene waar hij het net over had, een 'Afrikaanse man'.
Hij zal beginnen zich uit haar terug te trekken, bang dat hij haar
pijn doet, bang voor de geluiden die langs zijn hand ontsnappen,
maar Ling zal het niet toestaan – ze zal zijn billen pakken en hem
dieper naar binnen trekken, verder, dieper. Maar eerst zit hij daar
alleen maar op zijn knieën en wacht, en kijkt: naar het lichaam van
Ling in deze slaapkamer die niet de hunne is, haar gezicht, net als
het zijne, verwrongen door verdriet en verlangen en de lamp boven het bed en waarheden die ze nog maar net verwoord hebben,
maar met vormen die nog vertrouwd aanvoelen, het vertrouwde
landschap: botten, borsten, heupen, ribben, schaambeen, navel,
moedervlek, vlees, haar, huid: het lichaam van de vrouw, haar
líchaam, zonder één hoekige vorm en verre van steriel, alles even
rond en breekbaar en zacht, en zo thuis.

III

Taiwo ligt op haar zij als hij terugkomt uit de tuin. Hij denkt dat
ze slaapt en laat het licht uit. Hij legt zijn telefoon naast de roze
bloemen op het houten nachtkastje en trapt zijn schoenen uit.
    'Wie had je aan de telefoon?' vraagt ze, zonder zich om te draai-
en. 'Ik hoorde je door het raam.'
    'Mijn assistent,' zegt hij. 'Er komt een expositie van die schilde-
rijen die jullie gezien hebben, van de muzen, in Greenpoint. Ze
zijn nog niet klaar, ik weet het, maar ik heb het idee dat ze me wel
eens zouden kunnen bevallen. En ik denk jou misschien ook wel.'
Hij is nerveus. Hij zwijgt.

'Ze zijn ongelooflijk, K.'

Ze draait zich om en kijkt hem aan, met haar wang op het kussen, haar handen eronder – maar hij hoort iets anders. Drie andere woorden, haar stem, in zijn hoofd, een fragment. Haar gedachte tussen de zijne. Hij voelt zijn hart zwellen bij de gedachte dat hij gehoord heeft wat ze dacht, kortstondig, maar toch. Ontvangst. Drie woorden in stilte, in de ruimte tussen twee bedden, haar lage stem in zijn hoofd, zoals hij hem vroeger hoorde. Hij kijkt naar zijn zus, of probeert dat althans, in het donker. Ze kijkt terug, een droeve glimlach om haar lippen. Ze zeggen niet wat duidelijk genoeg is: dat ze allebei gehuild hebben. Ze kijken elkaar aan met rauwe, opgezette ogen.

'Ze is een mooie vrouw,' zegt Taiwo. 'Je assistent.'

'Ja, dat is ze.' Hij hoort haar adem stokken, een knoop in haar keel. Hij herinnert zich dat gevoel uit hun puberteit, een dermate bijzonder gevoel dat het zijn eigen geur heeft: een tienerluchtje, kiwi-aardbei. Jaloezie. Of bezitterigheid. Bezitterigheid en gêne, wat ze niet had hoeven voelen (want hij had hetzelfde gevoel, dat hij van Taiwo was: iets wat bij haar hoorde, als één geheel).

'Vind je haar leuk?' vraagt Taiwo.

'Ik denk het wel,' zegt Kehinde.

Ze wrijft slaperig in haar ogen. 'Ik had al zo'n idee.'

De knoop verdwijnt weer, lost weer op. Ze gaat op haar rug liggen, met haar handen op haar ribben. Hij blijft zitten waar hij zit, op de rand van het bed, tegenover haar, te moe om zich te verroeren. Hij doet zijn ogen even dicht en hoort ze weer, die drie woorden, haar lage stem, dicht bij de zijne. Bijna te dicht, denkt hij. Hoort hij zijn zus, haar gedachten in zijn hoofd, of hoort hij gewoon zichzelf? Even verliest hij de moed: een duikeling van een vlieger, hoog in de lucht. Hij heeft er zo lang op gewacht om haar stem weer te horen, maakte niet uit wat voor gedachte ze uitsprak – en hij had er al helemaal niet op durven hopen dat ze uitgerekend díé gedachte een stem zou geven, de gedachte waar hij al die jaren zo graag in heeft willen geloven, in heeft willen durven geloven. Was het zijn schorre stem die hij gehoord had en niet die van Taiwo? Waren de drie woorden in stilte zijn vergiffenis, niet de hare? Hij slaat zijn ogen op en wil het aan haar vragen, maar ziet dan dat haar ogen zijn dichtgevallen.

Ze slaapt.

Hij buigt zich voorover om naar haar te kijken, ellebogen op de knieën. Haar gezicht in het maanlicht is onmogelijk stil. Als zich na een uur een dun laagje zweet op haar bovenlip heeft gevormd staat hij op en veegt het af. Hij is moe. Hij gaat op het bed zitten, bij zijn zus. Hij strijkt haar dreadlocks glad, een kluwen slangen. Hij kust haar handen en hij fluistert: 'Vergeef me.' Zijn lichaam is al te zeer verzwakt van de dag en hij gaat liggen.

IV

Later, even later, een uur voor zonsopgang, wordt Taiwo wakker zoals je wakker wordt uit een droom, zoals je wakker wordt als je je met kleren aan in slaap hebt gehuild; ziet dat Kehinde naast haar ligt, met zijn hoofd bij haar voeten. Ze gaat zitten en kijkt naar hem, nog in de kleren, zijn hand bij zijn mond, bij de baard die hij heeft laten staan. Heel stilletjes staat ze op en ze loopt net naar de badkamer als ze denkt dat hij iets gezegd heeft. Ze draait zich om. Hij snurkt. Zijn lippen bewegen. Drie woorden, denkt ze, misschien. Ze loopt naar het voeteneind van het bed en kijkt. Zijn ogen zijn nog opgezet als die van een kind dat tranen met tuiten heeft gehuild. Ze kijkt naar de hand, handpalm naar boven, bij zijn mond. Ze raakt het litteken aan, een T, heel zachtjes, maar zijn hand sluit zich in een reflex en knijpt in haar duim. Ze blijft staan zonder zich te bewegen, ze wil hem niet wakker maken. De vogels in de tuin beginnen hun klaagzang. Ze denkt het, hoewel het pijn doet, hoewel ze het nog niet kan uitspreken. Zijn vingers ontspannen zich en ze trekt haar duim er voorzichtig uit. Ze blijft staan en staart naar zijn gezicht tot ze het ziet, vijftien seconden, niet langer. Een glimlach in zijn slaap.

V

Zo komt de ochtend (dood aan het fletse grijs, et cetera); Sadie voelt dat er iets ontbreekt en slaat haar ogen op. Fola ontbreekt, hoewel er nog een zweem van haar geur is blijven liggen. Ook de vlinders hebben haar borst verlaten. Met enige verwondering en iets van achterdocht voelt ze de leegte in haar midden, haar hemd is nat van het zweet. Ze kijkt naar de wekker bij de ingelijste foto en moet lachen om de datum op de analoge klok. Kerstmis. Geen kastanjes, geen *baked beans*, geen arrenslee met rinkelende belletjes. Paarse bloesems, palmbomen, buulbuuls, een chalet zoals ze ook in Aspen staan. Ze zet het lijstje rechtop, probeert de foto er recht in te krijgen door ertegenaan te tikken. Het lukt niet. Vreselijk kiekje. Maar waarschijnlijk de laatste foto waar ze met z'n allen op staan, begrijpt ze nu. Ze kijken weliswaar allemaal een andere kant op, haar vader naar de camera, zij van boven naar zijn hoofd, haar moeder naar haar tutu, haar broer naar haar moeder, de tweeling weet zij veel waarnaar, ze staan er weliswaar enigszins wazig op allemaal – maar ze staan er wel allemaal op, ze staan allemaal bij elkaar.

7

Lamptey zit stilletjes bij de tuinmuur, benen nat van de dauw, joint bijna op, saffraangeel vervangen door stevig linnen, zwart, in de schaduw bijna niet te zien. Hij heeft daar sinds maandag elke morgen al gezeten, zijn drie dagen rouw: bij de muur, aan de rand van het gras. Hij vertrekt voor de zon opkomt, onopgemerkt door de vrouw die om kwart over zes in de keuken verschijnt. Ze komt niet naar buiten, de tuin in, ze kijkt ook niet; ze staat alleen aan het aanrecht en maakt iets te drinken klaar met de verstarde uitdrukking op haar gezicht van acuut verdriet – haar zachte, lieflijke gelaatstrekken gestold door de schok van het gebeurde. De hond was dinsdag ook meegekomen maar vond het te treurig en was op het strand gebleven toen hij bij het eerste ochtendgloren vertrok. De vogels die hij maandag in de fontein aantrof moeten nog komen, hij treurt in zijn eentje.

In zekere zin is hij gekomen om de zachte vrouw te zien, om haar te 'wekken' met zijn kaarsvlamblauwe blik. Misschien dat zijn aanwezigheid voor haar een boodschap zou kunnen zijn, dat niet alles verloren is, dat ze niet alleen is. (Eigenlijk is hij degene die eenzaam is, wat anders niets voor hem is. Maar hij mist de man in de zonnekamer die hij gebouwd heeft. Hij mist het wuiven van het servet, de bril, het morsen met koffie op zijn broek, hun dans.) Hij zit achter in de tuin met zijn joint en trekt eraan met pijn in het hart, terloops met een hand over het gras strijkend. Hij vraagt zich af of de man de plant hier ooit heeft zien staan, de weelderige hennepplant, verdekt opgesteld achter de roze bloesems. Waarschijnlijk niet. Hij lacht een beetje treurig. Hij doet zijn ogen dicht en blaast de rook uit. De zon komt op. Tijd om naar huis te gaan.

Hij besluit nog een paar minuutjes te wachten om haar nog één keer te zien voor hij hier voor het laatst vertrekt, als hij een auto op de oprit hoort, geknerp van banden op de stenen, biep-biep. Hij doet zijn ogen open en lacht weer. Wat is dit? Hij wacht roerloos, aangenaam getroffen door deze verrassing. Er belt iemand aan bij het hek, een nasale zoemer. Hij kijkt naar het huis als naar een film. De deur gaat niet open. De zoemer, langer aangehouden nu. Er wordt een roffel op het manshoge hek gegeven. Lamptey trekt aan zijn joint. Hij weet het niet. Moet hij op de vrouw wachten? Moet hij die persoon binnenlaten? De man kreeg nooit bezoek. Althans niet in die jaren dat hij hier in een tent sliep of op de maandag. Alleen Kofi, en later de verpleegster.

Daar is ze. Nachthemd en roze, donzige slippers. Ze doet de deuren van het huis open en komt naar buiten. (De man wilde dubbele deuren – eenvoudige bamboe met een к op de ene deurkruk en een ғ op de andere – van het huis naar de grijs-niet-groene binnenplaats, met het verwarmde tegelpad rondom. Lamptey zou gedacht hebben dat een к en een s toepasselijker waren maar had de letters erin gekerfd zonder vragen te stellen.) De vrouw komt in haar nachthemd door de dubbele deuren naar buiten en loopt over het tegelpad naar het hek, een rechte lijn van grijze leisteen door een witte kiezelzee, zoals in verbleekte blauwe inkt geschetst op een servet.

'Hallo?' vraagt ze behoedzaam.

'Hallo.' Een vrouwenstem.

Maar een ander soort vrouwenstem, een ander soort vrouw.

Hij heeft haar nooit eerder horen spreken, de vrouw-in-het-roze, maar haar stem is precies zoals hij gedacht had: heel lief, heel onschuldig, wachtend op instructies, de stem van iemand die het gewend is opgedragen te krijgen wat ze doen moet. Het gebromde 'hallo' van de vrouw-bij-het-hek is een rivier, de bodem van een rivier, een echo, een getij. De stem wacht niet op instructies maar geeft ze, op milde toon. De vrouw-in-het-roze is inschikkelijk. Ze trekt de schuif terug, goed van vertrouwen, en duwt het hek open.

De riviervrouw komt binnen met haar armen vol bloemen. Lamptey lacht weer zachtjes, verrast: het zijn precies dezelfde bloemen die hij ook voor deze tuin heeft uitgekozen, een druk geheel, helderroze en dieprode tinten. Haar verschijning is fascinerend, meer dan zomaar aantrekkelijk. Haar voorkomen prikkelt niet, wekt jaloezie noch ontzag. Het brengt rust. De vrouw-in-het-roze staart zonder iets te zeggen. Hij neemt even geen trekje van zijn joint en tuurt vanaf zijn plekje in de tuin. Zelfs van hieraf, bij de muur, op die afstand, met zijn ogen die steeds minder worden, ziet hij wat voor effect de vrouw heeft. Ze lacht, gegeneerd. 'Sorry dat ik stoor. Het is nog heel vroeg, ik weet het, om bij iemand langs te gaan, maar Benson, eh, dr. Adoo, gaf me dit adres, en ik dacht ik ga er toch even heen om mijn medeleven te betuigen.'

De vrouw-in-het-roze staart zonder iets te zeggen.

'Ik ben Fola.' Ze valt even stil. 'Ik ben Kweku's... ik was de vrouw van Kweku Sai.' Ze houdt haar de bloemen voor. 'Het spijt me zo vreselijk voor je. Deze zijn voor jou. Ik... ik weet niet eens hoe je heet.'

'Ama,' zegt de vrouw-in-het-roze, maar het klinkt als een vraag. 'Ben ik Ama?' Ze klinkt verward, alsof ze niet goed weet wat dit te betekenen heeft. Ze herhaalt de woorden van Fola alsof ze zo misschien het antwoord op het spoor kan komen, zoals een schoolmeisje de woorden van een dictee herhaalt: 'Ik was de vrouw van Kweku Sai.' Ze denkt even na over wat ze net gezegd heeft. Haar verstarde trekken beginnen te ontdooien. 'Dr. Sai is er niet,' voegt ze er schattig aan toe, met bevende stem, woorden die ze aan de telefoon kennelijk wel vaker gebruikt. De schouders beginnen te trillen. 'Kan ik alstublieft een boodschap aannemen?'

'O, lieve schat,' zegt Fola, en ze zet het boeket neer. Ze slaat haar beide armen om de mollige schouders van Ama. Ze is groter, veel groter. Een boom, denkt Lamptey. ('Wat zijn dat voor bomen?' had hij gevraagd, met dat servetje in de hand. De man had moordlustig naar de mangoboom gekeken. 'Maakt niet uit.')

De twee vrouwen staan enkele ogenblikken bij het hek. Als Ama haar kans schoon ziet, trekt ze zich los om haar platte neus af te vegen. 'Het spijt me,' snottert ze.

'Maakt niet uit,' zegt Fola. Een diepe, korte lach, een vluchtig handgebaar. 'We hebben een kleine ceremonie gepland, heel klein, in Kokrobité. Ga je ook met ons mee, ja? Heel eenvoudig, hoor. Verder niemand, alleen wij.'

Ze blijven praten, Ama blijft instructies in ontvangst nemen. Lamptey kijkt glimlachend toe: ze is dus toch niet alleen. Fola zegt dat ze met alle plezier even op de oprit wil blijven wachten als Ama zich zou willen aankleden en meegaan. Ama staat erop dat Fola binnen komt om te wachten. Ze pakt het boeket op en gaat haar voor.

Bij de dubbele deuren blijft Fola even staan, ze ziet de beide deurkrukken. Ze raakt eerst de K aan, en dan de keurige, met de hand gekerfde F. Pas dan werpt ze een blik naar rechts en ziet de fontein. Ze moet lachen om het standbeeld, dat met onkruid versierd is. De man aan de rand van de tuin ziet ze niet. Ze gaat naar binnen en de dubbele deuren gaan dicht. Als ze weer naar buiten komen, met z'n tweeën, is de tuin leeg. Lamptey is weg.

II

Ze gaan terug naar het strand. Ama rijdt met Fola mee, de anderen met Benson, een kleine karavaan. Niemand weet goed wat hij tegen die Ama zou moeten zeggen; ze glimlachen allemaal beleefd en laten het daarbij. De zusters staan argwanend bij elkaar. Ze wisselen in het Ga een paar groeten uit met Ama. Benson haalt de urn uit een officieel ogende kist en geeft hem met een officieel ogend knikje aan Fola. Ze was eigenlijk van plan zijn as te verstrooien op de zeewind, de man de vrijheid te geven, einde waar het begonnen was en dat soort dingen. Maar nu ze het deksel eraf draait, kan ze het niet. Het idee dat hij verspreid zou raken lijkt haar op een of andere manier niet goed. We zijn al genoeg verspreid, denkt ze. Kapotte kruik, scherven. Houd hem erin, denkt ze, laat hem heel blijven. Ze draait het metalen deksel weer vast en laat zich op haar knieën bij het water zakken. Ze kijkt niet naar haar kinderen, bang dat ze zal moeten huilen. '*Odabo*.' Da-ag. Legt de urn in het water. Een golf komt aanrollen maar trekt de urn niet mee terug. Hij rolt opzij, drijft een klein eindje. Een andere golf komt eraan, maar de urn is weer blijven liggen. Ze gaat staan en kijkt toe, een arm om haar middel. De urn draait zich om in het schuim, dobbert een eindje richting zee. Alsof hij ergens op wacht. Ze denkt het maar kan zich er niet toe brengen het hardop te zeggen. Ik hou van je. Een golf die enige verwachting wekt komt aanrollen. Ama slaakt een gilletje, een beetje als een buulbuul. Fola kijkt toe hoe Kweku langzaam wegdobbert.

III

Ze ligt weer in haar stoel bij de waaierpalm. Amina is binnen bezig met het eten. Olu en Ling zijn haar heel plichtsgetrouw aan het helpen; Benson is op pad met baby Sadie en de tweeling, op zoek naar een boom. Je hebt wel coniferen in Ghana, dat weet ze, maar geen sparren. Ze had ze nog willen waarschuwen, maar had ze toch maar laten gaan. Ze willen bezig blijven, dat begrijpt ze, om het niet te hoeven zeggen. Om geen stiltes te laten vallen. Om niet te hoeven zeggen dat ze het voor elkaar hebben. Zestien jaar zowat, en nu zijn ze hem kwijt. Kweku is niet meer, niets aan te doen.

De zon is aan het ondergaan; nog even en de muskieten zijn er weer. Ze neemt een lange hijs en leunt achterover in haar stoel. Ze denkt aan het ronde gezicht van de mollige Ama en gniffelt. Nog maar nauwelijks een vrouw, hoe zou ze ooit 'vrouw van' hebben kunnen zijn? Dan moet ze lachen om haar eigen gegniffel. Is ze jaloers? Ja, misschien. Of is het meer gêne, omdat ze zo is blijven stilstaan? Ze herinnert zich dat ze Benson tegenkwam in de hal van het Hopkins. De huid van gebrande omber, zwarte zeep, fluwelen stem. Vindt Benson haar leuk?, vraagt ze zich af. Misschien wel. Ook daar moet ze om lachen. Ze neemt nog een flinke hijs.

Mustafah staat op een ladder de lichtjes op te hangen. Ze had bedacht dat ze die nog had en hem meteen gevraagd ze uit te proberen. Ghartey kauwt op een stuk suikerriet en kijkt geamuseerd toe. Ze schrikken allemaal van de bel, bij de poort. Fola kijkt. 'Dat zal Benson zijn,' zegt ze, hoewel ze zich afvraagt waarom hij niet geclaxonneerd heeft. Ghartey doet beide hekken open om de auto binnen te laten. Daar staat Ama, nerveus, achter haar staat een taxi.

'Mevrouw,' zegt ze verlegen als ze Fola in haar ligstoel ziet.

Fola krabbelt overeind. 'W-w-wat leuk.' In een opwelling wil ze haar sigaret verbergen, maar het blijft bij een opwelling. Ze loopt op Ama toe om haar te begroeten. 'Is alles goed?' Na de ceremonie in Kokrobité hebben ze haar thuis afgezet; Fola had haar nog uitgenodigd om te komen eten, maar dat had Ama afgeslagen. Nu denkt ze dat ze zich misschien toch nog bedacht heeft en daar is ze blij om. Die vrouw heeft iets wat schreeuwt om liefdevolle zorg. Ze zou het niet erg vinden weer iets te hebben waar ze voor kon zorgen, nu alle anderen lijken te zijn gevlogen.

Maar Ama schudt het hoofd. 'Ik blijf niet, alstublieft,' zegt ze, met vaste, staccato stem. 'Ik heb deze voor u meegenomen.' Ze houdt haar een tas voor, een plastic Ghana-ga-wegtas. Haar glimlach en opgetrokken wenkbrauwen verdoezelen haar trots. Net als voorheen lijken haar bewegingen die van Fola te herhalen: ze houdt haar de tas voor zoals Fola haar de bloemen voorhield. Het is roerend, bijna schrijnend. Fola glimlacht.

'Dank je wel,' zegt ze. 'Weet je zeker dat je niet wilt blijven?'

Ama werpt een blik over haar schouder op de taxi. 'Nee, ik ga weer, alstublieft.' Ze glimlacht, met een weerspiegeling van de gepijnigde uitdrukking op het gezicht van Fola, en gaat dan. Fola, overrompeld door haar plotselinge vertrek, steekt een hand op terwijl de taxi wegrijdt. Ze schuift de plastic zak onder een arm en trekt aan haar sigaret. Ghartey komt eraan en doet de hekken weer dicht.

Ze gaat terug naar haar stoel. Ze kijkt in de tas en moet zo hard lachen dat Ghartey angstig opkijkt. Met haar sigaret in de ene hand haalt ze met de andere de slippers tevoorschijn: afgedragen slippers met dunne, versleten zolen. Ze drukt de sigaret uit om beide handen vrij te hebben en pas dan ziet ze het gezicht dat in de aarde is getekend. Kweku, hoe schetsmatig ook (dat moet Kehinde gedaan hebben). Ze kijkt naar de mond, naar de ietwat schuine ogen. 'Daar ben je.'

Hier ben ik.

'Je vrouw is geniaal. Slippers.' Ze schiet in de lach en pakt ze op van haar schoot. 'Ik bedoel maar.'

Geniaal. Hij lacht. Zij lacht. *Waarom ben ik ooit bij je weggegaan?*

'Ik ben ook bij jou weggegaan.' Ze snuift de geur op van het vergeten vertrouwde. Ze drukt de zolen tegen haar wangen aan, die nat worden. 'We deden wat we kenden. Dat was wat we kenden. Weggaan.'

Is dat zo?

'We waren immigranten. Immigranten gaan weg.'

Dat is nog geen reden.

'Lafaards.'

We waren geliefden.

'We waren ook geliefden.'

Hadden we het niet kunnen leren? Om niet weg te gaan?

'Ik weet het niet.' Ze is een ogenblik stil. Ze weet dat ze kijken, het personeel, ze staan bij het hek, verward en geschrokken. Maar ze kan er nog steeds niet mee zitten. Ze denkt het zonder het te zeggen: een mens kan maar zoveel leren in één leven. 'Ben je er nog?'

Ja. Voorgoed.

Ze lacht. Ja, dat zit er dik in. 'Wij hebben geleerd om lief te hebben. Laat hén maar leren om te blijven.'

Hoe gaat het met ze? Met de kinderen?

'Ze zijn hier,' zegt ze, en ze wijst. 'Ik heb gekregen wat ik wilde. Dankzij jou zijn ze allemaal thuis. Ze zijn allemaal hier voor de kerst. We eten gebraden kip. Jouw Olu wil hem natuurlijk aansnijden.'

Mijn Olu.

'Nou ja. Hij was altijd jouw lieveling.'

Jouw Sadie.

'En van wie…?'

Van elkaar. De tweeling.

'De tweeling…' Ze valt stil. Hoort de motor van een auto die blijft draaien. Een claxon. 'Ze zijn er weer. Ik moet gaan.' Maar ze gaat niet. Ze blijft zitten, steekt haar handen in de slippers alsof het handschoenen zijn en bedekt haar gezicht. 'Jij moet gaan,' zegt ze zachtjes. Ze knijpt haar ogen dicht. Er wordt aan het hek gerammeld. Autobanden keren. 'Ik weet het, ik weet het, ik weet het.' Dan is er stilte. Portieren gaan open, weer dicht. Ze haalt haar handen uit de slippers en slaat haar ogen op.

Een zonsondergang in de kleuren van de dageraad.

'We hebben er een gevonden!' roept Sadie.

Ze tillen de boom uit de kofferbak. Benson glimlacht en zwaait naar haar. Fola zwaait terug: 'Ik kom eraan.' Ze drukt haar grote teen op de mond op de grond. Het is een rake schets, onmiskenbaar Kweku. Ze staart ernaar en wacht of ze nog iets te horen krijgt. Dan moet ze lachen omdat ze daar zo staat. Er is niks om op te wachten. Ze pakt zijn slippers en brengt ze naar binnen.

Dankbetuiging

Ik dank God en – in alfabetische volgorde en met heel mijn hart – Andrew Wylie, Ann Godoff, Anne Carol Edelberg, Anthony Campbell, Ashish Bhatt, Avery Willis Hoffman, Carlos Watson, Catherine Coker, Charity Hobbs, Cheryl Faye, Damon Darryl Hamilton, Dan Urman, Daniele Novello, David Adjaye, David Holloway, Deborah Holloway, Dela Wosornu, Derrick Ashong, dr. Juliette Tuakli mijn geliefde moeder, dr. Lade Wosornu mijn briljante vader, dr. Wilburn Williams mijn liefste papa, Edem Wosornu, Edward Williams, Elaine Markson, Eliza Bentley, Elizabeth Janus, Elizabeth Shipman Lee, Ellah Allfrey, Ernest Marshall, Eyi Williams, Fabio Berardo, Fiorhina Perez-Olive, First Corinthians Baptist Church, Ford Morrison, Francesco Aureli, Francesco Clemente, Gabriele Paoletti, Gabriella De Ferrari, Garry Bromson, de Geezer Gang, Genevieve Dadson, Genevieve Helleringer, Gianna D'Amore, de Harlem Arts Alliance Creative Writing Workshop, Heather Charisse McGhee, Ileane Ellsworth, Ingrid Barnsley Juratowitch, Jamakeah Barker, James Connolly, Jamin Gilbert, Jeanine Pepler, Jenny Calixte, John Earl Jelks, John Freeman, John Kuhn, John Reed, John Pepper, John Simms, Joy Hooper, Joy Sacca, Judas Hicks, Julia De Clerck-Sachsse, Kamin Mohammadi, Kate White, Kathryn Getty-Williams, Kathy Trotter, Keith Davis, Kendrick Forte, Kevin Quinn, Khadija Musa, Khameron Juttla, Kirsti Samantha Samuels, Kofi Owusu, Kristian Moore, Kurt Gutenbrunner, Kyle Juttla, Lanita Marie Tolentino, Laura Armstrong, Lauren L. Messelian, Lauren Zeifman, Lexa Marshall, Lindsay Whalen, Lord Patten of

Barnes, Lou Gutenbrunner, Mai Gianni, Margaret Yee, Maria Manuela Enwerem Bromson, Mary D'Amore, Masao Meroe, Matthew Jacobson, Maureen Brady, Melanie Harris Anderson, Michael Ryan Robinson, Michaeljulius Youmanli Idani, Monte Harris, Muina Wosornu, Naima Jean Garvin, neef Alex, Nike Jonah, Nonking Eheh, Olukemi Morenikeji Abayomi, Omar Hakim, oom Ade, oom Kojo, oom Remi, oom Yinka, Pablo Mukherjee, Paola Pessot, Patricia Nelson, Patrick Marber, Paulo Perez Mouriz, Peggy Broderick, Pier Francesco Grasselli, Piero de Mattia, Pino Scarpato, Pradip Krishen, Rachel Watanabe-Batton, Raman Nanda, Rayya Elias, Rekha Thakrar, Renee Epstein, Rita Pacitti, Robin Holloway, Roszella Turner-Murray, Sadia Shepard, Saffron Juttla, Sangna Karir, Sarah Chalfant, Saskia Juratowitch, Sékou Neblett, Sergio Taranto, Sheila McKinnon, Shelby Nicole Washington, Slice Mango, Sukari Helena Neblett, Suketu Mehta, Tamara Juttla, Taneisha Berg, tante Allison, tante Ertharin, tante Gail, tante Harriet, tante Judith, tante Renee, tante Simi, Tawan Davis, Teju Cole, Thembi Ford, professor Toni Morrison, Venetia Butterfield, Victor Magro, Vivian Kurutz, W. Watunde Omari Moore, Wilfred Finn, Yemeserach Getahun, en bovenal, de eerste van wie ik ooit gehouden heb, Yetsa Kehinde Adebodunde Olubunmi Tuakli-Wosornu, mijn buitengewone, eeuwige reisgezel.

Bij de productie van dit boek is gebruikgemaakt van papier dat het keurmerk Forest Stewardship Council (FSC) draagt. Bij dit papier is het zeker dat de productie niet tot bosvernietiging heeft geleid. Ook is het papier 100% chloor- en zwavelvrij gebleekt.